Julen 1983
Til Rønnaug fra Kjersti.

Julen 1983
Til Rønnaug fra Kjersti

Tone Wikborg

Gustav Vigeland

mennesket og kunstneren

FORLAGT AV

H. ASCHEHOUG & CO. (W. NYGAARD)

OSLO 1983

Foto på foregående oppslag:
Gustav Vigeland tar frokostpause i haven utenfor atelieret på
Hammersborg juli 1923

Omslagsbilde, forside:
Monument for matematikeren Niels Henrik Abel
1903–05, reist i Slottsparken, Oslo 1908
(Foto: Kojan/Krogvold)

Omslagsbilde, bakside:
Oversiktsbilde, Vigelandsparken
(Foto: Kojan/Krogvold)

© H. Aschehoug & Co. (W. Nygaard) 1983
Billedredaksjon: Else Wiker Gullvåg og Tone Wikborg
Layout: Hans Nusslé
Filmsats: Univers fra Alfabeta a.s, Halden
Papir: 130 g Silverblade
Repro, trykk og innbinding:
Ljungföretagen, Örebro
Printed in Sweden

ISBN 82-03-11042-8
ISBN 82-574-0242-7 (Nye Bøker)

1 Monolitten – øverste del. Granitt

Forord

Om Gustav Vigeland har vært, og stadig er, en kontroversiell kunstner – lovprist og utskjelt – står han som en eventyrskikkelse i norsk kunst: Den unge treskjæreren fra et håndverks- og bondemiljø sør i landet, som skapte sin egen skulpturpark i hovedstaden og fikk et palass-lignende atelier og museum for sine arbeider av Oslo kommune. Selv om han sjelden deltok på internasjonale utstillinger og solgte lite, er hans navn i dag kjent langt utover Norges grenser. Hvordan var det mulig? I denne boken vil jeg forsøke å antyde noen av svarene. Men den primære hensikt er å gi en presentasjon av kunstneren og hans mangesidige produksjon, skissere Vigelands kunstneriske utvikling og se hans arbeider i relasjon til strømninger og tendenser hjemme og ute.

Etter at Hans P. Lødrup og Ragna Thiis Stang skrev sine oversiktsverker om Gustav Vigeland i henholdsvis 1944 og 1965, er en del nytt stoff kommet for dagen. For øvrig står jeg i spesiell takknemlighetsgjeld til fire personer som på forskjellig vis kan karakteriseres som Vigelands «gode hjelpere»: Sophus Larpent for hans omhyggelige nedtegnelser og dateringer av Vigelands kunst fra begynnelsen av 1890-årene og frem til ca. 1902; Inga Syvertsen, Vigelands venninne gjennom 20 år, for hennes dokumentasjon av hans arbeider fra 1900 til 1920 og mange fotografiske opptak; byarkitekt Harald Aars og museumsdirektør Hans Dedekam for deres nedskrevne referater fra samtaler med kunstneren. Begge stod Vigeland nær gjennom mange år og tenkte å skrive en bok om ham, uten at noen av dem realiserte planene. Aars' «dagbøker» ble først overlatt Vigeland-museet i 1968 (et utdrag redigert av Just Bing ble publisert i 1951). Men Dedekams nedtegnelser fikk Gustav Vigeland allerede i 1928, etter Dedekams død, og gjorde visse tilføyelser og rettelser; de kan derfor oppfattes som autorisert av kunstneren selv. Det fremgår riktignok ikke alltid klart hva som er direkte referat av Vigelands uttalelser og hva som er Dedekams egne refleksjoner og formuleringer. Denne usikkerheten, som skyldes den indirekte referatteknikken, er imidlertid ikke så vesentlig at den underminerer verdien av det nedskrevne: Dedekam har utvilsomt vært en sjelden lydhør, sympatisk innstilt og lojal gjenforteller. Et vel så vesentlig problem kan være å avgjøre hvor umiddelbart Vigeland uttaler seg, og i hvilken grad han bevisst har ønsket å formidle et «image». Han var jo klar over at Dedekam hadde til hensikt å skrive om ham.

I tillegg til de nevnte kilder har jeg i vesentlig grad benyttet sitater fra Vigelands egne nedtegnelser og korrespondanse. De utvalgte sitatene er ment å skulle gi leseren et innblikk i Vigelands oppfatning av sine kunstneriske mål og midler, i hans kunstsyn og mangesidige personlighet. Dessuten er Vigeland en glimrende beretter og stilist.

I samråd med forlaget er ortografien i sitatene fra Vigeland og hans samtidige forandret slik at de har fått større samsvar med dagens rettskrivning. Dette er gjort for at lesningen skal gå lettere. Fremgangsmåten er diskutabel. Det må innrømmes at noe av tidskoloritten går tapt. Men det er bare det ortografiske bildet som er endret, selve ordformene er bevart. Derfor kommer Vigelands skarpskårne og poengterte stil like klart frem som i den originale versjon.

Fremstillingen i de tre første kapitlene er lagt opp kronologisk og følger kunstnerens liv og arbeider frem til århundreskiftet. Større deler av hans produksjon som portretter og monumenter og Vigelandsparken, som ble til gjennom godt og vel 40 år, har det falt naturligst å behandle i egne kapitler. Annen produksjon, og Vigelands personlige og kunstneriske utvikling etter 1900, er gjort rede for i to andre kapitler.

Jeg takker Oslo kommune for den permisjon jeg har fått til å skrive denne boken, for hjelp og forståelse fra Vigeland-museets stab, Håndskriftsamlingen ved Universitetsbiblioteket i Oslo for påpasselig informasjon om innkomne brev til og fra Gustav Vigeland, Anne-Lisa Amadou for gjennomlesning av manuskript og alle som har bistått med råd og oppmuntring.

Tone Wikborg

2 Forblåst furu. Tresnitt. 19,5 × 38,5 cm

2

Innhold

Innledning

4   3 Sirkeltrappen, Vigelandsparken (foregående side)
       4 Tre gående kvinner. Detalj av smijernsport. Vigelands-
          parken

«Jeg har aldri hatt noe valg, jeg var billedhugger før jeg ble født. Jeg er blitt drevet og pisket fremover av veldige krefter utenfor meg – om jeg hadde villet aldri så meget, så fantes der ingen annen vei, jeg ble alltid drevet inn i det igjen.» Ordene falt under en samtale med Harald Aars i 1921 i forbindelse med at en ung mann hadde søkt Vigelands råd om han burde bli billed-hugger.

Det er grunn til å tro at Vigeland allerede som ganske ung følte en skapende impuls så sterkt at den ikke var til å komme forbi, uansett alle hindringer. Og dem var det nok av: en alminnelig motstand overfor kunst i det pietistiske miljøet han vokste opp i, manglende midler til utdannelse og ytterst dårlige kår for skulpturen her til lands.

En sterk trang, man kunne kanskje si tvang, til selvuttrykk synes også å ha spilt en vesentlig rolle når han valgte å bli billedhugger. Mer enn i det som kan skrives om ham, mer enn i hans egne nokså sparsomme uttalelser om seg selv, møter vi Vigeland i hans kunst. Om den intime forbindelsen mellom kunstneren og hans verk skriver Jens Thiis, Vigelands venn gjennom mange år, 1902: «For det er vel sjelden at kunst og liv har vært inderligere knyttet sammen. I uvant grad fornemmer man overfor de fleste av denne kunstners arbeider at de er følelser som er sprengt ut av et dypt sjeleliv, og at hvert et verk har *kostet* ham noe ... Hans kunst er åpenhjertig som ingens. Han kjenner ikke omsvøp. Hans følelser er alltid helt ut *mente*.»

Frem til ca. 1910, senere mer sjelden, kan skulpturene og tegningene virke som spontane følelsesutbrudd. Henimot 40-årsalderen faller hans sinn mer til ro, og det kommer ofte en større kjølighet inn i hans gjengivelser. Fra å komme med nesten hudløse, intime bekjennelser er det som han betrakter de menneskelige følelser og lidenskaper, menneskets kamp med seg selv og andre, på større avstand, om enn stadig subjektivt. Som han selv blir herdet av livet, får skikkelsene han skaper en tiltagende robust kraft.

Vigelands kunst gjenspeiler også en livslang erkjennelsesprosess. Gjen-nom ungdomsverkene i 1890-årene lyder et fortvilet rop, men ute i det nye århundret toner en hymne til livet, selv om underklangen stadig er i moll, og han ser alle livets manifestasjoner som deler av en stor komposisjon.

Som alle kunstnere var selvsagt også Vigeland påvirket av strømningene i sin egen tid. Hans kunstneriske oppvekst foregikk under inntrykk fra 1890-tallets nyromantikk og symbolisme. Etter å være stukket bort i realismens mørkekammer, fikk følelse og fantasi igjen slippe til. I pakt med tiden kom Vigeland til å søke en sammenheng mellom det subjektive og det universelle, død og liv, mennesket og kosmos, og ingen av symbolistgenerasjonen har vel som Vigeland gjort slike bestrebelser til plastiske temaer. De skulle oppta ham livet igjennom.

Vigelands stil kan tilsynelatende forandre seg i brå kast, fra de tidlige magre, senete, ofte skissemessige figurene til skikkelser av kolossale dimensjoner.

Det sentrale tema i Vigelands kunst er alltid mennesket, som han former fra vuggen til graven, alene og i relasjon til andre mennesker. Han skildrer deres insikter og følelser med psykologisk skarpsyn, enten det gjelder spebarnet eller de aller eldste. Det kan være av interesse å merke seg at Vigeland er 13 år yngre enn Sigmund Freud og 6 år eldre enn Carl G. Jung. Som disse søker å påvise almenmenneskelige psykiske fenomener og prosesser, kan Vigeland synes å gjøre noe lignende i sine menneskefremstillinger. Han analyserer seksualiteten som en sterk og levende kraft i menneskets liv og på forskjellig plan, og anskueliggjør våre aggressive holdninger. Vi ser også hvordan han henter inspirasjon til sin billedbruk fra mytologi, sagn og eventyr, hvordan mytene synes å utgjøre en del av hans egen forestillingsverden. De mest typiske motivene med mytologisk forankring, som han stadig vender tilbake til, er treet og dragen/slangen/øglen.

Tolkningene av det han skaper, overlater han for øvrig til betrakteren. Han unngår titler på sine verker, og skriver ved en anledning: «Angående 'meningen' med mitt hele arbeide vil jeg si noe i retning av hva Goethe sier i 'Samtaler med Eckermann' da der ble tale om hva han mente med Faust, nemlig at diktet bl.a. var ikke tredd på en idés magre tråd . . . Ellers har De nok hørt om fugler som ikke kommer tilbake til redet når mennesker har vært der. Å tale om et arbeide på forhånd virker lammende, for ikke å si drepende på virkelige kunstnere. Jeg kan ikke tale om mine ting. Men så meget kan jeg si at mitt arbeide er almenmenneskelig og personlig.»

Vigeland betraktet ikke seg selv som nyskapende, men som et ledd innenfor hele den figurative tradisjon, og hevdet at «Kunstnerisk originalitet ligger ikke i oppdagelsen av nye motiver, men i behandlingen, ikke hva, men hvordan.» Betegnende for Vigeland er at han ikke ønsker å idealisere, men benytter en virkelighetsnær gjengivelsesform som han fyller med et personlig farvet stemningsinnhold.

Et dilemma, både for oss som skal fordype oss i og vurdere hans skulpturer og for Vigeland selv, er hans bestrebelser på, fra ca. 1910 og fremover, å ville forene følelsens og uttrykkets intensitet med avklaret, monumental form, ekspresjonisme med klassisisme. I følgende karakteristikk fra 1916 av sine intensjoner er han inne på at han kanskje ønsket å gripe det umulige: «Syntesen og analysen kjemper om herredømmet i mine arbeider som det subjektive og det universelle kjemper om herredømmet i mitt liv. Jeg ønsker stadig, ja, det er meg en uavbrutt kamp å få det syntetiske til å smelte sammen med det analytiske i mine arbeider, likesom det er meg en daglig kamp, ja timelig, minuttlig strid, å få det universelle i harmoni med det subjektive. Hvorvidt andre synes det er lykkedes meg, vet jeg ikke. Jeg tror det aldri er lykkedes meg helt, hverken i mine arbeider eller i mitt liv.» Denne innrømmelsen hindret ham imidlertid ikke i å fortsette å forfølge sitt mål, noe som mange både i samtid og ettertid har stilt seg kritisk overfor.

En vanlig oppfatning er at Vigeland står kunstnerisk høyest i de tidlige skulpturene hvor det indre og ytre smelter naturlig sammen, hvor et intenst og spontant følelsesmettet innhold forplanter seg til struktur og overflate, som eksempelvis i monumentene over Henrik Wergeland og Camilla Collett, eller i gruppene av mennesker og trær rundt fontenen i Vigelandsparken. Derimot har de voluminøse granittgruppene rundt Monolitten og de kraftige figurene på Broen ofte vært ansett å betegne en nedgang i hans produksjon. Selv om det også blant disse skulpturene gjøres unntagelser, er de blitt avvist som kunstnerisk svake. Men det kan også hevdes at disse skulpturseriene hører til det mest originale Vigeland skapte, nettopp i kombinasjonen av det monumentale og det dagligdags menneskelige – dette at han ved den store form heroiserer det utpreget almenmenneskelige og lar dem som vandrer mellom figurene i det store parkrom møte seg selv i alle livets faser, i lek og konflikt, ømhet og brutalitet, kamp og lengsel. Det skal ikke benektes at dette møte kan være både frastøtende og rystende. Som livet selv.

«Når blir det almenmenneskelige umoderne?» spør Vigeland i 1932. Siden han i det hele tatt stiller spørsmålet, er det kanskje fordi skulpturen på denne tiden beveget seg i helt andre retninger, mot det abstrakte, non-figurative, og at man var mer opptatt av formale problemer enn av det spesifikt menneskelige. På bakgrunn av disse tendensene var han blitt en anomali. Han har ikke dannet noen skole, og den internasjonale kunsthistorien har i liten grad befattet seg med ham.

Selv gjorde Vigeland få anstrengelser for å skape seg et navn. I motsetning til Edvard Munch, som var en energisk organisator av egne utstil-

5

6

Gustav Vigeland holder på med en byste av seg selv. Han har arbeidet på den i tre dager, og nu er den allerede støpt i gips. Jeg er ikke fornøyet med den, jeg synes likheten er nokså overfladisk. Mens han holdt på med denne byste, – «med epidermis», vokste det frem et bilde av hans hjernes indre, og nu har han laget skissen til en menneskekule, – et yrende nøste av menneskeliv . . .
Harald Aars 1922

7   8

5 Selvportrett. 1922. Bronse. 45 × 18 × 20,5 cm
6 Kule med mennesker. 1922. Gips. Høyde 28 cm
7 Knivskaft med dyrehode. Ca. 1887. Tre
8 Knivskaft med menneskeansikt. Ca. 1887. Tre

linger, foretrakk Vigeland å avstå fra slik virksomhet. Han skriver til en venn i 1899: «Jeg fikk forespørsel fra Berlin om jeg ville delta i en større utstilling der. Men jeg må si at jeg ingen lyst har til det. Hva skal jeg egentlig der?» Beror denne holdningen på nærtagenhet overfor kritikk, eller på en usedvanlig selvfølelse? Uttalelser som «Det er meg ikke om å gjøre å utbre kjennskapet blant publikum til mine ting» og «Jeg bryr meg ikke om utlandets dom, jeg vet hva mine ting er verd» skulle tyde på det siste. Det hendte imidlertid at Vigeland deltok i større kollektive utstillinger. De store skulpturene han etter hvert beskjeftiget seg med, egnet seg i det hele tatt ikke for transport, og i 1917 skriver han: «Jeg har jo i snart 20 år vært opptatt med immobile – monumentale – arbeider . . . Å utstille de store stengrupper ville være idiotisk – å omsende monumentalarbeider er uverdig. La Europa komme opp og se dem når de er på plass. Sendte 'de gamle' sine arbeider på tourné? Ble pyramidene og de indiske klippetempler trillet Europa rundt? Nuvel, jeg har aldri brydd meg om utstillinger.»

I dag kommer besøkende ikke bare fra Europa, men fra hele verden til skulpturparken på Frogner, som er blitt ett av den moderne turismes valfartssteder. Men de færreste finner veien til museet i nærheten hvor man kan se også hans tidlige produksjon. Først i de senere år er det blitt arrangert utstillinger i utlandet med presentasjon av hans arbeider for alle perioder. Minst kjent er Vigelands tegninger, tresnitt og plastiske skisser, som denne boken vil vie større oppmerksomhet enn det tidligere har vært gjort, og hvor noe vesentlig ved Vigelands egenart også gir seg til kjenne: hans dynamiske og skapende vitalitet.

9 Torso. 1909. Marmor. 113 × 72 × 59 cm
  I bakgrunnen: Genieporten i smijern. Ca. 1941.
  360 × 360 cm
10 Ung mann og kvinne. 1906. Marmor. 191 × 58 × 52 cm

9

11

12

11 Mann med kvinne i fanget. 1905. Bronse. 132 × 81 × 78 cm
12 Mann med kvinne i fanget. 1915. Granitt. 102 × 101 × 99 cm
13 Knelende mann omfavner stående kvinne. 1908. Bronse. 168 × 76 × 70 cm
14 Kvinne hopper opp på mann. Ca. 1930. Bronse. Broen, Vigelandsparken. Høyde 1.95 meter

13   14 >

16

15 Ung pike. Detalj av gruppen «Skremt». Ca. 1914. Hvit
kalkstein. 67 × 58 × 36 cm. Hele gruppen se ill. 195

Barndom og tidlige ungdomsår

Jeg tilstår at på en måte har mine arbeider alltid vært til for meg og visselig også på en måte før meg. Men når jeg f.eks. har vanskelig for å komme fra at mine figurers strenge form og deres mangel på kunster og utenomting har sin rot i min strenge, puritanske oppdragelse, er det ikke derfor sikkert at jeg har rett.

G. V./Dedekam 1918

16

Familien

Den 11. april 1869 fikk snekkermester Eliseus Thorsen og hans hustru Anna sin andre sønn. Ved dåpen i Mandal kirke 16. mai samme år gav de ham navnet Adolf Gustav, men kalte ham bare Gustav. Foreldrene var av bondeætt, og slekten på begge sider hadde i århundrer bodd i Audnedal, vest for Mandal. På farens side fantes det mange dyktige snekkere og treskjærere, som i tillegg til å fiske og drive jordbruk laget møbler for lokalsamfunnet. Farfaren, Tore i Ramsdalen, skal sammen med broren Per ha utført altertavlen i Sør-Audnedal kirke. Faren var den første som bare levde av sitt håndverk som møbelsnekker, først i Svinør og deretter i Mandal, hvor han kjøpte hus i 1868. Verkstedet ble først drevet i underetasjen, og familien bodde i rommene over. Da omsetningen og familien økte – det ble født tre sønner til, men den ene døde tidlig – ble verkstedet flyttet til et nybygg ved siden av det gamle huset. Her drev faren en etter forholdene blomstrende forretning med flere læregutter og svenner. Han deltok i arbeidet unntatt i sine siste leveår. Svennene og læreguttene spiste ved samme bord som familien og hadde sine faste plasser. «Det ble ikke talt noe ved måltidene,» forteller Vigeland, «far var for alvorlig. Måtte en svenn eller læregutt si noe, hvisket han. Når man reiste seg fra bordet, ble det sagt takk for maten, hver flyttet sin stol stille og gikk. I tidlig tid leste far en bønn høyt før og efter maten. Efter hvert ble det mindre og mindre bønn. I de siste år ble det slett ikke bedt. Man reiste seg og kom, men stille som før.»

17

Faren var den som dominerte hjemmet. Den store, kraftige skikkelsen var nok til å inngi respekt. Som barn tenkte Vigeland at «bare en liten bevegelse av en av hans fingre, og det ville velte verden». Kjærligheten til barna ble overskygget av et vanskelig sinn og oppfarende temperament. Slik karakteriserer Vigeland faren og hans slekt:

De var som sorte stormfugler, som hadde sitt hjem ute på klippene, hvor storm og bølger raste.

I Vigelands tidligste barndom stod faren i nær kontakt med den pietistiske vekkelsesbevegelsen, og bibellesning, bønn og salmesang hørte til dagens orden. «Hvis en eller annen kom til å slippe ned den minste ting eller gjøre den minste lille forstyrrelse under andakten, var det straks som om alle himler styrtet sammen.» Aldri glemte han en salme som ofte ble sunget, og som han siterer et vers fra i en notisbok datert 1921:

18

> Hvad er det vel alt!
> . . .
> Hvad er mine aar
> som sagtelig rinder og snigende gaar?
> Hvad er min bekymring, mit tankefuld sind,
> min sorrig, min glæde, hvad hovedets spind,
> hvad er mit arbeide, min møie, min sved?
> Forfængelighed, forfængelighed.

Å! Når far sang denne Kingos salme med sin mektige røst, så vi satt omkring (som) mus nede ved gulvlisten!

Prester og lekpredikanter kom stadig på besøk; Vigeland minnes at han satt på Lars Oftedals kne og var redd for hans sorte spadeskjegg. En særlig oppskakende opplevelse, som han kom tilbake til mangfoldige ganger senere i livet, hadde han da faren en langfredag morgen stod med hestesvøpen over

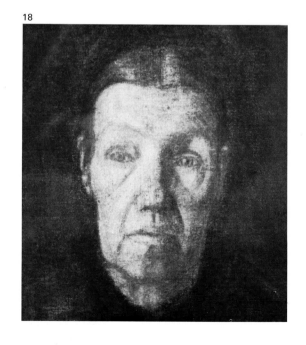

20

Det fotografi som finnes av far, mor, Theodor og meg, er visstnok tatt av fotograf Maartmann på Malmø, Mandal, da jeg var 1½ eller 2 år. Meningen var at jeg skulle sitte på mors fang og Theodor på fars. Da jeg ikke ville sitte på mors fang, forsøkte far å få meg til å sitte på sitt, men det ville jeg heller ikke. Jeg ville sitte alene. Men det var ikke plass for meg mellom far og mor, derfor forsøkte jeg å skru meg ned, og da vi skulle fotograferes, ble det sagt meg at hvis jeg satt stille, ville det komme en fugl flyvende ut av det runde glass som stod rett foran meg, og da fotograferingen varte lenge, glemte jeg det med plassen, og jeg ble fotografert sittende skrått på fars venstre kne, det ser ut som jeg alt hat sittet lenge og sett etter fuglen, hodet hellet.
G.V.

Mor som jeg så henne var middels høy, kanskje litt under middels, mørk og flink med hendene. Hun så usedvanlig godt og var «nøden»; når doktoren ikke kunne klare f.eks. å «ta ut av øyet», gjorde hun det. Hvor ofte har jeg ikke sett fremmede folk komme langveis fra til henne. Når jeg kom løpende inn fra gaten, satt de der med bind for øyet, rødøyete, forgråtte. Flere ganger så jeg mor sprøytet brystmelk direkte i øyet på folk. Hun tok aldri betaling. . . . Hun sydde enestående fint. Finere små sting har ingen sydd med hånd.
G. V.

En gang da han var liten, skjente moren på ham. Så sa han: Jamen jeg eier da meg selv. Det er tvilsomt det, sa moren. Han syntes det var merkelig at han ikke skulle eie seg selv.
Anna Nilssen

I vårt hus kom stadig lesere, prester, emissærer og «brødre» men aldri søstre.
G. V.

17 Gustav Vigeland, ca. 2 år
18 Vigelands mor Anna, malt av Emanuel Vigeland
19 Foreldrene med den eldste broren Theodor, og Gustav i midten
20 Barndomshjemmet i Mandal

ham og broren Theodor mens de ennå lå i sengen; de skulle minnes Kristi lidelse.

Moren hadde et stille og harmonisk vesen, og hos henne fant barna en velgjørende ro. Vigeland var meget glad i henne og følte seg alltid sterkt knyttet til henne. Når hun satt og sydde, husker han at han «hang i fanget hennes mens hun nynnet». Foreldrene eide en hest som var vill og vanskelig å styre, særlig når faren holdt tømmene, men som rolig lystret moren når hun kjørte den, alltid uten svøpe.

En særlig betydningsfull person i guttens liv var morfaren Aanen, som bodde på Vigeland utenfor Mandal. Offisielt hadde han overdratt småbruket Mjunebrokka til sin eneste datter og svigersønn, men han fortsatte å bo på gården og drive den på sitt gammeldagse vis. Han eide ikke hest, og bar høy og alt annet på ryggen. Ute og inne hersket det nøye orden. Han syslet også litt med treskjæring, det var bruksting han laget, verktøy og redskaper, «som i og for seg var kunstverker . . . Jeg satt på hans kne mens han sang sanger av Welhaven, Ambrosius Stub m.fl., 'Nordlands Trompet' kunne han utenat».

Oppvekst i Mandal og
på Vigeland

Som barn var Vigeland ofte syk, én gang så alvorlig på grunn av lungebetennelse at det ble bedt for ham i kirken. Hele livet hadde han problemer med lunger og slimhinner. Men kanskje var det ikke noe stort tap for ham at han ikke kunne være så mye ute og leke som andre barn:

Jeg husker første gang jeg leste Euripides' «Drama», jeg var liten, for meget barn visst – jeg leste det høyt for bestefar – men jeg ble på et av de aller første blad glad da det plutselig slo meg at Alkestis ville komme tilbake.
G. V./Gelly Marcus 1908

Han var oppdradd i et pietistisk hjem, men reagerte senere mot kirke og prester. Gikk aldri i kirke, uten i katolske land og England. Sympatiserte med katolsk ritus, hvor presten ikke stakk seg frem.
Hans Dedekam 1921

Jeg husker da jeg var liten gutt og satt oppe i loftsvinduet, som vendte ut mot haven der nede i Mandal, hvorledes jeg satt og lyttet spent på noe bud utenfra, – og når jeg så hørte posthornet borte i lien, så var det om han hadde noe med til oss. Det kunne være noen små billeder, noen subskripsjons-innbydelser eller hva som helst, jeg kastet meg over det og slukte det og gjemte på det.
G. V./Aars 1921

Med skolen gikk det dårlig. Denne monotone dur sløvet meg, den ene dag var som den annen, nøyaktig, det var slett ingen forskjell. Det var så vidt jeg hang med.
G. V.

21 Mjunebrokka, morfarens gård på Vigeland i Sør-Audnedal; det opprinnelige huset før ombyggingen i 1912
22 Gammel mann og gutt. 1901. Penn. 20,8 × 15,3 cm

23

24

Jeg satt i sengen og tegnet og klippet papir, hester og mennesker, og når jeg var oppe, kunne mor bare gi meg en blyant eller en saks og et stykke papir, så satt jeg stille i timevis.

Sykdom, angst for farens utbrudd og vekkelsesmøtenes understreking av synd og skyld, av dom og straff som ventet etter døden, må ha virket til å spenne barnets sinn og gi ham nervøse anlegg. Han sov lite og lett: «Lå jeg i sengen, hørte jeg stadig ett eller annet, noen gå utenfor, fingre med døren, tasse omkring på loftet.» Han var ustyrlig redd for mørket, selv for å sitte med bena under bordet om kvelden. Med henblikk på hans senere kunstnergjerning kan de religiøse opplevelsene ikke bare ha vært av negativ karakter. De må ha medvirket til å utvide hans følsomhet, gi ham en dypere forståelse av menneskets muligheter til opphøyelse og fall. Vigeland kunne senere tale med en viss forakt om Østlandets materialisme og fremheve den veldige følelsesfylden som ligger latent i vestlandspietismen. Han kom riktignok til å reagere sterkt mot kirke og presteskap, men sluttet aldri å lese Bibelen, som han kunne partier av utenat, liksom mange salmer.

Kirkegangen var obligatorisk for alle:

Hver søndag gikk vi til kirke, far, mor, Theodor og jeg, far med flosshatt og sort silkeslips som mor for litt siden hadde stått foran ham og knyttet, mor også helt i sort med øredobber . . .

Gaten var svart av kirkefolk, alle svartkledte og med salmebøker . . . Jeg satt hele tiden og lengtet efter å komme ut. Jeg syntes det var så rart at alle de voksne gikk her av seg selv. Mer av lyden enn av ordene kunne jeg høre at nu dalte prekenen, jeg ble kvikkere,

23 Kirken i Mandal
24 Kristus preker for de fordømte. Penn. 15 × 20,9 cm

23

25

26

for nu forstod jeg at det snart ville slutte, og jeg begynte å puste ut når presten var kommet så langt som til «krigsmakt til lands og til vanns», for da visste jeg at der nesten bare var en salme igjen.

Men livet i Mandal var også fylt av andre, lystigere opplevelser. Mange slags farende folk, med og uten merkverdige dyr, kom innom den lille byen, hvor de skapte liv og røre: Bjørnetrekkere med bjørner som danset, tatere med apekatter som gjorde kunster, sekkepipeblåsere, tyske hornblåsere, danske sangere og akrobater som opptrådte på tepper de la ut midt i gaten. En sjelden gang kom også et helt sirkus på besøk.

Gustav deltok i barnas lek, gikk på skøyter på Mandalselven, plukket de første vårblomster utenfor byen og samlet på frimerker: «Det frimerket jeg likte best, var det blå fra New Queensland med dronning Victoria som ung med bar hals og krone, seende på meg.»

Forholdet til faren hadde også sine lyse sider. Tidlig fant Gustav veien over tunet til verkstedet, fikk låne et jern: «Og så kunne jeg stå der i timevis og karve og skjære en eller annen ting uten å forstyrre hverken svenner eller gutter ... Far var min første lærer. Han utførte selv alt det billedskjærerarbeide som han behøvde til sine møbler.» Inspirert av de fremmede skutene på havnen og av nye som ble bygd på verftene, skar han små båter, «fullriggere, aldri dampskip». Et forsøk på å kopiere den svenske billedhuggeren Johan Peter Molins «Beltespennerne» mislyktes. Denne første kampgruppen skulle senere få atskillige etterfølgere; aggressive instinkter var ikke ukjent for ham.

Hjemmets billedbibel formidlet det første møte med verdenskunsten. Her fant han reproduksjoner etter verk av Rafael, Rembrandt, Poussin og Michelangelo. «Michelangelos bevegelser var som fars, som jeg syntes var allmektige, den minste bevegelse av fars fingre maktet alt.» På veggene hang religiøse bilder i mørke bjerketresrammer, blant andre Leonardos «Nattverden».

Han var glad i å lese og tegne, gjerne etter illustrasjoner. «Theodor og derefter jeg lånte bøker i frøken Anna Salvesens leiebibliotek, det kostet bare to øre dagen, siden fire.» De slukte reisebeskrivelser, Dickens, Walter Scott og årganger av illustrerte blader: «Bildene tegnet jeg efter. Kom der skulptur i

27

24

28

Jeg spurte om han syntes Mandal var en vakker by. Det kunne han ikke bedømme. Han kunne ikke betrakte byen med uhildet blikk. Han hadde for mange såre minner derfra.
Hans Dedekam 1922

Bak Mandals middelskole
ligger en furulund.
Der inne gikk jeg
ofte når jeg kom fra skolen.
Det var veldige trær
og stadig sus deri,
evighetssus,
et sus som kunne stige svært og dale.
G. V. 1912–13

Før var jeg kun en dunkel stamme
der grodde opp for kun å gro,
men siden skjøt jeg grener,
flere og flere, og uti
kvisternes ender og i
bladene skalv mitt sinn
– men uten at jeg følte
det vokset jo videre,
bladene ble utallige.
G. V. 1912

25 Sjøsanden i Mandal
26 Furu på knausen bak hjemmet i Mandal
27 Gutt sitter i tre. Gruppe på fontenen i Vigelandsparken. 1913. Bronse. Høyde 2 meter
28 Mandal, ca. 1840. Litografisk trykk etter tegning av Samuel Andersen. 40 × 64 cm

gjengivelse, tegnet jeg det alltid når det ikke var byster. Jeg tenkte at var jeg billedhugger, ville jeg aldri hugge byster, hoder eller portrettmedaljonger, nei, jeg ville hugge hele figurer, fryktelige ting som skulle gjøre menneskene redde.»

På skolen kjedet han seg og gjorde ingen særlige anstrengelser. «Kan når han vil,» stod det en gang på vitnesbyrdet.

Denne monotone dur sløvet meg, den ene dag var som den annen, nøyaktig, der var slett ingen forskjell. Det var så vidt jeg hang med.

En dag våknet han. De hadde fått presten O.E. Mohr til lærer, han leste diktet «Der ligger et land mot den evige sne»:

Det var en tone jeg aldri hadde hørt før, jeg ble vekket, jeg ble lysvåken med ett, det var som de trange gule skolevegger falt så jeg kom ut i stor luft, i svært vær, jeg hadde fri, jeg lekte i Ulvegjelet, skjønt jeg satt ved pulten som før. Og dette var en mann som leste slik, en mann med skjegg og briller, en lærer, en skolelærer.

Bare i tegning utmerket han seg. Tegnelæreren var klar over evnene hans og ønsket å gi ham vanskeligere fortegninger, men fikk ikke lov av skolestyreren av hensyn til de andre elevene. For øvrig ble han husket av skolekamerater som en stille gutt som deltok lite i de andres lek, men heller fant seg en pinne som han gikk og spikket på for seg selv.

Naturinntrykkene fra barndommen fulgte ham hele livet. Havet, Sjøsanden og Furulunden bak stranden stod alltid levende for hans erindring, likeså den stadige vinden som strøk sanden langs veien og «sopet den som en lime soper og slo sanden ut oppe i luften som en vifte.» En liten forblåst furu stod på en knatt like ved huset: «Når jeg lå, syntes jeg synd i det tre som måtte stå ute i mørket om natten og bli blåst på, og av og til syntes jeg selv jeg var det tre og stod der oppe på kanten i mørket.» Når han kom fra skolen, la han ofte veien gjennom Furulunden: «Gikk der på den røde barbunn som gjorde sålene glatte, og pillet lommene fulle av kongler . . .» En soldag syntes han de høye stammene stod som søyler av gull i et tempel med mørkegrønt tak over:

Vinden over Furulunden steg og bruste og la seg igjen så det ble ganske stille der inne. Kastet jeg så en kongle og traff en stamme, smalt det så tørt og kort og lytt, så jeg ble redd som om jeg hadde kastet sten på et alterkors i en kirke. Men når så vinden hovnet og ble stor og fikk trærne til å svaie og lunden til å helle, kunne jeg bli som fra meg og mistet liksom fotfestet og løftedes fra jorden og svevet med i stormen mellom trærne.

Denne ekstatiske følelsen av å være rykket ut av tyngdekraftens virkefelt beskriver Vigeland ved flere anledninger; en gang ble den utløst av noe så prosaisk som et gutteslagsmål: «Jeg glemte det liksom, ble stående stille, og det begynte å klinge i øret mitt fint og lenge, jeg ble lett og svevet oppad og seilte av sted med de hvite skydotter som just da drog rett over meg.»

Vigeland erindrer «høst og vinterkvelder da vi alle satt omkring bordet, far og Theodor leste, mor sydde og jeg tegnet eller så på bilder». En slik kveld, da det blåste og regnet pisket mot ruten, sa moren: «Vi vet ikke hvor godt vi har det mot dem som nu er ute på sjøen.» «Jo», sa far, «det er mangen gang farligst å sitte inni husene.» Han visste hva han snakket om; den religiøse iveren avtok, og han klarte ikke å motstå trangen til alkohol. Gjennom Vigelands opptegnelser skimter vi også konturene av en ung kvinne som kom inn i farens liv og fortrengte moren. Under disse ulykkelige og vanskelige forhold reiste moren og barna stadig oftere ut til bestefaren på Vigeland. Indirekte forteller Vigeland om hvordan han led under konfliktene i hjemmet: «Jeg orket ikke å være i Mandal eller gå på skole, jeg lengtet efter bestefar. Enten jeg satt på skolen eller jeg var hjemme eller jeg gikk ute, så lengtet jeg efter å komme til ham på Vigeland. Jeg løy meg syk ... Jeg ble da sendt på landet til bestefar.» Når noen kom på besøk fra Mandal, «var jeg redd for de skulle 'hente meg' eller der var bud til meg om at nu skulle jeg komme hjem igjen til den fæle skolen og til min strenge far.» Om dagen fulgte han med i gjøremålene på gården, og «Om kvelden leste jeg for bestefar i forskjellige bøker, han ville høre alt». Middelskole-eksamen fikk han aldri. Han sluttet på skolen i Mandal for godt ved juletider 1882, og begynte på Nyplass skole i Sør-Audnedal. Etter at han var blitt konfirmert 30. september 1883, gikk han en kort tid om høsten på amtskole i bygda.

Treskjæring opptok ham stadig sterkere. Bestefaren tok ham med til Tarald Lauen, den beste treskjæreren i bygda. Han lærte seg fort både teknikk og

29

Nu tenker jeg på den rad av kollete trær som bestefar tok meg forbi da jeg var bitteliten. De stod der om kvelden som puklete dyr og vredne dyr og grep efter meg med sine mange tynne ben og armer – jeg satte i et ilskrik, for jeg syntes de ville ta meg. Men bestefar sa: Det er ikke dyr, det er bare trær. Og de gjør ingen ondt.
G.V. 1915

30   31

33

mønstre, det ble skjeer, tiner og knivskaft som læreren visst syntes var litt for gode. En dag lå alle Taralds egne gjenstander dekket over, og Vigeland fikk beskjed om at han trengte ikke å komme dit mer. Det var ikke ønskelig med unge konkurrenter.

32

På treskjærerverksted i Kristiania

Foreldrene bestemte at han skulle utdannes til profesjonell treskjærer. 15 år gammel reiste han sammen med faren til Kristiania, hvor det ble avtalt med billedskjærer Torsten Kristensen Fladmoe at han skulle bo og arbeide hos ham. Fladmoe hadde mye arbeid for en møbelsnekker, og den unge lærlingen skar metervis av hulkiler og eggstav-ornamenter. Da Fladmoe så hvor dyktig han var, gav han ham både litt lønn, 2 kroner uken, og mer interessante oppgaver. På verkstedet arbeidet en treskjærer med å lage en liten kopi av Gokstadskipet, og Vigeland fikk hjelpe til med å skjære inventaret, blant annet sengestolpene, skjold og teltstavene med dragehoder. I fritiden satt han for det meste og skar for seg selv på verkstedet. Noen kvelder i uken fulgte han undervisningen i tegning på Den Kongelige Tegneskole (senere Kunst- og Håndverksskolen). Han besøkte det nyåpnede Skulpturmuseet, som mest inneholdt gipsavstøpninger etter antikkens skulpturer, og han har nok også sett nøye på det lille som fantes av skulptur i byen. Men ønsket om selv å bli billedhugger stod for Vigeland, og de øvrige svennene på verkstedet, som noe «uoppnåelig».

Hjemme i Mandal gikk det fra galt til verre. Da Vigeland besøkte familien ved juletider i 1885, kjente han seg ikke igjen. Verkstedet var i forfall. «Første etasje i vårt hus var innredet til ølrestaurant, og oppe i værelsene kunne vi høre korkeopptrekkermaskinen slo i slag. Her satt mer eller mindre fulle folk, og en pike og far selv gikk omkring og serverte. Det var ikke til å fatte. Huset, gårdsrommet, alt lå som før – bare dette her inne var annerledes. Jeg ville reise straks igjen og sa at jeg aldri ville komme hjem mer, men mor og mine brødre bad meg i alle fall være litt til. Jeg ble ikke lenge.» Den dagen han reiste, gav faren ham et bilde av Jesus som går på sjøen, mens Peter synker og roper: «Herre, hjelp meg.» Vigeland var ennå ikke 17 år.

27

Når der i den kristne tid blir utført storartede nakne menneske-figurer, er det under innflytelse fra antikken og på tross av kristendommen. Jorden var en jammerdal og legemet med dets funksjoner «syndig». Man skammet seg over sin kropp og gjemte den som om den var stjålet ... At kunsten skylder kristendommen noe godt, er klart. At Bibelen gav billedkunst-nerne motiver, er det minste. Det største er at kristendommen bragte inn i kunsten en egen og verdifull lidelse.
G. V. 1933

Hjem igjen

I Kristiania ventet nye vanskeligheter. Fladmoe ble syk og verkstedet oppløst. En kort stund arbeidet Vigeland hos en annen treskjærer, men ble snart oppsagt av mangel på bestillinger. Våren 1886 kom han hjem igjen. Bestefaren var død, faren syk av tuberkulose og umyndiggjort. Familien flyttet fra huset i Mandal og slo seg ned på gården på Vigeland, hvor faren døde kort etter. Moren drev småbruket med hjelp av barna. Den eldste sønnen Theodor laget møbler ved siden av å drive gården. Gustav hjalp til, og skaffet dessuten litt kontanter til veie ved salg av utskårne tiner, billedrammer, knivskaft og andre bruksgjenstander. Helst skar han knivskaft med fantasti-ske dyrehoder, uhåndterlige, lite salgbare og sjelden fullført.

De eldste brødrene, Theodor og Gustav, senere også Emanuel, viste en intellektuell legning og kunstnerisk trang som de fant liten næring for i det trange og fattigslige miljøet. Men de hjalp seg selv så godt som forholdene tillot. Fantes det noen ledige kroner, bestilte de bøker, tidsskrifter og aviser. «Få ting var så gledelig som når posten blåste på sitt horn i 'Mørkelia'». Theodor bestilte fiolin fra Tyskland og tok spilletimer i Mandal. Gustav fikk en sitar, og forteller at han laget melodier til dikt av Wergeland og Welhaven. Kom det ungdom til gårds, leste Theodor høyt for dem fra Holberg og Turgenjev.

Tanken på å bli billedhugger opptok ham stadig mer. Gustav Vigeland fikk fatt i et hefte med tegneøvelser etter skulpturer av Bertel Thorvaldsen; den danske neo-klassisistiske billedhuggeren ble hans tidligste ideal. Hele livet igjennom bevarte Vigeland sin opprinnelige beundring for Thorvaldsens

Før jeg var 20 år, var min kjæreste lesning gresk mytologi, min eldre bror kalte meg hånlig «Mydelen». Mytologien lå meg ikke fjern, det var det almenmenneskelige som interesserte meg også dengang.
G. V.

Jeg kunne gresk og romersk mytologi utenat og lange stykker av Iliaden og Odysseen, de greske dramatikeres korsanger kunne jeg utenat, Pindar, Simonides. Jeg husker min begei-string for Euripides' korsang om Orfeus, især for de tre ord: «gule som flammer», om dyrene som kommer fra skogene dratt av tonene, løveflokken «gule som flammer». Og Euripi-des' korsang om den beste kvinne jeg hadde hørt om, Alkestis. Jeg syntes de greske mennesker var vakrere og bedre enn dem jeg leste om i Bibelen. Jeg hatet Bibelens ord: Du skal ikke gjøre billeder av din fader osv., og jeg syntes ikke det var stort bedre nu da fiolinspill og billedhuggerarbeider, av mange kalt avgudsbilder, hørte Djevelen til. Det er jo et avgudsbilde, sa en leser om en liten figur jeg hadde gjort. Billedstormerne var i mine øyne mordere. Det var som om Theodor og jeg var på vei til Helvete.
G. V. 1939

34 Gammel mann. 1893. Leire. 23,4 × 24,2 × 16,4 cm
35 Studietegning av hender. 1890. Blyant. 12 × 19 cm
36 Potetkjeller. 1890. Blyant. 12 × 19 cm

36

linjerende figurer og den avklarede helheten i hans komposisjoner. På grunnlag av fortegningene oppøvde Vigeland en frapperende ferdighet i å utføre et hvilket som helst motiv i thorvaldsensk stil: en tynnlinjet ren kontur, detaljene angitt med få, enkle buede streker, ingen skyggelegning, men en luftig-lett helhetsvirkning. Denne stilen er den dominerende i hans tegninger til omkring 1891.

Han visste han trengte å lære anatomi og tegne akt, noe som vanskelig lot seg gjøre under de gitte forhold. Han klarte å skaffe seg «Anatomie artistique» av Poul Richer, og i all hemmelighet studerte og tegnet han sin egen kropp mens den yngre broren Julius stod vakt: «Og så kunne han komme farende, heseblesende, og si: Theodor kommer. Mor kommer. I en fart fikk jeg klærne i orden, tok for eksempel et knivskaft og skar. Jeg skulle jo også arbeide til huset.»

Hver ledig stund ble benyttet til tegning og lesning. Vigeland leste Homers «Iliaden» og «Odysseen» til han kunne lange stykker utenat, dramaer av Sofokles og Euripides, og han studerte Horats i tysk oversettelse. I all denne litteraturen fant han en overveldende motivrikdom som nedfelte seg i mangfoldige tegninger. Han leste også bøker av den danske kunsthistorikeren Julius Lange, og gjorde hva han kunne for å få tak i illustrerte kataloger fra utstillinger i København og Paris. «Mor var tålmodig og god, hun lot meg få kjøpe alt jeg bad henne om, verker med avbildninger av skulptur først og fremst.» Men ikke alle ønsker lot seg oppfylle. Vigeland forteller om et bokverk han var «helt syk» etter å skaffe seg – flere bind av Thiele om Thorvaldsens verker. Hvert bind kostet over 100 kroner, og han visste at moren ikke hadde råd til å kjøpe dem til ham. Likevel bestilte han bøkene på etterkrav. De var så store at han våget ikke å bære dem inn i huset om dagen, og måtte skjule dem godt innpakket mellom noen busker til de andre hadde lagt seg om kvelden. Da bar han dem hjem og la dem i en kommodeskuff, godt tildekket av tegninger. «Jeg fikk lite se i dem, det var ikke nok fred å få, Theodor og mor kunne komme inn hvert øyeblikk, og hvert bind var tungt og stort og derfor vanskelig å få gjemt unna i en fart.» Han fikk aldri råd til å betale, og leverte bøkene tilbake til bokhandler Cammermeyer så snart han kom til Kristiania igjen.

Trangen til kunstnerisk utfoldelse ble for stor. Han visste at han måtte bryte opp, komme videre. En oktoberdag i 1888 pakket han sammen klær, bøker og bunker med tegninger, og satte kursen mot Kristiania.

Vigelands tidlige tegninger er visstnok alle forsvunnet. Han forteller at da broren Theodor døde av tuberkulose i 1906,

35

29

beordret distriktslegen i Sør-Audnedal alle mine tegninger brent av hensyn til smitte. Derimot ble Bibelen, salmebøker o.l. skånet. Atskillige hundre tegninger strøk med her, tegninger som jeg hadde latt bli tilbake da jeg reiste til Kristiania i oktober 1888.

I flere år brydde han seg dessuten lite om å ta vare på sine tegninger. Mange av dem lå stuvet bort i en gammel koffert, som han tidlig i 1890-årene gav til en gammel kone:

Hun tømte kofferten på Etterstadsletten, og tegningene blåste til hver sin kant. Hun fortalte meg at unger tok papirene opp og lo av de nakne figurer.

Heldigvis unngikk en del tegninger og skissebøker fra 1889 og senere samme skjebne.

37

37 «På jakt efter lykken». 1890. Penn. 12 × 19 cm
38 «Orfeus». Ca. 1894. Penn. 17 × 21 cm

Fra treskjærer til billedhugger

Overgangstid, ja, det kaller vi hver dag i hele vårt liv. Der er alltid en del av oss som pines, som vi søker å lege. Og er det sted leget, får vi øye på et annet sår. – Det er egentlig denne tro på overgangstiden som holder liv i en – og som betinger all utvikling. Hele livet er en samling av overganger, mangfoldige små og en eneste stor som rekker fra vuggen til graven.

G. V. 1895

38

Kamp for tilværelsen

Straks etter ankomsten til Kristiania i oktober 1888 begynte Vigeland å søke arbeid som treskjærer og fikk omsider plass på et verksted i Torvgaten 5. Arbeidsdagen var fra 7 om morgenen til 7 om kvelden og lønnen 5 kroner uken. Likevel la han noe til side for å kunne kjøpe det tyske kunsttidsskriftet «Die Kunst für Alle». Han skaffet seg en klump med leire og modellerte små figurer, én om gangen, knadde den sammen og begynte på ny. For å spare noen kroner delte han værelse med to snekkersvenner i en kjellerleilighet hvor han forteller at jorddampen steg opp fra gulvet og fylte værelset. Julaften veltet ulykkene inn over ham. Han ble sagt opp på verkstedet av mangel på arbeid, og krangel i leiligheten drev ham ut; hele natten gikk han gatelangs. Nytt rom hadde han ikke råd til å leie. Det hendte han fikk tilbringe natten på et salmakerverksted hvor en venn arbeidet, og det alltid stod en sofa til reparasjon. Om natten kom rottene frem:

39

Rottene brydde seg ikke om meg, de rømte ikke, de raslet flokkevis i høvelflisene, i halm og høydotter og annet stopp som lå utover gulvet, opp i sofaen til meg og over meg og langs meg løp de som om jeg ikke var et levende menneske, men en død ting. Mat jeg hadde i lommen, hadde rottene gnavet av mens jeg sov.

Nytt arbeid var ikke å få. «Jeg gikk omkring som en søvngjenger, det var som jeg gikk i dvale, som det ikke var meg.» Flere ganger var han på vei til en av de to ledende billedhuggerne i byen, Mathias Skeibrok eller Brynjulf Bergslien, for å vise frem tegningene sine og søke deres råd, «men straks jeg hadde tatt dem opp av kofferten og sett på dem, la jeg dem ned igjen; jeg syntes de var for dårlige». Pengene tok slutt, mat ble det lite av, til slutt ikke noe ...

Jeg hadde en tysk oversettelse av Horats' «Oden und Epoden» som jeg hadde latt innbinde i Mandal hos K. Reiersen i et tykt pappbind. Jeg tok bindet av og la det i vann så det hovnet opp; jeg vet ikke hva der var i det; det var visst klister, melklister, og det var ikke det verste jeg har kjent ... Hjem ville jeg ikke skrive. Det er unødvendig å nevne at hva jeg kunne pantsette var pantsatt og at jeg ikke hadde noe av verdi igjen. Frakken stod, en vest stod, mitt ur «Pannekaka» stod, og min dolk lot jeg gå straks over jul. Og ingen antikvitetshandler ville ha mine bøker. Efterhånden ble jeg lett av å gå slik, svimmel og matt.

Kunne han ikke sove på verkstedet, prøvde han å få tak over hodet på et loft eller i en kjeller; det hendte han ble funnet og jaget ut igjen. En natt han hadde lagt seg til å sove i skogen utenfor byen, begynte det å sne. Han våknet stiv av frost og lovte seg selv at kom han levende ned til byen, skulle han gå til Bergslien. Denne avgjørende dagen i hans liv, i begynnelsen av februar 1889, stod for alltid preget i hans erindring like til de minste detaljer. Han gikk i sneslaps gjennom gatene til Bergsliens atelier ved den gamle Johanneskirken, fant bakdøren og trakk i klokkestrengen av hyssing.

Atelieret lå dypt under gangen, flere trinn, og der nede gikk den lille grå Bergslien med rød kalott og langpipe og lorgnett i det halvmørke atelier med masse av støvete arbeider, mest byster, omkring på hyller over hverandre.

Vigeland fikk en stol ved ovnen og håpet den aldrende billedhuggeren ville se på tegningene lengst mulig.

Jeg kommer til å tenke på det gamle Kristiania, på noen magre måneder da jeg gikk her inne og sultet. Jeg kjenner nu den stramme luft fra skitne portrom. – Det var midt på vinteren, en tåket, slapset vinter; jeg hadde fått avskjed fra mitt verksted julaften, jeg hadde intet fast arbeide mere. Men jeg var slett ikke så trist, jeg var bare atten år eller så omtrent. Jeg bodde i en kjeller, så jeg bare så føttene av de forbigående. Om morgenen steg der jorddamper opp mellom gulvflisene og fylte rommet, så, først når solen fikk mere makt, drev disse dampene bort til vinduene og trakk ut. – Jeg lå alltid i sengen og iakttok hvorledes disse damper steg opp av gulvsprekkene som tynne søyler eller som ormer. Der var to slags damp, mørk og lys. Straks jeg våknet, så jeg efter om det var lyse søyler eller mørke ormer som steg opp til meg, mitt humør avhang av det.
G. V./Elin Danielson 1895

40

39 Job. 1889. Penn. 23 × 15 cm.
40 Kjelleren i Osterhaugsgaten 26, hvor
    Vigeland bodde i et værelse han delte med
    to snekkersvenner
41 Billedhuggeren Brynjulf Bergslien
42 Fra Bergsliens atelier

41   42

Jeg gikk omkring i gatene og liksom ventet på at noen skulle oppdage meg, fiske meg frem av vrimmelen som geni; jeg hadde så titt lest noe lignende. Men ingen kom…
G. V. 1896

Om dagene satt jeg mest oppe på kirkegårdene; der var så stille! Jeg satt der og døset på en benk flere timer i trekk, helt til sulten ble for slem og jeg måtte nedover til byen. Det var umulig å få noe skikkelig arbeid. En dag sitter jeg på en benk der oppe på kirkegården, så kommer jeg tilfeldigvis til å stikke en blomst i munnen. Jeg synes den metter litt, og jeg tar en til. Det var noen små røde med tykke stilker, jeg husker ikke navnet, og jeg tar en hel håndfull med meg i lommen. Jeg tok også noen gule…
G. V./Elin Danielson 1895

Brynjulf Bergslien (1830–98) er best kjent for ryttermonumentet over Carl Johan foran slottet i Oslo, avduket i 1876. Som de fleste norske billedhuggere hadde han fått sin utdannelse i København, der tradisjonen etter Bertel Thorvaldsen, den første nordiske billedhugger med internasjonalt ry, ennå ble holdt i hevd. Kan Bergslien da han studerte Vigelands tegninger, ha tenkt at han stod overfor en norsk Thorvaldsen?

At han mente å ha oppdaget et talent, kan det ikke være tvil om. Bergslien tok seg av den forkomne unge gutten, fikk ham til lege, som forordnet diett, og skaffet ham et sted å bo. Deretter gikk han med en del av tegningene til professor i kunsthistorie Lorentz Dietrichson, som har skrevet om hvilket inntrykk de gjorde på ham:

Jeg er blitt så vant til at lyse forhåpninger ved nærmere betraktning skuffes, at jeg skjønt disse ord uttaltes av en så gammel og erfaren kunstner som Bergslien, dog med mistro gav meg til å gjennomblade tegningene. Men min forbauselse vokste for hvert blad jeg tok i hånden… Der var komposisjoner over bibelske emner, over emner fra Iliaden og andre antikke og nyere dikterverker, scener fra verdenshistoriske begivenheter og scener fra dagliglivet, alt vekslende, broget mangfold, alt resultater av en fantasi som måtte være likeså rik som sprudlende.

Det var klart at kunstneren, hver gang han leste en livlig skildring, så den levende for sine øyne og bare behøvde å nedtegne hva han så, liksom vi andre gjør et notat ved hva vi leser.

Dog må det straks tilføyes at disse rike og vekslende komposisjoner ingenlunde var mesterverker. Der var en gjennomgående mangel på fast form, en fasthengen ved visse nesten manierte måter å gjengi menneskeformen; men der var en originalitet over det hele, der i forbindelse med de nyssnevnte trekk et øyeblikk lot meg stå ganske rådvill overfor hva jeg så.

Dietrichson festet seg videre ved at Vigeland må ha studert mange eldre mesterverker, men uten at han direkte kopierte; innflytelsen er indirekte. Han kritiserer formbehandlingen, at det nesten ikke finnes spor av inngående naturbehandling . . . «jeg erindrer ennu at mitt første utbrudd var: Men denne unge mann står jo i fare for å bli manierist innen han blir kunstner.»

43

Utdannelse og de første skulpturer

Bergslien og Dietrichson henvendte seg til noen kunstinteresserte og velstående personer og bad dem om å støtte den unge, ubemidlede kunstneren. Med en liten bok hvor det stod skrevet på første side: «Bidrag til Gustav Vigelands utdannelse til billedhugger», gikk så Vigeland selv rundt hver måned og innkasserte 5 kroner fra hver enkelt, som deretter kvitterte i boken. «Og det generte meg ikke lite, jeg syntes at jeg gikk og tigget, skjønt alle og hver især var meget vennlige mot meg,» skriver Vigeland.

Bergslien ble hans første lærer. Med sin solide håndverksmessige bakgrunn var Vigeland snart fortrolig med de elementære teknikker. Han fikk også veiledning i å støpe i gips og hugge i marmor. Det første han utførte i Bergsliens atelier, hvor han fikk stå og arbeide visse tider på dagen, var et relieff med motiv fra «Iliaden»s 11. sang, PATROKLES SOM TREKKER PILER UT AV EURYPOLOS' SÅR. Påvirkningen fra Thorvaldsens neoklassisisme er stadig åpenbar i de idealiserte figurene; her er vilje til komplisert komposisjon, men formbehandlingen er dilettantisk. Bedre lyktes Vigeland med en genrepreget mor- og barngruppe i statuettformat som han gav den bibelske tittelen HAGAR OG ISMAEL. Den stående lille gutten føyer seg nennsomt og harmonisk til den sittende kvinnefiguren, formene er stadig mykt avrundet og glatte, og uttrykket preges av en viss sentimentalitet. Med denne skulpturen debuterte Vigeland allerede høsten 1889 på Statens kunstutstilling og fikk velvillig omtale.

Ved siden av å arbeide hos Bergslien fulgte Vigeland om kvelden billedhugger Skeibroks undervisning i akttegning og modellering på Tegneskolen. Akttegning foregikk bare etter mannlig modell – kvinnelig var ikke tillatt. Hans første oppgave i modellerklassen var å forstørre en portrettmedaljong av David d'Angers' fremstilling av marskalk Kléber, dernest et relieff på grunnlag av en avbildning i et tysk billedverk av en naken fiskergutt som drar opp et garn med en havfrue.

På grunnlag av hva Vigeland senere skriver, synes han ikke å ha funnet seg særlig godt til rette i miljøet, hvor naturalismen stadig dominerte. Han forteller fra aktklassen:

Alle andre elever tegnet modellen surt naturalistisk, de tok med alle uregelmessigheter og brød seg ikke om proporsjoner eller anatomi, de kopierte modellen på en slik måte at man av tegningen nesten kunne se hva modellen het, hvor han bodde og hvor meget han hadde i betaling pr. time.

Tydeligvis nærmet Vigeland seg modellen på en annen og mer idealiserende måte, for en dag hadde en av de andre elevene tegnet en gresk hjelmkam over hodet på hans figur. Vigeland på sin side tok klar avstand fra sine

... med forventning så man den ene treskjærer-bondegutt etter den annen komme ut av fjellet, til byen, til Kristiania, hvor de levde elendig – lik meg som kom fra sjøen – som treskjærere eller gallionsfigurhuggere, eller de modellerte et hode, en byste, en liten figur, fikk kanskje et lite stipendium eller privat støtte – reiste til København, ble Bissens (Thorvaldsens) elev (elever), reiste i beste fall til Roma, døde av slit enten der nede eller kom hjem igjen og led en enn verre død. – En sånn rad av billedhuggermartyrer kan ikke noe annet land oppvise.
G. V. 1917

44

34

43 Patrokles trekker pilen ut av Eurypylos' lår. Relieff. 1889.
    Gips. 43 × 57 cm
44 Professor Lorentz Dietrichson. 1904. Bronse.
    44 × 35,5 × 22 cm
45 David. 1890. Gips. 84 × 35 × 29,5 cm
46 Hagar og Ismael. 1889. Gips. Høyde 77 cm

46

45

medelevers oppfatning av hva slags motiver som skulle fremstilles og måten det skulle gjøres på:

I klassen var det enighet om at det gjaldt å være så sann som mulig; man skulle ærlig gjengi tingen som man så den. Ikke flytte om på noe, ikke komponere, ikke analysere eller forenkle – hverken analyse eller syntese. Det var unødvendig, naturen var den beste kompositør og alltid sann. Det var unødvendig å ha fantasi; ingen hadde mer fantasi enn naturen. Å studere anatomi var bare å kaste tiden bort, man fikk aldri bruk for det. Man skulle jo ikke utføre annet enn det man så, det man hadde foran seg. Det var meningsløst å utføre nakne figurer, menneskene gikk jo ikke nakne. Og antikken var gammeldags, hvem brød seg nu om den?

For Vigeland, hvis tanker og følelser hadde suget næring av Homer, måtte en slik nærsynt innstilling til kunsten virke meningsløs. Omkring 1903 gir han uttrykk for sin dype forakt overfor den vulgære naturalismen han støtte på hos studiekamerater og i deler av det trange kunstmiljøet:

Alt gammelt ble latterliggjort. Alt forhenværende, alt historisk var for naturalistene det rene mørkeloftskrammel; man sa vittigheter om, sang varietéviser om, gamle og hellige ting. Man sparket til Det gamle testamentets skikkelser, lo av Farao, av Jesus og av Jødeland, av grekerne, av Michelangelo. De historiske navn ble benyttet som klengenavn. Kort sagt: uvitenheten gikk over alle grenser. For fullt alvor ville man ikke vite av fortiden som nutiden skylder livet.

Vigelands ensidig negative kritikk kan virke forbausende når man tenker på de andre tendensene som også gjorde seg gjeldende. En nyromantisk bølge

35

som lot fantasi og stemning komme til uttrykk, ble innvarslet allerede i 1885–86 med Kitty Kiellands og Eilif Peterssens nattlige sommerlandskaper, samtidig som Edvard Munch fullførte sitt følelsesladde SYK PIKE; i billedoppbygning og teknikk betydde maleriet et eklatant brudd med naturalismen. I 1880-årene fremtrådte dessuten Theodor Kittelsen som eminent billedtolker av folkeeventyrenes irrasjonelle verden, og skildret med dikterisk frihet nøkk og troll, underlige dyr og mennesker. Hans form for skrekk-romantikk kan vel ha appellert til Vigeland, kanskje gitt impuls til den første selvstendige skulpturen han utførte på Tegneskolen: et drapert skjelett som famler seg frem over noen graver. Han kalte det EN GJENGANGER. Modellen var gratis og nær for hånden – den stod bakerst i klasseværelset. Skeibrok ønsket at hans elev skulle risse en inskripsjon på korset til den halvt veltede gravstenen: «I livet drakk han mang en bitter – skål.»

47

Og han ville også at jeg i bakgrunnen skulle modellere en gammel kjerring som løp og så seg tilbake. Dette ville jeg ikke, jeg følte ikke relieffet som noen spøk.

Enden ble at Vigeland likevel måtte skrive noen ord på korset; til gjengjeld gjorde han dem uleselige.

Etter råd fra Bergslien begynte Vigeland tidlig på året 1890 å arbeide i atelieret hos Skeibrok, som hadde større innflytelse og flere oppgaver. Delvis assisterte han Skeibrok og hugget blant annet et par marmorportretter, delvis arbeidet han med egne skulpturer. Det hendte også at han vikarierte for sin lærer i modellerklassen på Tegneskolen. Kveldene tilbrakte han ellers ofte sammen med venner, eller han gikk på Universitetsbiblioteket for å studere tidsskrifter og lese.

Gjennom Skeibrok mottok Vigeland sine første oppgaver. Det gjaldt bestillinger fra en arkitekt på et par fasadeskulpturer; to engler som holder et skjold mellom seg, svever fremdeles over vinduene i Riddervoldsgate 2. For øvrig modellerte han i statuettformat en DAVID, som ble innkjøpt i terrakotta til Kristiania Kunstforenings lotteri, og et sirkelrundt relieff med fire figurer; TANTALOS FØRES TIL UNDERVERDENEN AV EUMENIDENE. I disse skulpturene søkte Vigeland en større grad av bevegelse enn tidligere, forsiktig i David-figurens skrittmotiv og svake vridning av kroppen, heftigere i relieffets svevende og styrtende skikkelser.

48

Vigelands motiver, enten de er valgt fra Bibelen eller fra gresk mytologi, kretser om kamp, lidelse og død, som med unntak av EN GJENGANGER er mildnet av en idealiserende form. Men i det eiendommelige lille relieffet SODOMA, også fra 1890, bryter det frem et nytt formspråk og en personlig uttrykksvilje. Her fremstilles en ung kvinne som kaster seg over en mann; han klamrer seg til henne, mens en gammel kvinne under dem forsøker å trekke den unge bort fra mannen. I gjengivelsen av den frastøtende erotiske kampen unngår Vigeland enhver harmoniserende tilbøyelighet. Relieffhøyden er ujevn, delvis står figurene frem, delvis er de risset inn i bakgrunnen. Anatomien er ubehjelpelig, men handlingen er gjengitt med et mareritts uttrykkskraft. De antydninger Vigeland har gitt oss gjennom sine notater fra en sen periode i foreldrenes ekteskap, muliggjør en tolkning av motivet som et kunstnerisk utløp for en traumatisk barndomsopplevelse.

Nok en skulptur fra 1890 var et relieff kalt DRØMMEN, som ikke lenger eksisterer; det fremstilte en sovende kvinne og mange svevende barn. Slike fantasi-barn, eller «genier» som Vigeland riktig kaller dem, kom han ofte senere til å benytte som bilder på livets og tankens fruktbarhet. Tittel og innhold vitner om Vigelands gryende interesse for bruk av symboler. Det vil aldri kunne påvises med nøyaktighet i hvilken grad en kunstners vekst er avhengig av rådende tendenser i samtiden. Likevel er det nærliggende å tro at nettopp nyromantikken og symbolismen som nå vant innpass i kunsten, må ha virket fremmende på Vigelands utvikling, hans sterkt emosjonelle legning og rike, mangslungne fantasi tatt i betraktning.

Med de begrensede læremuligheter som fantes i Norge, trengte Vigeland

47 Engler og skjold. Fasadeskulptur, Riddervoldsgate 2,
    Oslo. 1890.
48 En gjenganger. Relieff. 1889. Gips. 48,5 × 34 cm
49 Gustav Vigeland, ca. 1890
50 Sodoma. Relieff. 1890. Gips. 40 × 44,7 cm

å reise til utlandet for å studere videre. Han søkte Statens stipendium i 1890, og de to billedhuggerne i komitéen, Skeibrok og Carl Ludvig Jacobsen, gikk sterkt inn for hans kandidatur:

50

49

Idet vi innstiller ham, skal vi tillate oss å bemerke at han etter vår mening har større og flere evner som billedhugger enn de som er hans medansøkere. Han har flere betingelser for å bli en stor kunstner enn noen av dem, og han er mere arbeidsom enn noen av dem, og vi tror at om han får stipendiet, vil han gi tilbake større kunst enn noen av dem som er hans medansøkere, kan gjøre. – Det er store kunstneriske evner som vi tror bør få anledning til å bli utviklet.

Han fikk imidlertid ikke stipendiet før han hadde søkt på nytt året etter. Et mindre stipend fra Håndverkerforeningen i Mandal hjalp ham foreløpig til å reise til København, og med båten «Baldur» forlot han Kristiania 1. nyttårsdag 1891.

København 1891

Professor Lorentz Dietrichson hadde utstyrt Vigeland med en anbefaling til den danske billedhugger og professor Vilhelm Bissen, som straks fant en plass for ham i sitt store atelier i Materialgården ved Holmen kanal. Vigeland kom ikke til å stå i noe direkte elevforhold til Bissen og var heller ikke hans assistent, men mottok veiledning og råd når han bad om det. Han bevarte alltid et godt forhold til den danske billedhuggeren. Vigeland trivdes i Bissens uvant eksotiske atelier med palmer mellom skulpturene og papegøyer og andre fugler som fløy fritt omkring. «Når solen skinte inn i hans atelier på alle disse fugler og på Bissen selv, ble man glad.» Bissens skulptur, sterkt preget av den moderne naturalisme, fikk liten betydning for ham som kunstnerisk impuls; derimot beundret han Bissens far, den avdøde billedhuggeren H. V. Bissen, hvis arbeider Vigeland kunne studere rundt om i København og i atelieret til sønnen.

En ny verden må ha åpnet seg for Vigeland i København. Skulptur var benyttet i en ganske annen utstrekning enn hjemme, på bygninger, på torg og plasser. Noe av det første han gjorde etter ankomsten, var å besøke Thorvaldsens museum, hvor han endelig fikk se de lenge beundrede skulpturer, ikke så mye marmorskulpturene, som var blitt hugget av assistenter, som gipsmodellene. Lenge, skriver han, ble han stående foran relieffet HYLAS BORTFØRT AV NYMFENE: «Jeg har aldri sett maken til modellering. Slik behandling av leiren. Det er toppunktet på den slags virtuositet». I Glyptoteket kunne han studere ikke bare antikk, men også en samling av moderne fransk skulptur. I juni fikk han vite at han var blitt tildelt Statens stipendium, og for første gang kunne han nyte, for en kortere stund, en relativt ubekymret økonomisk tilværelse.

I stedet for å tvære stipendiet ut til å vare i to år valgte han å satse hovedsakelig på én stor skulptur, en gruppe med fem legemsstore figurer, to voksne, to barn og en hund. Skissen hadde han hatt med fra Norge. Til å begynne med kalte han gruppen KAIN OG HANS SLEKT PÅ FLUKT, men forandret snart tittelen til FORBANNET, noe som gir fremstillingen av de ulykkelige utstøtte en mer almen karakter. Det dystre motivet føyer seg til hans tidligere og er utvilsomt utslag av en personlig pessimistisk livsanskuelse. Men impulser fra den franske nybarokke skulpturen, som gjerne fremstilte tragiske og sterkt følelsesbetonte motiver, synes også å ha gjort seg gjeldende.

Oppmerksomheten retter seg først og fremst mot den gamle forpinte mannen som styrter fremover, med hånden ført opp til hodet og lagt over det ene øyet. Men lidelsen har også rammet de pårørende, den unge kvinnen med det sovende, ennå ubevisste barnet på armen, og den løpende gutten som ser seg forskremt tilbake. Bare hunden, symbolet på trofasthet, har ikke forlatt dem, men vandrer ved siden av dem.

Den stort anlagte gruppen kan betraktes som Vigelands svennestykke. Den viser hans evne til å komponere flere figurer sammen og til å gi uttrykk for et variert spekter av menneskelige følelser. Den sterke bevegelsen fremover i planet benytter Vigeland også senere i en rekke arbeider hvor han ønsker å understreke sterk opphisselse. Figurene er utført etter inngående naturstudium. Vigeland har skrevet om alle vanskelighetene med å få tak i en passende modell til den gamle mannen. Men det eksisterer et innbyrdes motsetningsforhold mellom den krast naturalistiske mannsfiguren og kvinnens glatte, idealiserte former. Det kan også reises innvendinger mot visse anatomiske svakheter og noe forsert i ansiktsuttrykket. Dette forhindret likevel ikke at skulpturen vakte atskillig oppmerksomhet og fikk bred omtale da den ble utstilt først på Charlottenborg i København og senere på Statens høstutstilling i 1892.

Flere unge danske billedhuggere arbeidet samtidig med Vigeland i Bissens atelier. En av dem var Ludvig Brandstrup, som ble Vigelands venn og en av de få han bevarte vennskapet med livet ut. Brandstrup har overlevert oss både et plastisk og et skriftlig portrett av den unge Vigeland. I portrettbysten fra 1891 er hodet noe fremstrukket og lutende, trekkene er markerte og magre, blikket innadvendt, drømmende. Men det strittende håret lar oss ane en eruptiv energi. Mangfoldige år senere skriver Brandstrup til Vigeland om sitt inntrykk av ham fra tiden i København:

Du ... kastet deg over dine oppgaver som et rovdyr, uten skole, fiendtlig mot all påvirkning, uten vilje til å assimilere deg med andre ... Du var hård og eksklusiv, i en forferdende grad vill og brutal i din tanke og i høy grad det vi kaller «norsk», og som vi er tilbøyelige til å smile av, men samtidig med de fineste strenger i din sjel, dyp følelse og forståelse av barn, gamle naive mennesker, for dyrenes liv og ferden.

Mens jeg studerte med uendelig flid og grundighet detaljen, flater og linjers sammenspill i deres ytterste konsekvens, søkte ro, harmoni og klassisk enkelhet i menneskefremstillingen, så veldet du med lidenskapene og de store oppgaver, hva enten du

Straks i begynnelsen av sin kunstnerbane legger Vigeland i dette verk for dagen at han sitter inne med ualmindelige store anlegg for den *dramatiske* fremstilling ... Innerst i hans arbeide finner man alltid et stemningsinnhold, som på én gang er så alment i sitt begrep og så subjektivt oppfattet at det kan være vanskelig å finne en presis betegnelse for det. Med andre ord, hans kunst har den dyd at den ligger så fjernt som mulig fra det novellistiske. Om verkets heftige lyriske stemning slutter formen som en tvangstrøye, som ofte er i ferd med å briste ... Brøden, angsten, den skyldbetvungne viljes kval – det er motiver som en vesentlig del av Vigelands kunst vedblir å variere fra «Forbannet» til «Helvete».
Jens Thiis 1894

51 Gustav Vigeland. Portrettbyste utført av Ludvig Brandstrup. 1891. Bronse. 44 × 30 × 14 cm
52 Forbannet. 1891. Gips. 174 × 127 × 98 cm

51

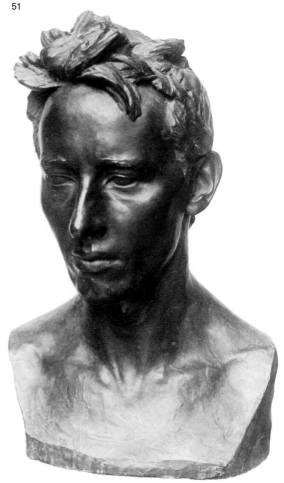

modellerte en hyene som sniker seg av sted på tynne ben, skabbet, luset og blodtørstig, David som hugger hodet av Goliat så det flyr opp i luften og biter seg i tungen, mens kjempens kropp spreller under Davids fot.

Av ovenstående fremgår det at Vigeland også utførte flere mindre skulpturer i København. Selv har Vigeland bare kort notert: «Bodde i Nansensgate – gjorde flere skisser, satte dem under sengen, til sist var det ganske fullt. Jeg tok ingen av dem med til Norge.»

Etter hjemkomsten i februar 1892 arbeidet han en tid hos Skeibrok, som holdt på med å avslutte gavlgruppen til Domus Media på Universitetet i Oslo. Han modellerte for egen hånd en av de tre moirer (norner), hun som spinner, og dessuten uglen ved Athenes fot. Men snart leide han et rom i Pilestredet 8, 4. etasje, og brukte dette som atelier og bolig. Som en reaksjon mot den sterke bevegelsen i komposisjon og uttrykk i FORBANNET modellerte Vigeland nå et fredfylt hode av en SOVENDE KVINNE, fast og sluttet i formen, og en stillferdig stående legemsstor UNG PIKE. Selv om Vigeland nok kunne være steil og kompromissløs, var han samtidig uhyre reseptiv og åpen for impulser. Samværet med den mer likevektige Brandstrup var ikke gått sporløst hen; Vigeland har selv fortalt at Brandstrups PSYKE-statue inspirerte til utførelsen av UNG PIKE. Uten å presse fremstillingen får han her

Hva jeg lengtet efter, var å få atelier selv ... Dietrichson lånte meg en seng, og Andvord lånte meg en isbjørnfell og et rundt bord på åtte ben ... Jeg lånte kavalett hos Bergslien og leire hos Skeibrok, og så la jeg opp statuen «En pike».
G. V.

53

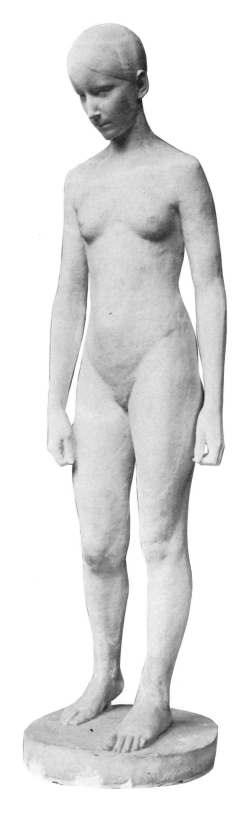

frem noe ungdommelig ubevisst og usikkert i hodets svake bøyning og føttenes nølende plassering. Fra 1892 er også den lille skulpturen ANGST, en deformert kvinne med åpen munn, og et trelignende vesen som snor seg rundt henne. Det uartikulerte skrik har fått en tilsvarende oppløst, fordreid form, som formidler den indre, opprevne stemningen. Det ligger nær å trekke en parallell med Edvard Munchs angstfylte bilder fra 1892 og det fortettede SKRIK fra 1893. Med årene skulle det for øvrig vise seg at en rekke beslektede motiver opptrer hos de to kunstnerne, noe som delvis kan forklares ved deres samtidighet (Munch var seks år eldre enn Vigeland). Selv om Vigeland nedstammer fra bønder og håndverkere og Munch fra et høyere sosialt sjikt av embetsmenn, hadde de også til en viss grad en felles erfaringsbakgrunn i et strengt religiøst miljø. Begge var emosjonelt høyspente, begge søkte intenst en forklaring på livets hendelser og ønsket å skape en syntese av liv og død.

I 1892 mottok Vigeland Statens stipendium for annen gang. Selv om vennen Brandstrup ofte hadde talt varmt om italiensk ungrenessanse og vekket et ønske hos Vigeland om å besøke Firenze, virket Paris likevel stadig mest tiltrekkende på unge norske kunstnere, Vigeland ikke unntatt.

54

Det gamle testamente har fylt Vigelands fantasi, som så mangen annen vestlendings. Det har i barneårene merket den ennu bløte hjerne med et stigma. Han ser med barnets storlinjede kraft. – Gud er for ham Jehovah. Vi ser ham som den mektige, mandige skapervilje. Han står opprett med utstrakte hender, hans stilling er matematisk opptrykket, kroppen loddrett, armen vannrett. Han blåser en storm i stoffet, en orkansymfoni, han lar det vrimle av nye linjer, av nye tall, av hvirvler, muskler, arter, fisk, fugler, pattedyr.

Sammen med «Helvete» forteller de om en dyp, religiøs verdensoppfatning.

Sigbjørn Obstfelder 1894

53 Sovende kvinne. 1892. Gips. 28,5 × 37 × 17,7 cm
54 Ung pike. 1892. Gips. Høyde 162 cm
55 «Redsel». 1892. Bronse. 29,5 × 10 × 9,7 cm
56 Gud skaper dyrene. Relieff. 1893. Bronse. 50,7 × 59 cm

56

55

Paris 1893 og møte med Rodin

Ved ankomsten til Paris i begynnelsen av januar 1893 oppsøkte Vigeland den finske billedhuggeren Walter Runeberg; professor Dietrichson hadde igjen utstyrt ham med et introduksjonsbrev. Runeberg inviterte ham ofte hjem til seg, og hjalp ham med å finne et atelier. Som tidligere i København foretrakk Vigeland å arbeide på egen hånd, og meldte seg ikke inn på noen kunstskole eller noe akademi. For øvrig gjorde han inngående studier i museenes samlinger og gikk på utstillinger. Han hadde i denne tiden atskillig kontakt med norske kunstnerkolleger blant malerne. Oluf Wold Torne bodde hos ham en tid, Anders Kongsrud malte Vigeland i arbeid med et relieff i hans atelier, og selv modellerte Vigeland portrettbyster av August Jacobsen og Jacob Gløersen. En sentral person blant norske kunstnere i Paris var Frits Thaulow. Han var personlig venn av Auguste Rodin og har etter all sannsynlighet introdusert Vigeland for den berømte franske billedhuggeren. Gjennom Vigelands brev vet vi at han besøkte Rodins atelier flere ganger.

I løpet av de seks månedene i Paris mottok Vigeland et mangfold av inntrykk og impulser, og skulpturene han utførte under oppholdet, vitner om en søkende og eksperimenterende holdning. Flere av motivene er hentet fra Bibelen – kanskje håpet han på en fremtidig bestilling til en kirke. I GUD FAVNER SKAPNINGEN er formen bølgende myk. Relieffet GUD SKAPER DYRENE kunne kalles en impresjonistisk skulptur. Skaperen er klart, om enn skjematisk gjengitt, mens alle dyrene er mer løst antydet og trer i større og mindre grad frem fra bakgrunnen: sauer, geiter, apekatter, fisk og fjærkre, en sjiraffs lange hals. Fra Guds hender flyr fuglene ut og sprer seg hastig over himmelen. Med maleriske virkemidler har Vigeland skapt en illusjon av flimrende, atmosfærisk lys som suger opp formene og utvisker dem. Man kunne fristes til å tro at Vigeland har kjent til den italienske skulptøren Medardo Rossos formoppløste, antydende skulpturer, men dette er høyst usikkert. Bare et par av skulpturene synes å ha direkte forbilder. På Salon de la Rose & Croix kunne han se et apokalyptisk dødsritt, som dessuten stod avbildet i katalogen Vigeland skaffet seg. Det ligger nær å tro at motivet gav ham idéen til det lille relieffet HELHESTEN. Gruppen DANS, med mannen og kvinnen som gir seg hen til musikkens rytme, har felles trekk med skulpturen LA VALSE av Camille Claudel, Rodins elev og venninne gjennom mange år.

Det viktigste som skjedde Vigeland i Paris, var likevel først og fremst konfrontasjonen med Rodins kunst. Rodin betegner en radikal fornyelse av en akademisk, tilbakeskuende skulptur som i betydelig grad var stivnet i innholdsløse klisjéer og ofte platt naturkopiering. Med slående former og uttrykk for almenmenneskelige følelser og pasjoner, intime og virkelighets-nære, utvidet Rodin det gjengse skulptur-repertoar. Knapt noen ung

57   58

billedhugger kunne unngå hans utstråling, og besøkene i Rodins atelier kom utvilsomt til å gi Vigeland en rekke impulser både umiddelbart og lenger frem i tiden, uten at det var tale om noe avhengighetsforhold. Enkelte skulpturer utført i Paris kan tjene som eksempler på arten av påvirkning. I gruppen GAMMEL KONE SER SIN MANN DØ står en kvinne på kne og bøyer seg over en liggende mann. Komposisjonen viser likhetspunkter med grupper av Rodin

59

60

62

Dyp kummer er den stemning som klinger gjennom alle disse grupper. De handler alle om brusten lykke. De forteller om attrå og avmakt, om fortvilelse og trøst, sorg og ømhet i selsom blanding.
Jens Thiis 1894

57 Helhesten. Relieff. 1893. Bronse. 19 × 43,5 cm
58 Død og liv. 1893. Brent leire. 41 × 35,3 × 23 cm
59 Gammel kvinne ser sin mann dø. 1893. Bronse. 24,5 × 59,6 × 22,7 cm
61 Trøst. Relieff. 1893. Bronse. 25,5 × 36 × 19 cm
60 Dans. 1893. Bronse. 32,5 × 30 × 17,8 cm
62 Kvinne ber for drankerne. Relieff. 1893. Bronse. 24,2 × 38 cm

61

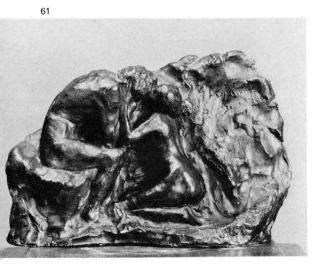

som, noe paradoksalt, MORT D'ADONIS, og i noen grad UGOLINO; ellers kan fremstillingen sies å være en overføring til hverdagslivet av det tradisjonsrike pietà-motivet. Formgivningen hos Vigeland er imidlertid uskjønn, skarp og ruglete i forhold til Rodins myke, organisk levende figurbehandling.

Statuett-figuren ARBEIDEREN gjentar skrittbevegelsen med begge føttene plantet i bakken fra Rodins JOHANNES DØPEREN, men det ligger en verden av forskjell mellom Vigelands utmattede gamle mann og Rodins maktfullt heroiske Johannes. Flere av Vigelands skulpturer fra denne tiden viser for øvrig en medfølende innlevelse overfor de svake og ulykkelige blant menneskene; KVINNE BER FOR DRANKERNE er et annet eksempel.

En skulptur som DØD OG LIV er vanskelig å forestille seg uten Rodins ofte dristig sammensatte og sterkt urolige komposisjoner som forbilde. Bak et hode av en død eller døende gammel mann (samme hode hadde Vigeland utført etter modell hjemme i Audnedal året i forveien) stiger det opp en liten gruppe av to kvinner og en mann, tett omslynget.

Om Rodin er det sagt at han «demokratiserte kjærligheten»; hans erotiske grupper, løsrevet fra mytologi og allegori, fikk en veldig nedslagskraft i bildende kunst. En gruppe som KYSSET (1886) fikk talløse etterkommere. De mange avskygninger i forholdet mellom mann og kvinne kom fra 1893 til å bli et sentralt motiv i Vigelands kunst, men for utviklingen av dette tema har antagelig også Stephan Sinding og ikke minst Edvard Munch spilt en vesentlig rolle.

I relieffet TRØST (1893) har Vigeland fremstilt i profil en mann som sitter med hodet støttet i hendene; en ung kvinne kneler foran ham og legger hodet inntil hans. Den bølgende, urolige bakgrunnen har en løs, impresjonistisk karakter som også finnes i Rodins skulptur. Figurene virker ubehjelpelige, noe vi også kan registrere i den skissemessige frittstående gruppen TO UNGE. Vigeland var selv klar over at han ennå ikke maktet å gi adekvat form til sine idéer, og noterte nedslått i en av notisbøkene fra Paris-tiden:

Jeg kan ikke modellere. Ennu er jeg ikke teknisk dyktig. Heller ikke min oppfatning av mennesker er holdbar. Mine figurer mangler den helt gjennomførte karakter, de er halvferdige. Og jeg er bange for at der snart inntrer en manér.

43

Kanskje følte han behov for strengere form og fastere komposisjonsprinsipper enn hva han fant hos Rodin og i fransk nybarokk skulptur for øvrig. Den tidlige påvirkningen fra Thorvaldsens klassisisme satt dypt i ham, og den sensuelle sjarm og raffinerte utførelse i mye av Rodins skulptur stod hans egen natur fjernt. Allerede i mars måned skriver han hjem: «Her er nok meget interessant å se, men jeg angrer likevel på at jeg ikke dro ned til Firenze med det samme.»

Stipendiet strakk så vidt til, særlig tæret utgiftene til å holde modell. En viss bitterhet unnslipper ham fra tid til annen:

Hvor jeg snur meg, ser jeg glade ansikter, ja selv kuskene nede i gården er bedre farne enn jeg.

Kunstnerne rundt ham syntes å ha rikelig av tid og led ingen nød:

Allikevel ville jeg ikke bytte med noen av dem. Det er denne troen jeg har fått, tanken på at det engang vil lysne.

Da han måtte bryte opp i august, stod likevel månedene i Paris for ham i et gyllent skjær:

Det er underlig så mine følelser for Paris konsentrerer seg nu, nettopp da jeg skal reise. Det er liksom alt hva jeg har ant, vises meg utålelig grelt, alle de virkelige nytelser som jeg har hatt uten å merke dem, stiller seg nu så vidunderlig foran meg, og først nu forstår jeg at mitt liv her nede har vært en lett dans ... Der oppe venter meg noe tungt, jeg glir om noen dager inn i et grått, seigt liv der tynger og tynger.

Overgangen fra et fritt og relativt ubekymret liv i Seine-staden til et snevert miljø og en usikker fremtid i Kristiania måtte nødvendigvis virke knugende. Hans fantasi og skaperkraft krevde utfoldelse, mens avsetningsmulighetene var sterkt begrenset. Få interesserte seg for skulptur, enda færre kjøpte. Vigelands beste støtte i 1890-årene var Sophus Larpent, kunstsamler og mesén med beskjedne midler, som så det som sin spesielle oppgave å hjelpe frem unge, begavede billedhuggere. Han bistod med egne innkjøp, utallige større og mindre lån, og ved utrettelig å arbeide for salg av Vigelands skulpturer til private og offentlige samlinger. Med rette kaller Vigeland ham «min velgjører». Ikke minst takket være Larpent kunne Vigeland produsere så vidt mye som han gjorde og holde en offentlig mønstring i 1894.

Første separatutstilling – 1894

Den 20. oktober 1894 åpnet Vigelands første separatutstilling med 51 arbeider – inntil da den største manifestasjon av en enkelt billedhugger i Norge. Under tittelen «En uhyggelig Udstilling» skrev Morgenpostens kritiker at «Samlingen inneholder med kun få unntagelser redsler», men for øvrig stilte kritikken seg stort sett velvillig. Både professor Dietrichson og den unge kunsthistorikeren Jens Thiis skrev flere lange artikler i dagspressen om Vigelands kunst, begge utpreget positive, skjønt Dietrichsons siste ord lød: «Vil han bli en sann kunstner eller interessant manierist?» Thiis gav blant annet en dyptloddende analyse av formen i Vigelands kunst:

Hva Vigelands form angår, så er den sjelden det ypperste ved hans kunst. Hans skjønnhetssans har neppe nådd sin fulle utvikling ... Mot det kjælne, det bløtaktige, det feminine man så hyppig møter i moderne kunst, ikke minst hos de yngste, er Vigelands kunst som en eneste forbitret protest. Og fordi det innsmigrende og kokette er ham så inderlig imot, kan han stundom bli hensynsløs i sin søken etter det karakterfulle. For gratie er han absolutt likegyldig, og han velger ofte med flid det

63

64

Nu i dette øyeblikk ser jeg så skinnende grelt hvor vondt der er å bevare sin opprinnelige individualitet... Nettopp fikk jeg høre at en venn hadde solgt et bilde for en fabelaktig pris – motiv og teknikk var avpasset efter kjøperen. For noen år siden satt vi oppe på min hybel og drakk pjolter. Herregud, hvor vi var storsnutete. Vi, vi skulle nok holde oss friske og opprinnelige... og så forbannet vi lydelig alle som gav efter. – Nu har han mynt, fyren, når han går langs fortauet, rasler han formelig av penger. Og jeg. Her blir jeg gående igjen med idealene, fattig, forferdelig fattig. – Hvor lett ville det ikke være å lave noen «færre» ting, som kunne bli kjøpt av en eller annen, kjøre i vei med noe allegorisk, en kompliment til handelstanden e.l. Med ett slag ville jeg være ovenpå, ha penger i fleng, så jeg kunne begynne med noe for meg selv. – Men penger er penger! Kanskje ville jeg saktelig begynne med smygingen da, gli inn blant pengemenn og bli filister. Og *det* er jeg allermest redd for. Herregud, hva skal jeg gjøre.
G. V. Paris 1893

63 Auguste Rodin: Kysset. 1886. Marmor
64 Mann og kvinne. 1893. Leire. 27,4 × 10 × 11,8 cm
65 Dommedag. Relieff. 1894. Bronse. 122,3 × 52,5 cm   65

66

heslige fremfor det smukke og nette. Den stramme linje, den magre skarptskårne form, den fyndige, knappe karakteristikk er hans mål. All hans kunst er som beregnet for bronsen. Hans formbehandling formelig lider av en edel frykt for å forfalle til sløvhet; ikke sjelden driver den hans streben etter formskarphet ut i en kantet magerhet, som av og til truer med å bli manér. At han imidlertid ikke savner evne for det bløte og sarte, viser best den utmerkede lille barnebyste.

Blant de sist utførte skulpturene fra 1894 fantes igjen relieffer med bibelsk motiv, som DOMMEDAG og KRISTUS JAGER KJØPMENNENE UT AV TEMPLET. Videre stilte han ut noen portretter og grupper med «mann og kvinne»; blant de siste fantes EN TVILER, en sittende, melankolsk grublende mann, og en kvinne som i tilsynelatende fortvilelse har kastet seg ned foran ham. Både

68

67

Relieffet fremstiller den menneskelige lidelse i alle dens faser, de brede, almenmenneskelige lidelser –, kunstneren kunne like godt ha kalt det «Livet» som «Et Helvete». Med billedhuggerens tungvinte midler har han formådd å gi et intenst uttrykk for en livsanskuelse, den unge, moderne manns dype, triste livsanskuelse. Det er en fortelling, formet i leire, om den evig knurrende menneskehet, den evig lidende, forgjeves spørrende, alltid et forsyn anklagende menneskehet.
Gabriel Finne 1894

Der er i dette store relieff noen av Vigelands største evner i sum. Der er hans dype skjelven med i bevegelsen, rytmen i verden og i menneskene. Og der er en sterkere fornemmelse av det onde og det ondes mysterium enn man er vant til å finne i våre dager. Det er ikke den sarkastisk smilende, i grunnen lettlivede Mefisto, det er ikke den skjønne, store miltonske Satan, det er ikke engang en Wagners gud for det sanselige. Det er det onde i person, – og det onde er det selsomme som stirrer oss i møte fra livets natt.
Sigbjørn Obstfelder 1898

66 Helvete. 1893–94. Penn. 21,3 × 34 cm
67 En tviler. 1894. Bronse. 25,8 × 38,2 × 23,3 cm
68 Helvete II. Relieff. 1897. Bronse. 171 × 380 cm
69 Auguste Rodin: Helvetesporten, detalj

figurer og tittel vitner om en nagende tvil hos mannen vis à vis den ulykkelige kvinnen. Er skulpturen en personlig bekjennelse? Mange år senere skriver Vigeland i en notisbok:

> Jeg var ung da jeg sa til meg selv:
> Nu er du ikke glad i noen.
> Jeg hadde brent meg på egen ild,
> hadde frosset ved andres is
> og gikk lenge med de brannsår og frøs så.
> Jeg var skremt og ville ikke brennes
> og fryses på ny og var glad ved å se sårene leges.

Hovedverket på utstillingen var et stort, figurrikt relieff kalt HELVETE. Ifølge Vigelands eget utsagn oppstod tanken om å modellere HELVETE mens han var i Paris. Men da han kom hjem om høsten, kunne han ikke straks gå i gang: «...jeg var aldeles blottet for penger ... jeg hadde ikke råd til å holde modell eller leie atelier, jeg hadde neppe til å kjøpe leire for.» Gjennom tegninger forberedte han det store arbeidet, og først julaften 1893 la han opp den første plastiske skissen. Siden modellerte han på relieffet i full størrelse frem til september 1894, avbrutt av en måneds rekruttjeneste om sommeren; ved siden av utførte han dessuten flere mindre skulpturer.

Tydelig nok må HELVETESPORTEN av Rodin ha virket som en kilde til inspirasjon, spesielt det øvre feltet hvor figuren TENKEREN inntar en sentral plass. Rodin tok opprinnelig utgangspunkt i Dantes skildring av helvete i

«Divina Commedia», for deretter å skape sin egen parafrase over livet, kjærligheten og døden. Vi finner beslektede elementer i Vigelands skulptur, men fremstillingen er likevel representativ for hans personlige pessimisme og mørke melankoli.

Også Vigeland benytter en sittende, ensom grubler med hodet støttet i hendene som et samlende midtpunkt – men kaller ham Satan. Komposisjon og stil skiller seg ellers vesentlig fra Rodins. Satan-skikkelsen er strengt frontal. De mange figurene velter i en mektig strøm frem fra høyre side og beveger seg mot venstre i kretslignende bevegelse over og under midtfiguren. Ubønnhørlig drives de av sted, som av krefter de ikke behersker. Blant de nederste faller noen ned i avgrunnen, mens andre reiser seg i protest mot den stumt tronende Satan. De øverste figurene bare svever, utviskede, viljeløse. Helt til venstre stopper bevegelsen opp ved en galge.

Vigeland binder figurene til en plan og klart definert bakgrunn. Den skråstilte galgen skaper et visst perspektiv. De nedre figurene springer mer frem fra bakgrunnen enn de øvre, men den maleriske virkningen av lys og skygge er likevel moderat sammenlignet med Rodins HELVETESPORT.

Det utstilte relieffet fra 1894 kjenner vi bare gjennom et dårlig fotografi. De følgende års studier av renessansens og antikkens kunst i Italia åpnet Vigelands øyne for verkets mangelfulle form og proporsjoner. I et brev fra 1897 forteller han at han hadde manglet penger til modell:

... jeg så ikke at figurene ble små, fortrukne uten forhold ... Jeg la ensidig vekt på figurenes hoder; det bevirket at jeg lot kroppene stå derhen, og hodene antok store dimensjoner. På flere av figurene er hodene så store at kroppene inntar kun *fire* hodehøyder i stedet for *syv,* hva de greske fra Fidias' og Lysippos' tid gjør. Kroppene lot jeg stå skisserte, uferdige ...

Fra høsten 1896 til våren 1897 modellerte han hele relieffet på nytt, og ødela deretter det første fra 1894.

På utstillingen i 1894 kom Henrik Ibsen og ble stående lenge foran HELVETE. Det er mulig at han hadde relieffet i tankene da han i sitt siste skuespill «Når vi døde vågner» fra 1899 skrev om billedhugger Rubeks store verk «Oppstandelsen», som under arbeidet forvandlet seg til en helvetesvisjon.

Med utstillingen hadde Vigeland markert seg som et dristig og lovende talent som fortjente ytterligere offentlig støtte. Høsten 1894 fikk han tildelt A. C. Houens legat, det største av kunstnerstipendiene, for to års videre studier i Italia.

Denne kunst har en lignende interesse som Maeterlincks, som peker på mysteriet bakom våre daglige rolige handlinger, døden og oppløsningen innen våre stille vegger, evighetens hjertebanken blant våre stoler, bakom våre veggur – den har en lignende interesse, men mens disse Maeterlincks kunst-idéer er mere hjernens, er Vigelands kunst hjertets, det banker overalt i den, det rinner blod i den, der går sagn ikke om et stillestående mysterium mellom oss og bak oss, men om en overjordisk kamp, et helvete i oss, i våre viljer, i våre gjerninger og våre legemer.
Sigbjørn Obstfelder ca. 1894

Man arbeider, man vil bli kvitt noe av det som tynger en ned. Og man gir noe av sin lidelse i et arbeide, i farve, i tone, i form...
G. V. 1896

70

70 Styrtende figurer. 1895. Penn og lavering. 16,1 × 21 cm
71 Kvinnelig kentaur. 1900. Penn og lavering.
    19,3 × 15,5 cm

Modningsår

Jeg arbeider, jeg arbeider meget, men ennu har jeg ikke fått sagt det der ligger tyngst i meg. Jeg er bare i begynnelsen av min vei, som ikke er veien . . . Jeg kjenner ennu ikke mitt sprog.

G. V. 1896

17 Nov, 1900

> 71

Stipendiereiser – Berlin og Italia 1895–96

I slutten av januar 1895 la Vigeland ut på sin første reise til Firenze via København og Berlin. Han hadde allerede brukt opp en del av stipendiet og følte nok at han ble kritisert, men skriver selvbevisst til en venn: «Jeg blir nok ikke så lenge ute som de andre stipendiater, men til gjengjeld gjør jeg bedre ting.»

Oppholdet i Berlin ble atskillig lengre enn han hadde tenkt seg, nærmere to måneder. Han bodde først en kort tid hos den polske forfatteren Stanislaw Przybyszewski og hans norske kone Dagny Juel, og flyttet deretter til et hotell i Mittelstrasse 47, hvor Edvard Munch bodde. Vigeland ble straks trukket inn i kretsen av kunstnere og litterater, som benyttet vinstuen «Zum schwarzen Ferkel» til stamkvarter.

En sentral skikkelse var Przybyszewski, som under et Norges-besøk året i forveien hadde fattet en glødende interesse for Vigelands kunst; Vigeland på sin side hadde modellert en portrettmaske av sin polske venn og beundrer. Under Vigelands opphold i Berlin begynte Przybyszewski på en artikkelserie om ham. Denne ble under tittelen «Ein Unbekannter» først publisert i fire hefter av tidsskriftet «Die Kritik» i 1896, og i 1897 utgitt som bok og kalt «Auf den Wegen der Seele», den første monografi om Vigeland.

Przybyszewski utroper Vigeland (som tidligere Munch) til en av kunstens store fornyere, som har vendt seg bort fra den stupide naturalismen og gjort seg til tolker av det indre sjeleliv. Han ser Vigeland som en mystiker, en «benådet, som sjelen har åpnet seg for», en som ikke oppfatter verden gjennom øye og øre, men «som bare ser det evige og uforgjengelige og fatter tingenes vesen». Høyst personlig tolker han Vigelands skulpturer, særlig de erotiske, med ensidig betoning av kjønnskamp og kvinners dystre makt. Da hans utlegninger ble kritisert av Larpent i Aftenposten, hevdet Przybyszewski at han bygde på samtaler med Vigeland, noe Vigeland selv ikke var villig til å gå god for:

Jeg minnes ikke at vi noen gang har sittet og talt «inngående» om tingene, nei, det minnes jeg ikke. For vi var jo alltid drukne i Berlin.

Særlig reagerte Vigeland på Przybyszewskis «kjønnspsykologi»:

Jo, for Przybyszewski blir alt «Die Geschlecht». Det er det evige, det der betinger alle bevegelser, det første og det siste. Jeg visste klart at når Przybyszewski skulle tegne et bilde av meg, ville det mer komme til å ligne en stor kjønnsdel enn et helt menneske.

En annen innvending var den ensidige konsentrasjonen om det innholdsmessige, og at det formale ikke ble drøftet:

Et slemt hull er det at der ikke tales det minste om det som voldte meg slit, dvs. linjene, formen, teknikken; det er noe han ikke forstår, forresten, og som han ikke bryr seg om.

Konklusjonen er likevel positiv:

Men, artikkelen har gledet meg allikevel, den rører og rokker ved flere ting, og jeg synes den er intenst gjort. Da jeg leste den, sa jeg titt: Det er fan gale meg det beste jeg har lest om kunst. Og det sitter jeg her og tror ennu.

72

I Berlin gjorde jeg en gruppe, Mann og kvinne, krypende, Thiis benevner den «De nedbøyde», han døpte den slik. Da Munch så den, sa han at den burde han hatt i sin «serie». Jeg fortalte dette til Gunnar Heiberg, som sa at større ros får jeg aldri, for Edvard Munch anerkjente ingenting.
G. V. 1935

73

74

75

Tilsynelatende stilte Vigeland seg fremmed overfor det tidstypiske nevroti-ske syn på kvinnen som et mysteriøst og destruktivt vesen, en oppfatning som nedfelte seg i utallige fremstillinger av syndefallets Eva, sirener, sfinkser og vampyrer. Et par tegninger av en sfinks i en notisbok fra Berlin viser et halvhjertet forsøk på å følge moten, men han stryker over og skriver ved siden av: «Nei, nei, ikke sfinks, kvinnen er jo ingen gåte, tvert om.» Kanskje bevirket hans røtter i bondestanden et mer avbalansert og mindre fryktsomt kvinne-syn.

Om Dagny Juel Przybyszewska, vakker, elsket og forhånet, har det vært skrevet og sagt atskillig. Til de mange som svermet om henne, hørte både Strindberg og Munch. Vigelands navn har tidligere ikke vært nevnt, men på sine eldre dager fortalte han fra tiden i Berlin:

Og den eneste kvinne var fru Przybyszewski. Hun hadde grønne øyne, rød kjole og danset for oss, og vi begjærte henne alle.

En tegning fra Berlin av en dansende kvinne synes å være illustrerende. Fra håret hennes utgår tynne tråder som vikler seg rundt flere menn – én har falt over ende, en annen forsøker å frigjøre seg; nærmest kvinnen, ubehjelpelig fanget i et kraftfelt, går en mann som kan minne om Vigeland, mot henne.

Jens Thiis beretter fra vinteren 1895 i Berlin:

Det var herlige dager og netter. Arbeide gjorde vi alle, men forsømte heller ikke vennskapet. Vigeland var i full form, besøkte museene om formiddagen, . . . svingte begeret om kvelden, og arbeidet om natten. Den ene inspirerte gruppe etter den annen stod opplagt i leire om morgenen, men som regel slo han den over ende før sol gikk ned.

Det samme skjedde med påbegynte portretter av Dagny Juel Przybyszew-ska og Edvard Munch. Et par erotiske grupper fikk overleve, et liggende par som Thiis døpte DE NEDBØYDE, og et sittende par, MANN MED KVINNE I FANGET,

72 Stanislaw Przybyszewski. Maske. 1894. Bronse.
    21 × 15 × 10 cm
73 Kjærligheten og døden. 1895. Penn. 21 × 16,5 cm
74 De nedbøyde II. 1898. Bronse. 26,7 × 54 × 33 cm
75 Dansende kvinne og menn. 1895. Penn. 17 × 21,4 cm

76

En slik fasade som Pittis har jeg aldri sett make til i mitt liv. Og
så alle de andre stolte bygninger, f.eks. Palazzo Vecchio med
sitt usigelig sterke tårn, der løfter seg som en knyttneve over
alle tak.
G. V./Larpent 1896

77

et motiv som Vigeland gjentatte ganger kom til å forme på ny. For øvrig finnes
en del tegninger fra denne tiden, med særlig konsentrasjon om temaet «mann
og kvinne», og det ligger nær å tenke seg at samværet med Munch kan ha
bidratt til Vigelands interesse for denne emnekretsen.

Vigeland og hans kunst vakte interesse i Berlin. Han ble kalt «Dante in
Thon», og da tidsskriftet «Pan» utkom i Berlin med sitt første nummer i 1895,
stod relieffet HELVETE avbildet. Harry Graf Kessler kjøpte en skulptur av ham.
Den finske maleren Axel Gallén skrev til kunstnerkollegaen Elin Danielson,
som oppholdt seg i Firenze:

Jag såg några av Vigelands verk; de er mycket goda och känsliga. Han är en konstnär,
men Munch är det icke ännu.

Med en slik introduksjon må vel den finske malerinnen ha tatt vel i mot
Vigeland da de kort tid senere møttes i Firenze. Når Vigeland ble så vidt lenge
i Berlin, skyldtes det ifølge ham selv at han manglet penger og måtte vente på
neste tildeling av stipendiet. Det kan virke som han gikk nokså fort trett av
rangling og stadig samvær med andre. Først den 30. april kom han seg av
sted.

Oppholdet i Firenze varte bare en måneds tid, i juni måtte han gjøre
militærtjeneste. «Her nede er vidunderlig deilig, og helst ville jeg ikke hjem,»
skriver han til Larpent den 17. mai. Men den knappe tiden var nok til at han
følte en ny verden åpne seg, og like før oppbrudd skriver han:

Reisen har jeg hatt umåtelig utbytte av, mange ting som jeg ikke har hatt anelse om,
har jeg fått øye på.

78

79

80

Hvorfor all den «kunst»? Hvorfor all den snakk? Hvorfor? Når ingen av delene, hverken kunsten eller snakket, kan gjøre ens pine svakere.

...

Kunstnere arbeider og arbeider. Og tenker så hårdt på å være et ledd i den store verdensutvikling. – Å, Herregud, det behøver man slett ikke å tenke på ... et ledd i utviklingen blir man så allikevel ...
G. V. 1896

La Vittoria, ufullført kolossalgruppe av Michelangelo. Herlig! Her som på alle andre Michelangelos verker ser man de svære hugg, ser hvorledes de har fart inn og inn. Jeg kan følge mesterens bølgende stemning i formen. Et sted har han hugget til i hissighet, han har barket et stykke av i raseri. Andre steder er mesteren gått roligere, lettere, strykende, kjælende. Jeg synes jeg kan se Michelangelo har smilt da ... da han strøk henover den form, og den form. Men straks efter har han hugget til igjen, voldsomt, Satan har fart i ham og Michelangelo har buldret løs ... i kamp ... for å befri seg.
G. V. 1896

Hva man så enn sier, så står nu Michelangelo som det veldigste kunstnertemperament som har levet her på jorden. Ingen rokker ham med ord; heller ikke ved gjerning. Han bare står der. Basta.
G. V. 1905

Vigeland sa at for ham var *ånden* hovedsaken i et kunstverk, og et menneske og dets handlinger. Kunstverker som hadde gjort stort inntrykk på ham, kunne han nok glemme hvordan så ut i enkeltheter, men han glemte aldri det inntrykk de hadde gjort på ham og hva ånden var i disse kunstverker.
Hans Dedekam 1922

Vennskapet med Elin Danielson bidrog nok også til den lyse stemning. Han fikk melding om fornyelse av stipendiet for året etter, og var fast besluttet på å vende tilbake. På hjemveien faller igjen tungsinnet over ham:

Under det hele, som en grunntone, går en tung, trist jernbolt, som klinger dumpt og overdøver mange fine dikt. Å gid jeg intet følte, gid jeg intet så; gid jeg ikke var, å gid, gid, gid – jeg aldri var født.

Etter en måneds eksersis på Jæren er Vigeland igjen tilbake i Kristiania. Det ser ut til at han har vært lite produktiv resten av året; en av de få bevarte skulpturer fra denne tiden er statuetten av den yngste broren Emanuel, som hadde bestemt seg til å bli maler. Selv om Vigeland satt trangt i det, forsøkte han i flere år å støtte Emanuel på forskjellig vis. Men etter hvert syntes han å gjenfinne for mange av sine egne motiver og idéer i brorens bilder, og i 1902 kom det til et endelig oppgjør og brudd mellom dem.

I februar 1896 drog Vigeland direkte til Firenze, hvor han oppholdt seg i seks måneder, bare avbrutt av en tre ukers reise til Roma og Napoli i mai måned. Kanskje for første gang i sitt liv følte han seg ubekymret, fri:

Jeg vil drive omkring i gatene her, se og høre ... dvs. «studere» - ete, riktig ete og drikke denne deilige Chiantivin. Gjør jeg en tegning hver måned, nu så er jo det godt. Gjør jeg intet, ja nu, så skal jeg da ikke beskyldes for å ha gjort noe dårlig. Og det er jo også godt. I Firenze, her er det godt å være.

Men om han nå for en gangs skyld følte seg avslappet nok til å kunne nyte livet, viser hans nedtegnelser i notisbøkene hvor grundig og systematisk han gjennomgikk de mange museenes store samlinger. Foruten å gi ham et personlig og førstehånds kjennskap til vesentlige deler av verdenskunsten virket studiene avklarende på hans holdning til de formproblemer han selv stod overfor. I notater og brev formulerte han indirekte sin egen estetikk. Ikke minst gjorde antikkens kunst et dypt inntrykk på ham:

Den Neapel-turen var vidunderlig, aldri har jeg sett noe lignende. Først der nede fikk jeg rede på den antikke kunst, før visste jeg ikke hva den var. Jeg trodde det var noe dødt, stivt og koldt noe. Jeg har aldri forstått den kunst. Nu synes jeg å skimte dybden.

81   82

De antikke bronser er for meg det største, det med fest uti. De er store, sunne i formen, ved siden herav står renessansen som noe spisst og tørt. Og så veggmaleriene. Disse stille bilder med to eller tre toner i bilder med linjer, linjer, linjer.

Vi tror vi er noen farlige originale karer når vi klasker opp et flott hår på en byste og lar ujevnheter stå igjen. Det blir sgu ikke bedre hår for det, nei da. Det gamle med streker, regelmessig ved siden av hverandre, det gir bedre hårets karakter. Dette har jeg aldri trodd før jeg så de antikke bronser i Neapel.

Ved siden av den høyklassiske greske kunsten kom også den egyptiske til å oppta ham sterkt. Foruten mindre ting i Firenze studerte han ivrig Vatikanmuseets samling av egyptiske statuer, og gjorde seg følgende refleksjoner:

Den egyptiske kunst er for meg den mektigste. Den er enkel, simpel, den taler dempet og fast. Den har former så store, flater så store, alt i en veldig helhet. Den enkelte form er klart gitt, og den står bestemt og sikker av imot formen ved siden av uten at grensen er streket, er en strek. Nei, på de beste figurer fra Egypt er overganger fra form til form bløt, ja sart, samtidig som den er hård og streng. Der er en merkelig dobbelthet over egyptiske ting. Der er enkeltheter så fine, detaljer så små, bitte små skarpt sette trekk, alt samlet og lagt inn under et par lange linjer, helheten. I ingen kunst er detaljene så underordnede.

Den hellenistiske kunsten hadde Vigeland derimot ikke noe godt å si om:

Med satyrene og Laokoon inntrer den «maleriske» periode i den greske skulptur, den maleriske frihet, som alltid fører til fordervelse. – Da myldrer det opp av figurer på tå, danserinner, bukkeben og liggende figurer, statuer ler, hår flagrer. Formen blir innhyllet og slipes av, linjene taper sin strenghet, sin lengde og sin ro. Der stables opp om figurene stener, bølger og trestammer og attributter, og alt det som stygt er. Venus seiler over havet i sin musling, sjøskum i marmor, nereider hviler på havhester med svømmeføtter, alt sprikende i luften med tynne ting i marmor, spyd, fingre, tær, gevantspisser osv.

På bakgrunn av disse betraktningene er det ikke å undres over at Vigeland også tok avstand fra den illusjonistiske og bevegede barokke skulpturen på 1600-tallet, og noterte: «Bernini er min skrekk». Hans eget ideal går tydelig i retning av klare, rolige linjer og store, enkle, monumentale former, fri for maleriske effekter:

For hver dag innser jeg tydeligere at skulpturen må bli strengere; statuer skal ikke sprette og skvette i luften.

Symbolistene har gjort sin nytte, de, liksom realistene. Disse har vist nødvendigheten av sannhet i det rent ytre, og symbolistene har vist nødvendigheten av det gjennom symboler å uttrykke høye ting.
G. V. 1896

83

84

Ingen kvinner er så deilige som på de egyptiske relieffer. Livet er slankt, linjene lange, lange, og smilet er himmelsk, fortryllende. – Ingen mann er som de egyptiske. Ingen har nu slike mannsskuldre og går en slik fast gang.
G. V. 1896

Jeg synes menneskene blir mindre og mindre; hvert enkelt menneske finner sitt sandkorn og stirrer seg blind på sitt sandkorn som de kaller sin verden. Ja visst, et sandkorn kan være rikt, det kan glimre og glitre, vi gleder oss over glansen; vi oppdager også en liten revne i det. Vi finner og flere rikdommer i det, det bulner opp for våre øyne, vi tror det er et helt berg . . . Alle kunstnere finner ut småting, de rører og pusler med farver, alt i liten skala, hver dreier og vender sitt sandkorn. – Jeg er så lei alle de retninger, alle de skoler. I ett øyeblikk hører jeg at symbolistene er oppe, i neste troner prerafaelittene, Burne-Jones' tilhengere. Så er *han* den eneste, så er *han* den eneste, det går opp og ned, hurtig; i løpet av et år ser vi flerfoldige skoler. Her er for meget snakk og vrøvl omkring, derfor så lite ærlig arbeide.
G. V./Larpent 1896

De enkelte kunstnere som gjorde dypest inntrykk på Vigeland, var Donatello, og i særlig grad Michelangelo:

Et så veldig gemytt som Michelangelo kunne bare røre, bare berøre en ting, så ble det glimrende. En enorm personlighet den Michelangelo, en titan, en gud. Av og til synes jeg enkelte figurer vrir seg unødig. – Men nettopp i de figurer tykkes jeg å se Michelangelos lidende sjel klarest.

Studiene av fortidskunsten, skriver Vigeland i 1898, «hadde forandret mitt syn på formen ikke lite». Han innså svakhetene ved sine tidligere skulpturer, «. . . det var meg umulig ikke å utføre HELVETE helt på nytt». Den umiddelbare, antydende form var ikke lenger tilstrekkelig.

Som vanlig når Vigeland var i utlandet og ikke leiet atelier, tegnet han mye. Han arbeidet med utkast til relieff-friser, én mytologisk med Pan og kentaurer, og én bibelsk-religiøs, hvor fremstillinger av OPPSTANDELSEN og SALIGHETEN skulle føyes sammen med HELVETE og DOMMEDAG. Stipendiemidlene ville snart ta slutt, og han trengte oppgaver, men skrev pessimistisk om utsiktene til den hjelpsomme Larpent:

Gid der nu noen ville bestille noe av meg, en figur, et relieff til en kirke, en port . . . Jeg står ferdig med begge hender, men ingen bestiller noe av meg.

Larpent oppfordret ham til å søke den ledige stillingen i modellering på Tegneskolen, noe han også gjorde, men straks angret:

Gid jeg ikke må få den plass som lærer ved Tegneskolen, den fæle plass. Ja, jeg har søkt, men jeg mente det ikke, jeg vet ikke hvorfor jeg gjorde det. Tror De at jeg vil gå der på skolen, hver evige dag, og banke inn i de elevskaller, de damer og de treskjærere, formler for modellering? Nei, det gjør jeg aldri. Det er det samme som å døde seg selv, seigaktig, langsomt.

Hans ønske gikk i oppfyllelse, han ble ikke ansatt.

Vigeland fant seg vel til rette i Firenze. Hadde midlene tillatt det, ville han utvilsomt ha foretrukket å bli lenger i utlandet. Det falt ham tungt å reise hjem igjen, og underveis skrev han:

Det er altså i natt jeg skal gjenoppleve de gamle lidelser – ved å kjøre langs veien og se de kjente pinselsteder. Det ser ut til at de største menn reiser til utlandet for å vinne mot, det mot og den overlegenhet som skal til for å leve hjemme.

85

81 Veggmaleri, Mysterievillaen (Villa dei Misteri) i Pompeii
82 Mann og kvinne. 1896. Penn og lavering. 15,5 × 21 cm
83 Emanuel Vigeland. 1895. Gips. 67 × 26 × 25 cm
84 Kvinnestatuett fra Egypt. Foto fra Vigelands arkiv
85 Kvinne og menn. 1896. Penn. 15,3 × 21 cm

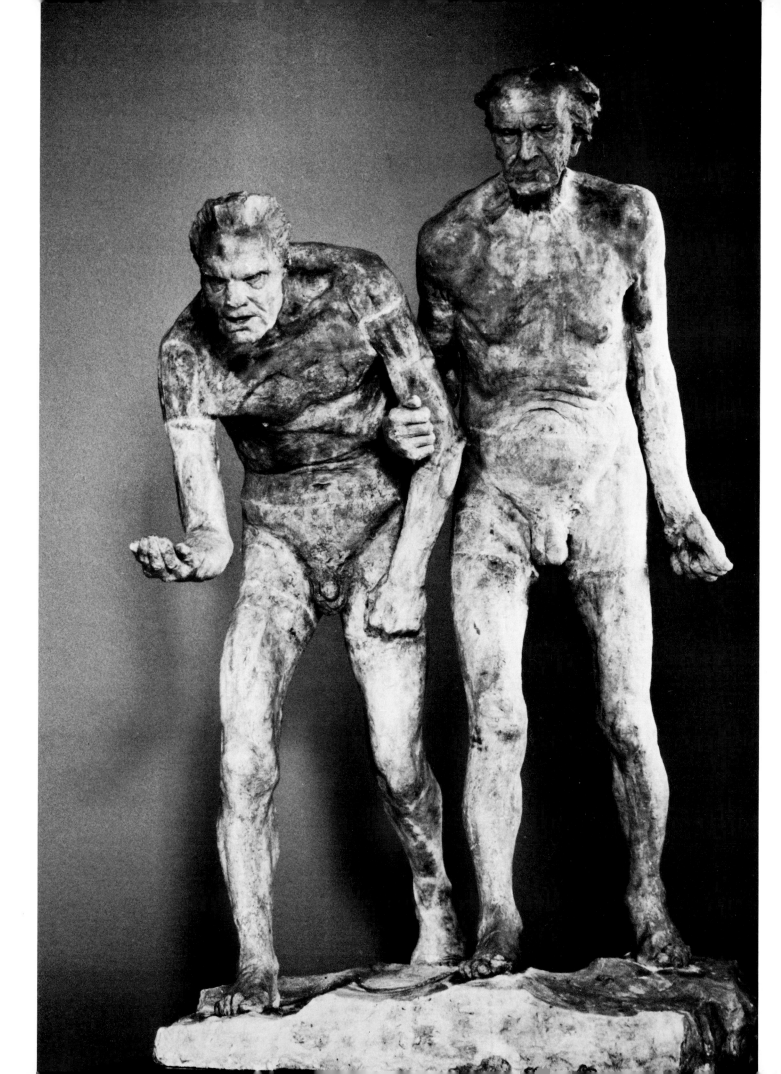

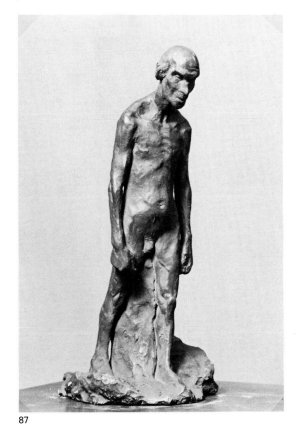

87

86 Tiggerne. 1908. Gips. Høyde 1,97 meter
87 Arbeideren. 1893. Bronse. 35,9 × 17,2 × 15,3 cm
88 Tiggerne. 1899. Bronse. 71,3 × 41,5 × 46 cm

88

Tilbake i Norge

Omtrent de eneste oppgavene en billedhugger i Norge kunne håpe på, var «portretter til brødet og monumenter til sul og champagne», som Larpent uttrykte det i et brev til Vigeland, samtidig med at han trøstet den mismodige unge kunstneren: «Men hvorfor skulle monumenter ikke falle i Deres lodd?»

I Bergen skulle det konkurreres om et Ole Bull-monument i januar 1897. Vigeland følte vel at han burde delta, selv om tanken på å gjøre en portrettstatue stod ham fjernt:

Det faller meg mere og mere for brystet å lage et utkast til Ole Bull-monumentet. Tenk, et monument, en statue, en mann, stående høyt oppe på en enslig firkant. Nei. Statuer skal ikke stå i blomsterbed... Det blir vrient å gjøre, så den ikke kommer til å ligne de andre statuer vi har, med brystet ut osv.

Allerede de første tegninger lovet ikke godt, en uinspirert stiv og stram stående skikkelse, med fiolinen holdt under haken eller ned langs siden. Likevel sendte han to plastiske utkast av sted til konkurransen. Kritikken var ikke nådig; en avis skrev at det ene så ut som en lekpredikant, «kjemisk ren for form», og at det andre virket ytterligere dilettantisk, «liketil en vanskapning». Vigeland slo begge i stykker da han fikk dem i retur, bare ett av hodene ble skånet. Ennå hadde han ikke noe personlig å tilføre den tradisjonelle portrettstatuen.

Etter 1893 hadde Vigeland, med unntak av HELVETE, bare utført skulpturer av mindre format. I 1897 ønsket han imidlertid å forstørre dem til naturlig målestokk. Larpent hadde tidligere kjøpt den lille figuren ARBEIDEREN fra 1893, og Vigeland bad nå om å få låne den:

Dette blir altså den første statuett som jeg vil forstørre til statue. De andre statuetter følger da siden efter en for en eller to om gangen.

Med sosialismens utbredelse erobret fremstillinger av kroppsarbeidere en plass også i billedkunsten. Franske billedhuggere som Jules Dalou og til og med Auguste Rodin laget utkast til «Arbeidets monument», og belgieren Constantin Meunier vant internasjonal anerkjennelse med sine statuer og relieffer av arbeidere, ofte i en idealiserende form. Vigeland kjente godt til Meuniers skulpturer, men valgte selv en anti-heroisk gjengivelse av den gamle, medtatte arbeideren. Langs det uttærede legemet henger de tynne armene med svære, arbeidsslitte never. Også psykisk virker denne mannen utpint. Her er et innslag av sosialt engasjement som også finnes i den mindre gruppen TIGGERNE (1898; utført i naturlig størrelse i 1908); to gamle menn, den ene blind, begge merket av nød og fornedrelse, kommer anklagende, truende mot oss.

Det var ikke nettopp den slags skulpturer folk strømmet til for å kjøpe. Og Vigelands erotiske grupper, i all sin nakenhet, kunne vanskelig aksepteres i borgerskapets stuer. Et forsøk på å lage brukskunst, som kunne være lettere å avsette, førte bare til en lysestake formet som en drake (1897) og noen skisser til vaser og fat. «... jeg holder ikke ut med det kunstindustrielle, jeg orker det ikke, jeg må tilbake til mine mennesker», skrev han allerede i 1896. Problemet med å skaffe inntekter til livets opphold løste seg da han i 1897 søkte og fikk bestillinger på skulptur til domkirken i Trondheim, hvor restaureringsarbeidene ved middelalderbygget pågikk for fullt.

89

Trondheim – skulptur i gotisk stil

Med Vigeland innledes rekken av norske billedhuggere som arbeidet for domkirken i nyere tid. De første oppdrag bestod i å utføre 12 vannspyere og fire hjørnefigurer til hvert av nordre tverrskips to tårn (1899). Disse skulpturene gav Vigeland muligheten til å la sin drastiske fantasi strømme fritt ut i groteske mennesker og dyr. Med ENGEL KVELER BASILISKEN skapte han et bilde på kampen mellom det gode og det onde som han senere tok opp igjen flere ganger.

I 1898 skriver han:

Jo mere jeg sysler med gotikken, dess mere gleder den meg. Fanget helt av den og omskapt blir jeg vel aldri. Men det må jeg si at følelsen har den, ja fremfor noen kunst. Og deri kan det visst hende at vi er beslektede. Formen er meg og blir meg visst alltid imot, skjønt den kan være stram og streng og bestemt nok.

Nå fulgte nye bestillinger på figurer til korbuen inne i kirken. I to rader øverst i midten står den korsfestede Kristus flankert av Johannes og David på

90

58

den ene siden, og av Maria og Esaias på den andre. Under står den velsignende Kristus mellom Elias og Moses; de to sistnevnte er utført i kleberstein, alle de øvrige i polykromert eiketre (modellert 1899–1902, ferdig oppstilt 1910). Blant Vigelands skulpturer til domkirken hører også en liten Hellig Olav-figur, plassert i en nisje på utsiden av koret, og enkelte relieffer inne i kirken.

Vigeland hadde senere i livet ikke mye godt å si om sine «gotiske» prestasjoner:

Selv om mine figurer til domkirken roses aldri så meget, så skammer jeg meg over det arbeide jeg der har utført. Det er umulig å arbeide i en annen stil enn sin egen tids, det blir pastiche, hvorledes man enn snur og vender det.

Den myke linjeføringen i korbuens spinkle figurer bærer unektelig påminnelser om 1980-årenes art nouveau, og selv Moses har fått et anstrøk av vemod. Det er i tårnfigurene at Vigeland kommer middelalderen nærmest.

Under oppholdet i Trondheim ranglet han en del om kveldene med vennen Jens Thiis, som nå var direktør for Nordenfjeldske Kunstindustrimuseum. At det kunne gå temmelig voldsomt for seg, forstår vi av et brev fra Vigeland:

Vi har gått og drukket og drukket, vært fulle, iallfall jeg. I dag fikk jeg regning på et sofatrekk som jeg skar i stykker. Det var 8 kroner. Fan, jeg hadde kjøpt meg en liten pennekniv, og så ble jeg full, og så skulle jeg naturligvis skjære det sofatrekk i stykker.

Mot slutten av 1890-årene

Bortsett fra månedene i Trondheim bodde Vigeland i Kristiania og arbeidet for seg selv. Av eldre skulpturer ble foreløpig bare ARBEIDEREN påbegynt i full størrelse, men flere ble modellert om igjen i statuettformat, blant annet GAMMEL KONE SER SIN MANN DØ (1893 og 1898 ill. 59) og DE NEDBØYDE (1895 og 1898 ill. 74). Nye motiver føyde seg dessuten til rekken av eldre. De senere skulpturene fra 1890-årene skiller seg fra de tidligere ved bedre proporsjoner, roligere linjer og glattere overflatebehandling. Formen er mer

91

92

93

gjennomarbeidet, men stadig summarisk; Vigeland unngår en nøyaktig anatomisk redegjørelse – øynene er ofte bare utgravninger i kraniet, hender og føtter så vidt antydet. De «store sunne former» som Vigeland hadde beundret i de antikke skulpturene, finnes det ikke spor av. Figurene er utpreget magre, og vi aner skjelettet under et tynt lag av muskler og hud.

Det ligger nær å se de lange, slanke figurene og enkelte komposisjoners utpregede vertikalitèt i sammenheng med Vigelands «gotiske» skulpturer. Som eksempel kan nevnes EREMITTEN (1898), den høye, asketisk magre mannen som står med bøyd hode og ser på barna rundt seg, og MANN STÅR BAK KVINNE (1899), hvor de langstrakte skikkelsene danner en søylelignende formasjon. Innflytelse fra stiltendenser i 1890-årene gjør seg dessuten gjeldende. Vi finner trekk fra art nouveau i figurenes stramme linearitet og den

94 Eremitten. 1898. Bronse. 66 × 21 × 21 cm
95 Gutt. Fonteneskulptur, Hamar. 1899. Bronse
96 Georges Minne: Knelende yngling. Ca. 1896
97 Mann står bak kvinne. 1899. Bronse. 66,5 × 17 × 15 cm
98 Knelende mann og kvinne. 1899. Bronse.
   50 × 42 × 29 cm

94

Billedhugger Vigeland utførte for en tid siden en fontene for Hamar Bryggeri. Den skulle stå på en av de offentlige plasser i Hamar by. Bryggeriet fant imidlertid at fontenens hovedfigur, en gutt, var for mager og forlangte den fetere. Vigeland syntes gutten var fet nok og ville ikke legge noe på ham. Nu er det kommet til prosess om dette spørsmål. Advokat Nørregaard fører saken for Vigeland.
Kristiania Dagsavis 29.7.1899

95

96

klart definerte konturen, likeledes fra syntetismen, i enkel oppbygning av komposisjonen og volumer med et minimum av analyserende detaljer. Typisk for Vigelands tredimensjonale figurer er at de nesten aldri «roterer», men utfolder seg til én side, som i et relieff.

Flere av gruppene har dessuten en strengt sluttet form; ingen del griper ut i rommet. Enkelte av de samme formelementene har Vigeland for øvrig felles med den belgiske billedhuggeren Georges Minne (1866–1941), likeså den stille, smertefulle tilstanden som deres overslanke skikkelser ofte synes å befinne seg i. Men motivmessig spenner Vigeland over et større register, og hans figurer er også mindre stiliserte, noe som viser seg i to spinkle gutter, Minnes knelende og Vigelands stående, begge for øvrig benyttet i forbindelse med en fontene.

98

100

99

Kjærligheten mellom mann og kvinne er for ham ikke glede.
Kanskje er det lykke fordi det er så over alle grenser, men først
og sist er det smerte. Det er noe i disse ansikters uttrykk som er
overjordisk. Smerten rekker så langt og bunner så dypt. Det er
noe i disse øyne som ser bakenfor og bortenfor og utover hele
livet.
Vilhelm Krag 1899

99–100 Mann sitter med kvinne i fanget. 1897.
        Bronse. 47 × 31 × 24 cm
101 Orfeus og Eurydike. 1899. Bronse. 67 × 29 × 24 cm

62

Sentralt blant motivene står fremstillingen av «mann og kvinne». Vigeland skildrer erotikkens og kjærlighetens mange fasetter, stadig med en undertone av lengsel og vemod. I gruppen som kalles ORFEUS OG EURYDIKE (1899), strekker den knelende mannen seg ut i en bue etter kvinnen, som holder på å gli ut av armene hans. Trøst-motivet, mannen som søker kvinnens omsorg og varme, fremstilles i flere varianter. Men når kvinnen sover, sitter han igjen alene våken og grubler som i NATTEN (1898). Et sjeldnere innslag av mer total forening er KYSS (1898), hvor mannen løfter kvinnen opp fra jorden og kroppene forenes i en bølgelignende bevegelse.

Vigeland ser den unge mannen og kvinnen i en større sammenheng. De representerer også livets fornyere. Fra 1894 finnes de første tegningene til en fødselsgruppe, utført som relieff i Berlin i 1895 og sist som gruppe i 1903; kvinnen ligger med det nyfødte barnet, og mannen bøyer seg i en bue over dem eller sitter ved siden av dem. Både i tegninger og i skulptur kretser Vigeland om familiemotiver.

Skildringen av forholdet mellom mann og kvinne omfattet også alderdommen. I gruppen GAMMEL MANN OG KVINNE (1898) sitter de to frontalt ved siden av hverandre, som et egyptisk kongepar. Selv om skikkelsene er merket av tiden, utstråler de en harmonisk ro og menneskelig verdighet. Han holder om armen hennes; de forgangne år synes å ha skapt et dypt og nært fellesskap mellom dem. Allerede nå aner vi en vilje hos kunstneren til å gjengi alle livets stadier.

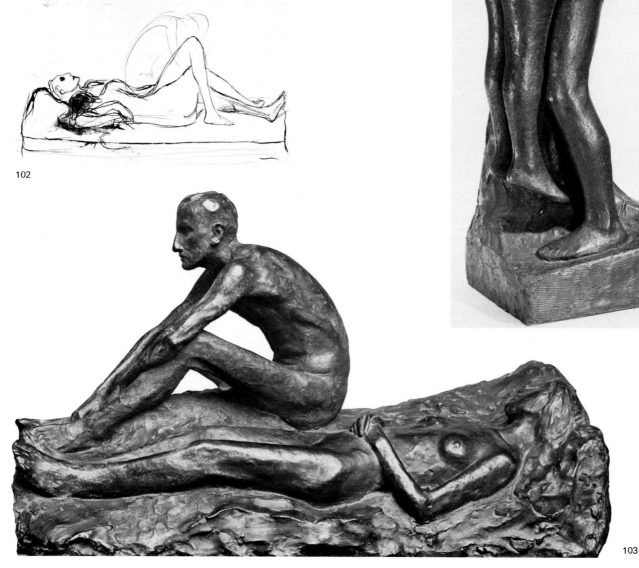

102

104

103

106

Somme tider er det som jeg er oppstanden. Som jeg har vært borte i lang tid og så med én gang settes inn i verden, blant tingene, blant bord, mennesker og hus. Det er som solen skinner opp for første gang for meg.
G. V. 1897

102 Mann og kvinne. 1898. Penn. 13,5 × 21,5 cm
103 Natten. 1898. Bronse. 35 × 66 × 32 cm
104 Kysset. 1898. Bronse. 68 × 21 × 21 cm
105–106 Gammel mann og kvinne. Bronse.
      60 × 45 × 35 cm

105

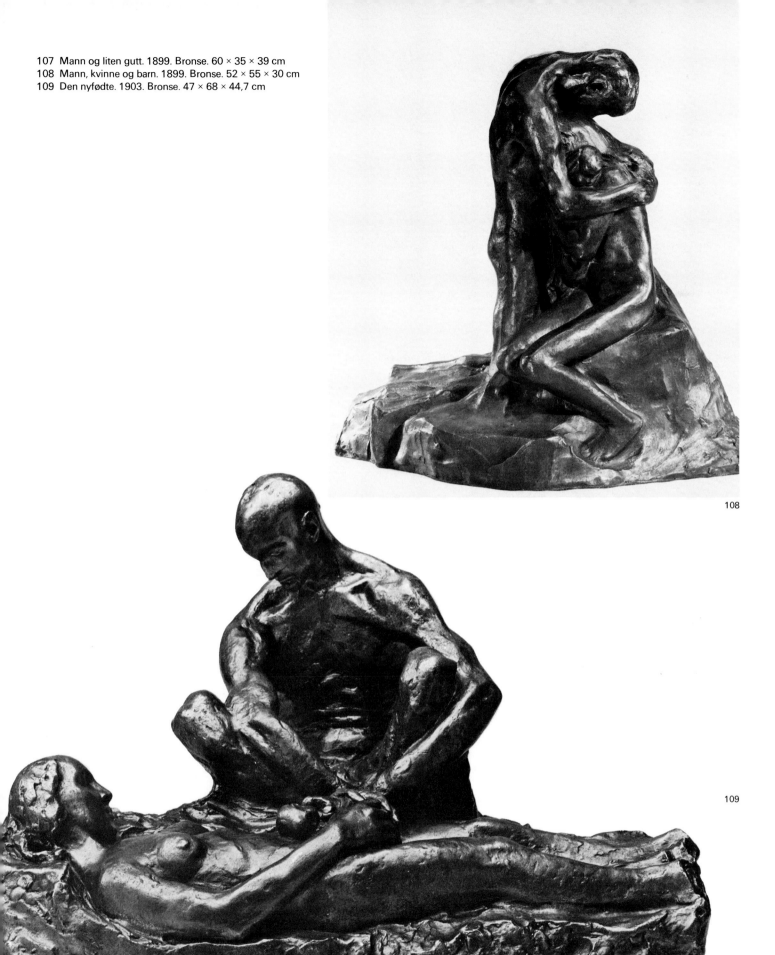

107 Mann og liten gutt. 1899. Bronse. 60 × 35 × 39 cm
108 Mann, kvinne og barn. 1899. Bronse. 52 × 55 × 30 cm
109 Den nyfødte. 1903. Bronse. 47 × 68 × 44,7 cm

108

109

< 107

Separatutstilling 1899

Høsten 1899 samlet Vigeland 42 av sine skulpturer som han stilte ut i Kristiania sammen med fotografier av de ferdige arbeidene til domkirken i Trondheim.

Kun en sjelden gang spaltes mørket av et lyn som lyser opp over kunstens marker med verker vokset frem av en selvstendig skapende fantasi. Dette er i disse dager skjedd ved Gustav Vigelands utstilling i Wangs nye utstillingslokale i Dioramaet.

Med denne hyllest åpner «Aftenpostens» medarbeider sin anmeldelse av utstillingen; og i fortsettelsen tilbakevises det som enkelte vil oppfatte som «anstøtssstener» ved Vigelands kunst: bruddet med den akademiske tradisjon i de skissemessige magre legemene, nakenheten og intimiteten i de erotiske gruppene. Den øvrige kritikken var også gjennomgående positiv, noe som kan virke eiendommelig sett i forhold til den forfølgelsen Munch ble utsatt for i Norge i 1890-årene. En forklaring kan være at man hadde et vagere forhold til skulptur enn til maleri. Skulpturen hadde ingen lang tradisjon. Dessuten gikk man, som Vigeland en gang uttrykte det, stadig og ventet på en norsk Thorvaldsen. Et inntrykk begynte å festne seg at det betydelige talentet som norsk skulptur stadig manglet, kunne være Gustav Vigeland. Han hadde den store fordel å få utfolde seg i en tid da man ennå speidet etter og dyrket «geniet». 1. januar 1901 ble han av Kong Oscar II utnevnt til ridder av St. Olav.

110

111

Ekteskap og skilsmisse

Lite er kjent om Vigelands forhold til kvinner i tidlige år, men hans kunst vitner om en sterkt erotisk legning og røper at han må ha hatt intense og dyptgående opplevelser.

Dikteren Sigbjørn Obstfelder var en nær venn av Vigeland i 1890-årene. I prosaverket «Korset» er en av personene billedhuggeren Bredo, som åpenbart har trekk lånt fra Vigeland. Obstfelder lar Bredo uttale:

Kvinnen er som en guirlande. Hun er i alt, hun er som en farlig vedbende. Hun snor seg om alle menn og alle huse. Hun vinder seg om ens fot, og han faller, hun kranser seg vakkert om en annen, og han vandrer i duft. Hun undergraver det ene hus, og hun stiger vakkert mot taket på det annet. ... Det er den samme kvinne som er i alle kvinner, det samme snikende fantom der kan gjøre seg så lite som en mus – og så veldig og vidunderlig som et fata morgana. ... Å, (vedble han sørgmodig) man vet aldri hvor hun er. Man tror hun slumrer i ens armer, og så er hun tusen mil borte.

Fra kvinner som stod Vigeland nær i senere år, vet vi at han kunne lide av ekstrem sjalusi. En av hans betraktninger, som her antas å angå kvinnen, kan tyde på en ambivalent, nærmest destruktiv holdning, en manglende evne til varig og total hengivelse:

Hvor mange gudebilder vi har lavet. Vi har hengt glitter på dem, staset og spjåket dem til – og ikke bare staset dem til med billige ting. Vi har malt dem med vårt eget blod, ofret til dem med vårt eget kjød. Tilbedt dem, favnet dem, kronet dem. – Og så, når det er blitt utstyrt glimrende, praktfullt – har vi knust det. – Men det underligste er det at vi hele tiden mens vi prydet det, visste at vi ville slå det i knas; det var liksom et lite menneske i oss hvisket det.

De av Vigelands forhold til kvinner som vi vet om, fikk da også en ubarmhjertig slutt. Det første gjaldt Laura Mathilde Andersen.

Hun var født i Sandefjord i 1870. Faren var navigasjonslærer, og døde da

110 Sigbjørn Obstfelder. Relieff. 1895. Gips.
44 × 41 × 27 cm
111 Mann kneler foran stående kvinne. 1898. Penn.
21,8 × 13,6 cm
112 Mann og kvinne. 1901. Penn og lavering.
19,8 × 15,5 cm
113 Mann og kvinne. 1898. Bronse. 51 × 37 × 29 cm

Gjentatte ganger fordyper han seg i et tema: mannen,
grubleren, kjemperen, som sitter hensunket for seg, mens til
ham kommer, over ham bøyer seg, eller under ham kneler
kvinnen, den seg ofrende, seg hengivende, ømhet øsende.
Sigbjørn Obstfelder 1898

112

113 >

hun var åtte år gammel. Tidlig måtte hun forsørge seg selv og ble syerske. Hun kan vel ha trengt å styrke økonomien, for visstnok traff hun Vigeland første gang da hun kom for å søke plass som modell, antagelig høsten 1893. Hverken Vigeland eller andre har fortalt noe om deres mangeårige forhold; han var til det ytterste forbeholden når det gjaldt sitt privatliv. Muligheten av ekteskap har nok streifet ham, men ikke vært tatt helt alvorlig, hvis da et notat fra 1897 er symptomatisk:

Når lykken går meg imot, så synker jeg nok til henne, dessverre. – Jeg, jeg, som hadde tenkt meg et langt ungdomsliv, et langt ungkarsliv. – I hele dag har jeg gått i giftetanker; det er for galt. Men kanskje det er bare for leiren ennu ikke er bløt, for jeg ikke ennu er begynt å arbeide.

Om han trengte kvinnen, var og ble kunsten det sentrale i hans liv.

Etter at en datter var født i juni 1899 og et nytt barn ventet våren 1901, kom Vigeland for alvor i en press-situasjon. Trolig fryktet han at alle bånd og forpliktelser som fulgte med barn og familieliv, ville hemme hans skapende virksomhet. Følelsene for Laura kjølnet, og vinteren 1900 traff han en vakker ung pike – Inga Syvertsen – som han forelsket seg i. For Lauras og barnas skyld ble ekteskap likevel inngått 23. juni 1900, men forutsetningen fra Vigelands side var at det straks skulle søkes om skilsmisse. Da dette ikke gikk helt som han hadde planlagt, reagerte han nærmest hysterisk. «Man blir ond av tvang,» heter det i et notat fra 1900.

Selv små konflikter kunne virke til det ytterste opphissende. I den tilstand av sterke følelser og motstridende interesser som Vigeland nå befant seg i, slo hans voldsomme temperament ut i lys lue. Om seg selv har han sagt at «Der lever kanskje ikke det menneske som er så flådd som meg, utenfor galehusene», og: «Det er bare som et silkepapir mellom det å være riktig og det å være gal.»

Hans kunstneregoisme var utvilsomt velutviklet. Men hans ytterliggående reaksjoner kan muligens også ha dypere og mer skjulte årsaker. Den amerikanske psykoanalytikeren R. Simons, som har lest igjennom noen av Vigelands nedskrevne drømmer, har antydet at en eller flere av dem kan inneholde en nøkkel til forståelse. Vi skal sitere hans tidligste gjengitte drøm fra Firenze i juni 1896, også fordi den forteller noe om Vigelands fantasi og evne til å fastholde og formulere detaljerte bilder fra underbevisstheten:

Jeg drømte i natt at jeg var gift. Nettopp, for to minutter siden, og jeg ventet meg meget av det. Men jeg kjente ikke min kone, jeg hadde ingen forestilling om henne. Bak veggen hørte jeg det puslet og ruslet, det var liksom mange hender var i arbeide. Så, ut av en liten lav, bred dør kom en mann med oppsmøgede armer. Den dør han kom ut av, var ikke som andre dører, den lå liksom nede ved gulvet, den var bredere, dobbelt så bred som den var høy. Kommer hun ikke, konen, spurte jeg. Kan jeg ikke få se henne? Jo, om to timer stikker hun sitt horn gjennom veggen. Takk, så venter jeg her i forværelset, svarte jeg. Og jeg satte meg til å stirre på veggen og ventet. Hun er en slags enhjørning, tenkte jeg, en merkverdig hest med snodd horn i pannen. Noe slikt må det være. I den retning. Jeg biet lenge. Så ser jeg som en boble på veggen, midt på glatte veggen, en blank boble. Boblen tyter ut, strekker seg i lengden og skjelver litt. Inni ser jeg liksom en stokk, en snodd stokk, den så jeg gjennom den tynne boble. Der er det. Der er hun. – Jeg trykker meg ned i stolen, boblen springer, og det lange, like horn farer mot meg, like i strupen og gjennom den. Og jeg ble svinget om i luften, mine ben slo oppunder loftet og nedi gulvet, og jeg ble skrudd innover på hornet som jeg skulle være en kork på en korketrekker. Jeg ble skrudd helt inn, så jeg sitter fast til et merkelig hode... og så svinger jeg ut igjen, omkring, omkring. Jeg gjør større og større svingninger og slynges ut i luften. Jeg ser jorden seile som en liten ball dypt nedi rommet, og skyene ser ut som et lite leketøy.

Simons har fremhevet at tallet 2, som kommer igjen to ganger, kan bety noe. Vigeland var to og et halvt år da broren Edvard August ble født 6. november 1871. Fødselen foregikk sannsynligvis i hjemmet, og Gustav kan ha vært i nærheten, muligens en stund også inne i rommet hvor fødselen foregikk. Drømmen kan blant annet tenkes å inneholde angst og fortvilelse

114

114 Eros. 1901. Penn og lavering. 19,6 × 14,4 cm
115 Else Vigeland. 1899. Gips. 29,5 × 24,3 × 19,8 cm
116 Mann omslynget av grener. «Treet». 1900. Gips. 56 × 22 × 18 cm
117 Selvportrett. 1901. Penn og lavering. 20,5 × 15 cm
118 Utsikt fra hotellet, 13 Quai des Grands Augustins. 1901. Penn. 15 × 19,5 cm

Det grodde om meg kronglet løgnekratt
som holdt meg fem år fast bak grenesprinkel,
så snørt, så skrudd, så tvunnet vridd.

Da jeg omsider hadde snodd meg løs
og den siste vidje flettet av min fot,
stod furer i mitt såre kjød.
G. V. 1927

115

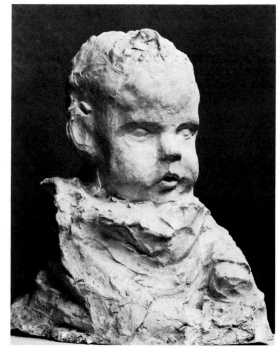

70

over brorens fødsel, og en følelse av å være forkastet. Den 5. februar 1873 døde broren. – Kanskje gir drømmen en mulighet til å forstå hvorfor Vigeland ikke bandt seg i ekteskap før han var over 50 år, og hvorfor han hverken maktet å etablere noe farsforhold til sine to barn eller senere ønsket å få flere.

Likevel har vel knapt noen billedhugger fremstilt scener fra familieliv og gjengitt barn med så mye ømhet, skarpsyn og forståelse.

En liten skulptur, TREET, fra sensommeren 1900 vitner om Vigelands sinnsstemning på denne tiden: en mann står opp mot et tre, bastet og bundet av grenene, som også snører seg kvelende rundt halsen på ham. Høyst beleilig fikk Vigeland et stipendium fra domkirken i Trondheim for å studere gotisk skulptur i Frankrike og England, og mottok dessuten for tredje gang tildeling fra A. C. Houens legat. I slutten av oktober reiste han og ble ute et helt år. Den 27. mars fødte Laura en sønn. I slutten av august 1901 ble søknad om skilsmisse undertegnet av begge parter, og 7. april 1906 var ekteskapet endelig oppløst.

Siste studiereiser – Frankrike og England 1900–1901

Vigeland reiste først til Paris, hvor han ble i flere måneder. I desember skriver han i et brev:

Jeg bor i et lite hotell ved Seinen; jeg er den eneste leier. Mitt lys står alene ved nøkkelen, og min serviett står alene i hyllen. På mitt bord et par bøker og noen fotografier, det er alt. – Jeg lever regelmessig, den ene dag går som den annen. Jeg står nu ikke opp kl. 5 om morgenen som jeg gjorde i Kr.ania, men ligger som den dovne dreng i leseboken til kl. 10 om morgenen, ja lenger. Jeg har ingen hast, for jeg har intet atelier; jeg studerer.

Gjennom en stadig strøm av brev til Larpent, som hjalp med å ordne opp i hans personlige forhold hjemme, kan vi følge Vigeland nesten dag for dag i året utenlands. Brevene er fulle av interessante iakttagelser og personlige refleksjoner om det han ser. I Paris studerte han gotisk kunst i

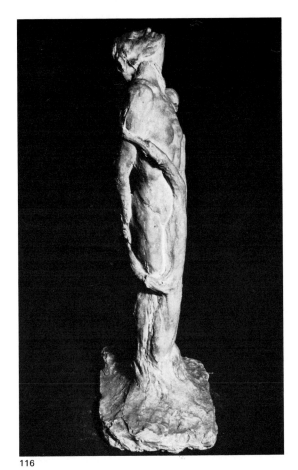

116

Jeg . . . har forandret meg på denne korte tid, så jeg kjenner meg ikke igjen i speilet. Det er en annen, som jeg bor sammen med, og som jeg bare ser den tid jeg står borte ved speilet. G. V./Larpent 1900

117

118

71

Trocadero- og Cluny-museene, i Sainte Chapelle og Notre-Dame. I løpet av vinteren og våren reiste han rundt og beså flere av de største gotiske katedralene – Chartres, Reims, Amiens og Laon. I juni drog han over til England, først til London, deretter til 13 av de engelske katedralbyene. Hans sammenligninger av fransk og engelsk gotikk er poengterte og treffende, et studium verd.

Han var både tiltrukket av og stilte seg kritisk til gotisk skulptur:

Gotikken virker så frigjørende, skjønt den jo i formen er treet, hjelpeløs oftest, så har den dog følelsen. Og den er nu blitt for meg det eneste. Alt det annet er laveri, estetikk, hvorledes det «skal være». Det virker på meg som blylodder hengt på mine armer og ben, så jeg ikke kommer av flekken. Skjønt jeg vil si at det tekniske skal være der i så høy grad som mulig, så fordrar jeg ikke at man «håndverker» kunst . . .

Det er noe menneskelig ved gotikken som ikke den greske kunst eier, noe menneskelig som jeg for min del må ha med. Det er ikke blott ene og alene formen det gjelder, ja selv om formen var av den mest opphøyede art – så var det ikke nok med blott den.

For en rikdom av idéer gotikken førte inn. En oppfinnsomhet som ingen annen kunst. En fantasi så umåtelig, stående over alle andre tiders, som massemylder. Blott at deres form maktet ikke idéen.

Et spesielt inntrykk gjorde et relieff fra tympanonfeltet over hovedportalen på Notre-Dame i Paris:

. . . intet kan, blott tilnærmelsesvis, i stemning måle seg med relieffet «Synden og døden».

Dette relieffet befinner seg blant flere fremstillinger av helvete; på en hest som styrter fremover, rir forrest en kvinne med bind for øynene. Hun klamrer seg til hestehalsen, og bak henne ligger en mann på ryggen og holder i hennes flagrende hår. Det er innholdet, og ikke formen, som opptar ham i dette middelaldermotivet, som i fantasi og ånd er beslektet med hans egne skulpturer HELHESTEN og HELVETE (ill. 57, 68). Men han beundret også det yndefulle og harmoniske ved den hellige Modesta i Chartres, «den deiligste av alle statuer i den hele gotikk».

Om det finnes få tegninger som har med studier av middelalderskulptur å gjøre, fremgår det av de mange kommentarer i brev og notatbøker hvor grundig Vigeland gikk til verks. Dessuten kjøpte han kataloger og fotografier. I timevis gikk han med kikkert, ofte dag etter dag til den samme kirken og til forskjellige tider på dagen, alt etter når belysningen var best. Et enda større personlig utbytte hadde han kanskje av besøkene i British Museum i London, hvor han igjen fordypet seg i den klassiske greske skulpturen og for første gang så Parthenon-skulpturene av Fidias:

. . . de er det største av all kunst, det der har gledet meg mest av alt som finnes av kunst i verden, Neapels ting med- og iberegnet.

Hittil hadde Michelangelo raget høyest av alle billedhuggere – nå får Fidias en tilsvarende posisjon. Vigeland analyserer disse skulpturenes spesifikke egenskaper, og hvordan han selv forholder seg til dem:

Nei, der er blott Fidias av greske, synes jeg. Og den der derefter våget å løsne alle bånd for menneskebevegelsen, er Michelangelo.

Vigeland finner at ingen har vist større «dristighet» i figurenes stillinger enn Fidias:

. . . ikke Michelangelo engang. For selv Michelangelo blir tørr, ja treet, ved siden av Fidias. Det er som Michelangelo har funnet seg en regel – han lar ikke formen bølge fritt, uten regel, stadig nytt, og ny, nytt liv og ny form. Allikevel tar Michelangelo meg mere. Men det er ikke for formen just. Det er hans gemytt, det tunge sinn, som tar. Jeg står og ser på Fidias' ting – men jeg forstår ikke å se på den måte. Den solglede, den ungdomsfryd over den levende form, det levende liv, som er Fidias' og ingen annens, det kan jeg ikke skjønne helt. – Jeg synes der er så meget annet her i verden.

119   120

For der er ikke noe relieff i verden, eller noe bilde, som har opptatt meg mere enn relieffet fra Notre Dame, «Synden og Døden». Ikke engang Michelangelos arbeider. – Men det er fra innholdets side blott. Formen, denne tidlige XIV. århundrets løgnaktige, oppdiktede form er heslig når man ser på den. En så uhyre frekk måte å dikte muskler på har jeg ikke sett noe sted, ennskjønt der i kunsten ikke er så få muskeldiktere. – Det er blott fra innholdets side – samt for helhetskomposisjonen – jeg synes det er veldig.
G. V./Larpent 1901

For følelse er der i gotikken som i ingen annen kunst. De gamle gotikere oppgav alt for følelsen, vred sine figurer av ledd for følelsen, satte dem skjevt i kirkeveggen, brød seg fan om det enkelte arbeides selvstendige monumentalitet og riktighet. – I dette kan ikke jeg følge dem. Jeg vil gjerne at mine figurer skal kunne leve. – Og jeg bryr meg heller ikke videre om det såkalte «dekorative», et av de mest forhatte ord jeg kjenner.
G. V./Larpent 1901

Naturligvis er Trondhjems domkirke god osv., men hvorfor skal den suge min nye kraft, oppta uke etter uke, måned og år av min dyre, dyre tid? Gid den falt ned!
G. V./Larpent 1901

121

72

122

123

124

Nobelkomitéen innbød i mars 1901 fire norske kunstnere til å konkurrere om et utkast til fredsprismedalje; Vigelands vinnerutkast var ferdig modellert 12.4. 1901.

119 Synden og døden. Notre-Dame i Paris, over hoved-portalen
120 Den hellige Modesta. Katedralen i Chartres, nord-portalen
121 Djevel som vannspyer. 1900. Penn og lavering. 15 × 21 cm
122 Fidias: Detalj fra Parthenon-frisen i British Museum
123 Nobels fredsprismedalje med portrett av Alfred Nobel. 1901. Gull. Diameter 10 cm
124 Nobels fredsprismedalje – revers

Selv ønsket han å favne et videre spekter av menneskelig uttrykk i sin kunst. Hans egen livsoppfatning hadde en mørkere farge, og han følte et større åndelig fellesskap med den greske tragedieforfatteren Aiskhylos, «der var som et jordskjelv», enn med Fidias. Gjerne, sa han en gang, ville han være som andre og fange gleden. Det var likevel «sorg og lidelse som pløyet dypest i menneskesinnet».

Vigeland forsømte heller ikke anledningen til å se på samtidskunsten i løpet av utenlandsoppholdet. Noe av det første han må ha foretatt seg etter ankomsten til Paris i november, var å besøke Rodins store separatutstilling; en spesialkonstruert bygning var blitt oppført på Place de l'Alma for Rodins arbeider i forbindelse med Verdensutstillingen i 1900. Katalogen finnes i Vigelands bibliotek. Nok en gang, som tidligere i 1893, virket Rodins kunst som en mektig stimulans og forløser for Vigelands egen fantasi, noe som umiddelbart gir seg til kjenne i tegninger fra denne tiden. Bare unntagelsesvis finnes mer direkte referanser til Rodin, som i relieffet på Nobels fredsprisme-dalje, hvor de tre identiske mannsfigurene på HELVETESPORTEN, SKYGGENE (ill. 69) synes å ha dannet utgangspunktet for kretsen av de likeledes identis-ke menn på medaljen. Visse felles trekk går igjen i figurenes holdning, som det sidevendte hodet, og hovedvekten lagt på det ene benet mens det andre er bøyet i kneet (kontrapoststilling). Men dermed stopper også likheten, og symbolinnholdet er vidt forskjellig.

Vigelands forhold til den franske billedhuggeren kan virke ambivalent. På den ene siden viser han en klar og levende interesse, som gir seg utslag i at han i årenes løp skaffer seg en anselig samling litteratur om Rodin og bestiller fotografier av hans kunst. Dessuten finnes det ikke noen annen kunstner som Vigeland har uttalt seg så vidt ofte og utdypende om. På den annen side er uttalelsene oftest sterkt kritiske. Hans negative holdning må imidlertid delvis oppfattes som et selvforsvar. Han var inderlig lei av alle uttalelser om et avhengighetsforhold til Rodin, og utbryter allerede i 1896:

Alltid dette snakk om Rodin og meg, om hans innflytelse og Donatellos innflytelse. Som om jeg skulle legge an på å gjøre noe i den retning eller i den. Det ville jo slett ikke lette meg, meg. Rodin er bra, og Donatello er bra – men alle *deres* arbeider orker ikke å lette mitt sinn et grann!

Dessuten fantes det sider ved Rodins kunst som Vigeland følte seg totalt fremmed overfor, og han mente, med rette, at de dypest sett var vesensfor-skjellige. Først etter Rodins død i 1917 kunne Vigeland innrømme at han var «den største kunstner i vår tid», og påpeke det nyskapende ved hans virksomhet, idet han skriver:

Billedhuggerkunsten tett før Rodin var nærmest blitt hva man kaller «kjedelig». Hans innsats og uvisnelige fortjeneste er at han løste opp for bevegelsen, gav figurene friere spill og opphisset enkeltformen.

Som et typisk trekk, og forskjellig fra egne intensjoner, fremhever Vigeland at Rodin ikke var monumentalkunstner:

... hans figurer er ute av balanse. Men i denne mangel på balanse, denne sveven eller rettere flyten eller gliden bl.a. lå sjarmen i hans figurer; han kunne liksom ikke oppnå stemning i sine figurer førenn han fikk dem ut av likevekt.

Vigeland gikk derimot inn for en strengere form; han la hovedvekt på helheten, ikke på detaljen, og unngikk fortrinnsvis spiralbevegelsen. Felles er deres innlevelse i den menneskelige psyke, og evne til å formidle følelser gjennom bevegelser og stillinger. Begge er blitt kritisert for å være «litterære» fordi deres kunst «forteller» noe. Vigeland kunne ha samstemt i Rodins gjensvar: «Hvilken rett har kritikerne til å forby å legge mening til form? Hvordan kan de beklage at, viktigere enn teknikk, gir jeg dem idéer?»

Idéene myldrer, Vigeland tegner

På stadig reise fra by til by var Vigeland avskåret fra å modellere det meste av året. Men hans rastløse skapertrang fant utløp i godt og vel 1400 tegninger, foruten de som finnes i notisbøkene. Nøyaktig noterte han sted og dato på arket, og etter hvert som bunkene vokste, sendte han dem hjem til oppbevaring. Hans fantasi syntes utømmelig som Sareptas krukke, og alltid aktiv. Etter hvert som idéene meldte seg, ble de festet til papiret, og han la seg opp et forråd av motiver som han senere ofte skulle vende tilbake til og benytte seg av. For så vidt ble utenlandsåret et av de rikeste i hans kunstneriske liv.

Tegningene var bare ment til eget bruk, og ikke til å stilles ut eller selges. De fleste er utført med henblikk på skulptur og fanger derfor inn det vesentligste ved motivet, helhetsrisset og enkelte få, klargjørende detaljer. Det nye som skjedde i forhold til tidligere tegninger, var at streken ble friere og sikrere. Det er som om han uten hindringer kunne la tanker og følelser få utløp gjennom streken, og tegningene ble derfor ikke bare en motivsamling, men også et høyst personlig, undertiden svært temperamentsfullt, vitnesbyrd om de stemninger som arbeidet i ham. Vigeland benytter gjerne få, faste og klare linjer, eller også en kraftigere penneføring med et virvar av streker. Et gjennomgående trekk er en særpreget dynamikk. Det hender også at han gjør rikere bruk av lavering og skraveringer enn tidligere, og han får derved frem en viss grad av dybdevirkning og malerisk effekt.

Hvor forskjellig Vigelands tegnestil var nå i forhold til da han begynte som kunstner, fremgår av to tegninger med tittelen JOB, den ene datert 1899, den andre 1901 (ill. 39 og 126). I den tidligste sitter Job i tradisjonell, avslappet og verdig «tenker»-stilling, og streken virker tillært og upersonlig. Job fra 1901 er bare lidelse og fortvilelse, som et rop fra et åndelig mørke; tegnestilen er voldsom og ekspressiv, og motivet som helhet gjennomtrengt av engasjert intensitet. Blant hovedgruppene av motiver finnes flere hundre utkast til monumenter som Vigeland nok håpet snart skulle bli aktuelle – Wergeland, Welhaven, Abel, Nordraak, Grieg, for å nevne de viktigste.

Et felles trekk er hvordan han unngår den tradisjonelle, påkledte statue og benytter fantasifigurer, eller «genier», for å symbolisere både den åndelige, skapende virksomhet og et så abstrakt begrep som inspirasjon. Det er rimelig

126

125

127

74

128

Sterkere enn noensinne føler jeg her i Paris at jeg egentlig ikke skulle beskjeftige meg med domkirken, da det vil slite meg ut før tiden – og trenge mitt eget arbeide til side. Jeg sa engang at jeg ville føle det som en hvile. Bare ord: Hvile, det å løfte seg ut av sine hengsler, tvinge sine øyne til å se som de gamle gotikere – og hvert sekund passe på at det ikke glipper, at der ikke sniker seg inn noe av ens personlige teknikk, av ens personlige, inderligste følelse. Jo, det er en deilig hvile. Tvert om, det er jo med vilje og vold å rykke seg selv opp med røttene.

Var jeg rik, gad jeg ikke se domkirken. Men jeg er fattig, derfor må jeg *selge noe* av mitt indre.

G. V./Larpent 1901

125 Kristi gravleggelse. 1900. Penn og lavering.
    15 × 20,6 cm
126 Job. 1901. Penn og lavering. 23 × 15 cm
127 Salome. 1900. Penn og lavering. 19,7 × 15 cm
128 Mannlig kentaur med kentaurbarn på ryggen. 1901.
    Penn. 20,2 × 12,2 cm
129 Deianeira og Nessus. 1900. Penn og lavering.
    20,2 × 15,5 cm
130 Nessus og Deianeira. 1900. Penn og lavering.
    15 × 19,5 cm

129

130

London 28 Juni
1901

133

Reims
10 Mai
1901

131

London
26 Juli 1901

London
25 Juli
1901

132   134

Når Vigeland er i utlandet, går han først i kunstmuseene, dernest i dyrehavene for å studere dyrene. Han trives bedre blant dyrene, som er umiddelbare, enn blant menneskene.
Hans Dedekam 1921

Noe som var morsomt å legge merke til, var løvene ute i Zoological Garden i London. Når de skulle fotografere løven, måtte de ha den i den gamle bekjente billedbokstilling. Ellers var det ikke løve. – En dag stod jeg og så på den, lenge. Løven ville ikke reise seg. Jeg syntes den lå storartet som den lå, på ryggen, med snuten i været, og alle potene opp på seg. Men nei. Den var ikke god nok. Så fikk vedkommende fotograf vokteren til å stikke til den, uten å få den opp, og den stod og kruget, bustet og fryktelig ragget. Nei, den var ennå ikke løve. Slik gikk en lengre tid . . . Så la den seg ned. Og vokteren stakk til den, for å få den til å reise hodet, være kjekk. Det gjorde den da litt, og – klikk!

Og jeg vil spørre: Finner man kanskje ikke det samme igjen i kunstneres gjengivelser? Blott ikke så tydelig, så krast. Men det er der. Å Gud, hvor det er der!
G. V./Larpent 1901

135

131 Satyrer. 1901. Penn. 20,7 × 14,8 cm
132 Kvinne og døden. 1901. Penn. 16,5 × 20,4 cm
133 Satyrlek. 1901. Penn. 20 × 12,5 cm
134 Mann og døden. 1901. Penn. 20,3 × 16 cm
135 Liggende løve. 1901. Penn. 12,6 × 20,2 cm
136 Kamel. 1901. Penn. 21 × 12,5 cm

136

Lille-Tilde

Paris juli/aug
1900.

137

Tynde, smale døtheer, lange.

Lille-Tilde
10 Dec. 1900

138

1 Nov. 1900

139

Det vi som lever nå, tror er det karakteristiske ved vår tid, det vil knapt de som lever efter oss, kunne oppdage. De vil ikke kunne se det engang. Men det som vi ikke ser ved vårt arbeide, det vil de som kommer siden, hugge seg fast i, og si: Her, her har vi dem. Det er i det ubevisste vi gjør, vi viser oss. Det bevisste er ofte kunstig, laget, der stikker man seg unna. Men der man er ubevisst, der står man blottet, like inn til hjertet – og igjennom det.
G. V./Larpent, 1901

140

137 Kvinne og barn. «Lille Tilde». 1900. Penn og lavering.
21 × 14,7 cm
138 Mann og barn. «Lille Tilde». 1900. Penn. 19 × 15 cm
139 Mann og kvinne sitter med barn mellom seg. 1900.
Penn. 21,9 × 13,4 cm
140 Gående mann og kvinne med barn mellom seg.
«Barnet». 1901. Penn og lavering. 21,2 × 15,3 cm
141 Mann, kvinne og barn. «Morgenen». 1900. Penn.
14,4 × 22 cm

141

Reims
28 Apr. 1901

Reims 28 Avril 1901

142   143

144

145

Chartres
1 Febr. 1901

11 Jan. 1901

80

146

147

å tro at Rodins forskjellige utkast til for eksempel Victor Hugo har hatt sin betydning for denne løsrivelse fra konvensjonene.

Den mytologiske motivverdenen dukket opp igjen med fornyet kraft, og Vigeland drysset ut giganter i kamp, lekende og elskende kentaurer, lystige og lystne fauner og satyrer. Igjen kan Rodin ha vært et insitament, skjønt Vigeland var så fortrolig med den antikke verden at han knapt trengte noen påminnelse. For øvrig beundret han også den sveitsiske maleren Arnold Böcklin (1827–1901), som gjerne fremstilte mytologiske «natur»-vesener. Han tegnet også en del bibelske motiver, uten tilknytning til sine «gotiske» studier, men som frie komposisjoner – KORSFESTELSEN, GRAVLEGGELSEN og flere andre.

Døden er stadig nærværende, i knokkelmannens skiftende skikkelse – han går løs på sitt bytte med vold og kamp, leier mannen stille bort eller beiler knelende foran kvinnen.

Den største enkeltgruppen blant tegningene er viet «mann og kvinne». Mange av dem har en sterkt erotisk ladning som vitner om Vigelands heftige, virile temperament; de er ikke innsmigrende sensuelle, men gjengir seksualiteten som elementær kraft.

For øvrig utgjør enkeltfigurer – mann, kvinne, barn – eller grupper av figurer en vesentlig del av tegnemassen. Mange av disse virker som umiddelbare observasjoner, hurtig nedtegnet. Andre forteller om forestillinger på et indre plan. Trekkene til hans unge venninne Inga kommer igjen i kvinnefiguren i flere av de erotiske tegningene. Tanken på kvinnen og barnet som han har forlatt, kan også melde seg. En tegning bærer påskriften «Lille-Tilde» og viser en mann som kneler foran en småpike, og andre tegninger av kvinne og barn refererer seg likeledes til den hjemlige situasjonen.

Når Vigeland kom til større byer, besøkte han gjerne dyrehagene, og både fra «Jardin des Plantes» i Paris og «The Zoological Gardens» i London finnes serier av tegninger: Med få streker skisserer han dyrets anatomi og fanger inn dets karakteristiske trekk. Bare sjelden tegner han landskaper.

Et prosjekt som opptok Vigeland i stigende grad under utenlandsoppholdet, var en stor fontene, og mange av de idéer han satte ned på papiret, kom han senere til å utvikle videre.

Etter hjemkomsten, da han igjen kunne arbeide med skulpturer, ble tegningene færre og mindre personlige; de rettet seg nå stort sett mer direkte mot skulpturer som han hadde til hensikt å utføre umiddelbart.

I slutten av desember 1901 reiste han til Trondheim for å fullføre de bestillingene til domkirken som han hadde påtatt seg. Men selv om han nå satt inne med nye kunnskaper om gotikkens skulptur, føles dette arbeidet stadig mer som en belastning, og allerede 2. januar 1902 skriver han:

Jeg føler meg som en forbryter, en fusker, en elendig fyr, som myrder seg selv i stillhet, begår det frykteligste av alle mord, idet jeg dog (ikke) får arbeide ut fra følelsen. Ja, om jeg hadde penger, ville jeg gå herfra i dette øyeblikk.

Etter 1902 laget han ikke flere skulpturer for kirken, men fullførte bare de eldre arbeidene i endelig materiale. I 1908 frasa han seg offisielt alle videre oppdrag for kirken og anbefalte Wilhelm Rasmussen som sin etterfølger. Men uansett alle negative uttalelser hadde konfrontasjonen med middelalderens kunst utvilsomt virket berikende.

142 Mann og kvinne. 1901. Penn. 20,8 × 14,5 cm
143 Mann og kvinne. 1901. Penn. 20,8 × 15,2 cm
144 Mann og kvinne. 1901. Penn og lavering. 19,8 × 15,5 cm
145 Mann og kvinne. 1901. Penn og lavering. 15,3 × 19,6 cm
146 Mann og kvinne. 1901. Penn. 20,9 × 14,9 cm
147 Mann og ung pike. 1901. Penn. 20,9 × 15,2 cm

Reims
15 Mai 1907

148

London 29 juni
1907

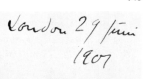

8 April 1907

149   150

31 Dec. 1900

151

152   153

148 Tre barn. 1901. penn. 15,2 × 20,7 cm
149 To barn. 1901. Penn. 12,5 × 20,2 cm
150 Gutt. 1901. Penn og lavering. 15,1 × 20,6 cm
151 Kvinne løfter barn. 1900. Penn. 15,3 × 19,8 cm
152 Ung pike. 1901. Penn og lavering. 19,4 × 15 cm
153 Kvinne. 1900. Penn og lavering. 19,8 × 15 cm
154 Liggende kvinne. 1901. Penn. 21 × 15 cm

154

155

156

157

155 Utenfor Reims. 1901. Penn. 21 × 15 cm
156 Reims, Boulevard de la République. 1901. Penn.
15 × 20,5 cm
157 Utenfor Wells. 1901. Penn. 15,8 × 20,3 cm
158 Tegning til monument for matematikeren N. H. Abel.
1902. Penn. 19,2 × 13,3 cm

Portretter og monumenter

Vil man nekte det oversanselige å komme i kunsten nu, så er det løgn at man beundrer Dante, så er det løgn at man beundrer Michelangelo, så er all musikk meningsløs og sinnssvak. Det er det oversanselige som interesserer meg i kunsten. Det andre, modelltegninger, modellmakeriet – modellskulpturer, kan de gjerne ha for meg, hvor riktig gjort de enn er.

G. V. 1902

Portretter

Vigeland har gitt uttrykk for at han betraktet sine portretter som studier og eksperimenter, at de tilhørte en tid i hans utvikling da han ønsket å lære hodeformen å kjenne og studere det psykologiske uttrykk. «Jeg er egentlig ikke portrettbilledhugger,» uttalte han i 1921. Det han nok mente, var at andre former for skulptur alltid hadde opptatt ham sterkere enn portrettene, og at han på det tidspunkt da uttalelsen falt, nødig påtok seg slike oppgaver. Likevel har han utført omkring 100 portretter, og de forekommer i alle perioder av hans kunstneriske utvikling, fra det første i 1892 av broren Theodor til det siste i 1941 av hans husholderske Alva Rasmussen. En særlig konsentrasjon finner sted i årene 1901 til 1907, bare i 1903 laget han 10

Den gemene illusjon og den fotografiske naturefterligning har alltid vært meg imot.
G. V./Franz Roh 1913

Vigeland er inne på at også i portrettbystene av andre finnes det meget av kunstnernes eget vesen: «For seg selv er man verdens sentrum; man ser alt ut fra sitt eget personlige synspunkt. Figurenes ytre likhet med kunstneren som formet dem, gjelder ikke bare fantasifigurer men også byster. Alle Vigelands byster har en felles likhet, en familielikhet innbyrdes. Bare til en viss grad ligner de modellen. Der hvor de ikke ligner modellen også rent utvendig, kroppslig sett, ligner de kunstneren selv. Hva der blir tilovers utover likheten, utfylles med noe av kunstneren selv, ikke bare åndelig men også legemlig.
Hans Dedekam 1923

159 Vigeland i atelieret, ca. 1905. På bordet ved siden av ham står en portrettbyste av Gunnar Heiberg; på nederste hylle sees fra venstre Kvinnetorso (1902) og portrettbyster av Edvard Grieg og Fridtjof Nansen (begge fra 1903)
160 Emanuel Vigeland. 1896. Bronse. 42 × 23,8 × 17 cm

159

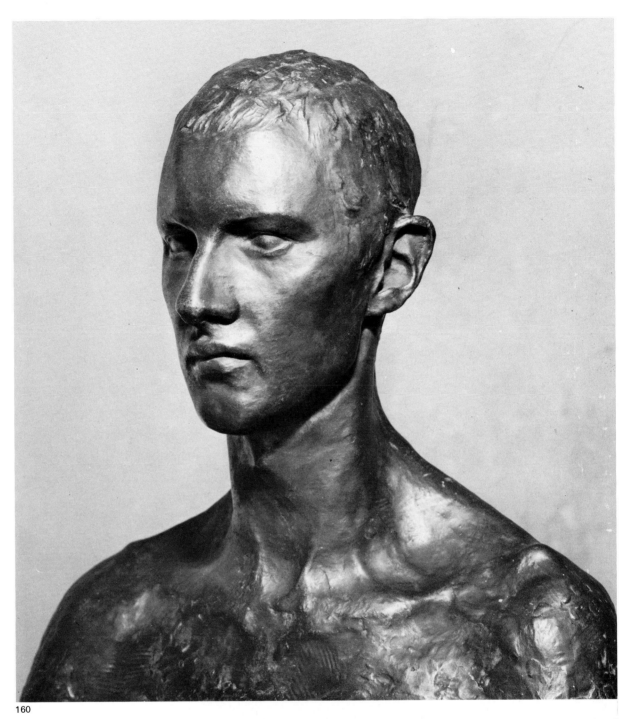

160

portrettbyster. Både på grunn av antallet og fordi flere av bystene hører med til det ypperste i hans kunst, må vi betrakte dem som en selvstendig del av hans produksjon.

Allerede i forbindelse med separatutstillingen i 1894 skriver Jens Thiis om Vigeland som portrettør:

Det er ingen av våre yngre kunstnere som så godt forstår å gripe det vesentlige ved en karakter. I få enkle drag stiller han det blott og klart for øyet, uten å ense de tusen småting som tjener likheten kanskje, men som tilslører karakterskildringen.

Vigelands særlige styrke i portrettene er nettopp hans vilje til å lete seg frem til modellens indre vesen og hans evne til å gripe fatt i enkelte trekk i personligheten, som han lar de ytre trekk reflektere. Gunnar Heiberg har beskrevet hvordan han opplevde det å sitte modell for Vigeland:

161

Elias i Ponsen
Vigeland påpekte detaljer i ansiktets omhyggelige modelle-
ring, og sa han kunne ikke gjøre det bedre nu. Dvelte ved det i
opphøyet modellering utførte øyeeple, hudfolden over øyet
osv. Han syntes det var merkelig at han efter et Italia-opphold
ikke hadde vært mere påvirket av antikken enn denne byste
viste. Den stod renessansebilledhuggerne nærmere.
Hans Dedekam 1923

Han modellerte meg. Han kastet sine øyne i ansiktet på meg og fra meg bort på den
våte leire. Han naglet meg fast med sitt blikk . . . . Jeg følte meg som et stakkars lik og
han som en hyene med krum rygg og aldri hvilende, altslukende, alltid umette øyne.

Den rent ytre, objektive likheten er kanskje ikke alltid det mest slående; han
kan legge til og trekke fra, og aksentuere et uttrykk eller en stemning som han
finner typisk. Den totale gjennomarbeidelse av portrettbysten, som hals og
skulderparti, kan være noe tilfeldig; det er alltid selve *hodet* som er det
vesentlige. Han skriver selv at han i sine byster har forsøkt å gi «en syntese
av uttrykk.»

De fleste portrettene ble til på hans eget initiativ, men i sine yngre år mottok
han gjerne bestillinger. Også senere kunne det falle beleilig med portrettopp-
gaver, men langt oftere gav han avkall på dem. Hans eget valg av modeller
kunne ha forskjellige årsaker. De tidligste familie- og venneportrettene gav
muligheter for eksperimentering uten utgifter til modell. Fra 1901–05
konsentrerte han seg om en rekke fremtredende personligheter i samtiden,
og det kan virke som om han bevisst gikk inn for å skape sitt personlig pre-
gede «Pantheon». Utvilsomt var han opptatt av modellenes særpreg, men
muligheter for salg kan vel også ha vært en drivkraft. Lite interessert som
Vigeland var i sosialt samvær, kan det nok også ha spilt en rolle at han gjen-
nom de timer en person satt modell for ham, fikk anledning til personlig kon-
takt og påvirkning – hans egen sterke og rikt fasetterte personlighet unnlot
sjelden å gjøre virkning. En del av de senere portrettene er utført i takknem-
lighet overfor venner og andre som hadde hjulpet ham på forskjellig vis.

Formalt sett følger portrettene i store trekk fasene i Vigelands stilistiske
utvikling. Påfallende er imidlertid evnen til variasjon i utformingen, alt etter

161 Elias i Ponsen. 1896. Gips. 37,5 × 44 × 19,5 cm
162 Grieg og Bjørnson. Ca. 1905. Penn. 22 × 13,8 cm
163 Bjørnstjerne Bjørnson. 1901. Marmor. 55 × 56,7 cm

De kan trøste Dem; bysten blir den beste av dem jeg har gjort.
Nu vil Bjørnson gi meg all den tid jeg trenger til arbeidet.
G. V./Larpent 1901

Bjørnson sitter ypperlig, og har et usedvanlig øye for form,
sikker som jeg ikke har møtt det før av noen jeg har modellert.
Og så er ikke Bjørnson den man vil gjøre ham til; han er nemlig
meget større. Folk og kunstnere som har laget hans bilde, har
sett i ham Tor, tordenguden, sannsigeren, det norske fjell, og
så finner jeg at han ikke er noen av delene, men kunstner, fin,
lempelig, ikke noe av presten, læreren, skolelæreren. Jeg selv,
jeg tilstår det, har vært forvillet; men man burde vel ikke, aldri,
uttale seg førenn man hadde talt med vedkommende? Vært
om ham?
G. V./Larpent 1901

Bjørnson fortalte glad i går at bysten var blitt vist den «fine
kunstkjenner Clemenceau». «Det er et mesterverk,» sa han.
Jeg forteller dette for Bjørnson ble så glad for det og sa det
selv så stolt. Mere gleder meg fruens ytring: Kan De ikke lave
hår De da?
G. V./Larpent 1901

Dette at øyenbehandlingen skulle være noe «nytt», er slett
ikke tilfellet, det er noe gammelt. Antikt. I renessansen ser man
også at pupillen er opphøyet, linsen eller hva De vil. Det er
intet nytt. Heller ikke hårbehandlingen, såvidt jeg har sett på
min hårbehandling. Hvem det «ligner», har jeg ikke tenkt over,
men det får kritikerne si. De får se hvem jeg har «stjålet» det
hele fra...
    Bjørnson satt og talte om den gode, den ypperlige
arbeidsluft her i Paris. Det er jo tøv og sludder som så meget
annet av det han sa. For det som var det rare og gode ved
Bjørnson, var ikke de «sannheter» han kom med, for de var for
meg ikke lite tvilsomme, nesten alle – men det var den kraft og
den tro hvormed han satte dem frem.
G. V./Larpent 1901

162

163

modellens fysiognomi og vesen. Det viser allerede to portretter utført omtrent
samtidig, høsten 1896, hjemme på Vigeland.
    Det ene portrettet fremstiller Vigelands 20 år gamle bror Emanuel. Bysten
er frontal og med fulle, rett avskårne skuldre, trekk som synes preget av ferske
inntrykk fra renessansens byster. De myke, avrundede linjene og formene
kan derimot minne om samtidens «art nouveau»-aktige, glidende rytmer.
Håret ligger tett inntil hodeskallen, totalformen er hel og sluttet. Over de ung-
dommelige, noe veke trekkene hviler en drømmende, innadvendt ro; man
synes å merke Vigelands ømme følelser overfor den yngre broren, som nå
også hadde bestemt seg for å bli kunstner.
    Portrettbysten av den gamle imbesile husmannen, Elias i Ponsen, er signert
17. september, bare en uke etter Emanuels. Dette hodet er en nesten uhygge-
lig naturalistisk analyse, med en sterkt ekspressiv karakter. Det skyter skrått
frem i rommet fra de magre skuldrene; håret er bustet, blikket matt og lidende
under tunge øyelokk. Rynker og hudfolder er klart markert, likeså de ut-
stående senene i halsen. Den ofte plagede, hjelpeløse Elias lever for øvrig
videre i en av Vigelands granittgrupper.
    Vigelands viktigste periode som portrettør innledes med en byste av
Bjørnstjerne Bjørnson i 1901. Den utrettelige Larpent hadde sørget for å sette
i gang en innsamling for å skaffe Nasjonalgalleriet et portrett av dikterhøvdin-
gen til 70-årsdagen i 1902, utført av Vigeland. Bjørnson bodde på denne
tiden i Paris, og modelleringen foregikk hjemme i leiligheten til datteren, fru
Langen. Gjensidig og vedvarende sympati oppstod mellom den unge
billedkunstneren og hans berømte, aldrende modell. Vigeland rapporterer til
Larpent 20. februar:

Søndag var første dagen, og der blir arbeidet hver dag fra 12½ til 5; Bjørnson sitter ypperlig, og har et usedvanlig øye for form, sikker som jeg ikke har møtt det før av noen jeg har modellert... Første dag ropte han sin kone inn for at hun skulle se hvorledes han så ut som lik. (Jeg hadde nemlig anlagt kraniet som jeg tenkte det.) Neste dag ertet han med at bysten lignet (Oscar) Nissens. Tredje dag var han tilfreds. Og i dag enn mere...

Tiden er ytterst uheldig, jeg syk, han på farten. Mine hender verker, så uvant er jeg til arbeide, og jeg sover lite, ja nesten ikke, og mindre siden jeg begynte arbeidet på bysten. Men som sagt, vi får se. Hodet er praktfullt.

Og praktfull ble bysten. Fra det fulle, nakne skulderpartiet reiser hodet seg frontalt på en kraftig hals. Ansiktet er bygd opp av klare plan og flater, med enkelte markerte trekk som fremhever det viljesbetonte uttrykket: de rette, tette brynene over de dyptliggende øynene, kinnmuskulaturens skrå linjer fra nesevingen og ned rundt den bestemte, sammenknepne munnen; for øvrig er alderens spor meislet bort. Fyldig tilbakestrøket hår og kinnskjegg, summarisk markert og uten detaljbehandling, rammer inn ansiktet. Det fulle skulderpartiet er nakent. I det heroiserende portrettet har Vigeland formidlet sitt inntrykk av Bjørnsons vakre, mandige trekk så vel som av hans mektige personlighet.

Den 5. mars var bysten ferdig til støpning i gips. Den opprinnelige tanken var at bysten deretter skulle støpes i bronse, men Vigeland fikk oppfylt sitt ønske om å benytte marmor som endelig materiale. Etter at bysten var grovhugget i Carrara etter gipsmodellen, utførte Vigeland finhuggingen, og 15. november stod bysten ferdig.

Kanskje det vellykkede resultatet med Bjørnson-bysten stimulerte Vigeland til å fortsette med portretter av kjente personligheter. Han nølte iallfall ikke lenge etter hjemkomsten i 1901 med å forhøre seg om Henrik Ibsen var villig til å sitte modell for ham. Det var imidlertid ikke Ibsen, skjønt han tidligere hadde vist stor velvilje overfor de mange kunstnere som ønsket å portrettere ham. Han var nå 72 år, og sterkt medtatt etter et par slagtilfeller, han følte seg trett. Likevel lot han seg overtale til å la Vigeland få komme hjem til ham i Arbiens gate noen få ganger, men bare en kort stund om gangen. Gunnar Heiberg beretter fra et besøk hos Ibsen at han ble ført inn i rommet hvor Vigeland stod og ventet:

Han overfalt straks Vigeland, sa det var måte på hvor lenge han skulle sitte i det kolde værelse, hans helbred tålte det ikke, og han hadde slett ikke lovet ham så mange seanser. Han formelig hveste når han talte. Vigeland mumlet, lånte ham et ublidt øye, men sa ingen ting.

Nettopp den ilske, momentane vrede har Vigeland utnyttet som bærende idé i sin karakteristikk. Vi opplever Ibsen som den flammende, indignerte dikter, refseren av samfunnets og menneskets skrøpeligheter. Ansiktstrekkene er en gammel manns, med rynker, sammensnurpet munn og utskutt underleppe. Men fra øynene, det ene sammenknepet, det andre stort og stirrende, stråler det ut en indre kraft og energi som forplanter seg til det oppstående håret og det todelte store kinnskjegget. Interessen er først og fremst konsentrert om uttrykket. Hals og skuldre er sløyfet, og hodet hviler direkte på en søylelignende blokk som skråner utover.

Det var få portretter Vigeland arbeidet så lenge og iherdig med som sine Ibsen-portretter. Antagelig fikk han ikke nok tid til å modellere Ibsen under besøkene i Arbiens gate, og tegnet ham i stedet. Foruten å bygge på egne inntrykk og tegninger arbeidet han også på grunnlag av fotografier. I alt finnes det fire forskjellige portrettbyster fra Vigelands hånd – den siste og endelige stod ferdig i leire i august 1903.

Portrettet av språkforskeren professor Sophus Bugge (1833–1907) fra 1902 viser igjen en sterkt eldet mann, med slapp, posete hud og dype furer ved munnen. Blikket ser forbi oss i stille, innadvendt ettertenksomhet. Men som Francis Bull har skrevet: «... håret løfter seg, ånden lever, oldingen har

164

90

166

167

168

ennå sitt geni i behold!» Den myke, bevegede formbehandlingen skiller seg ut både fra det tilnærmet klassiske Bjørnson-portrettet og det mer naturalistisk-impresjonistiske Ibsen-portrettet. Særlig virvelen i det toppede håret viser stiltrekk beslektet med «art nouveau».

Foruten det siste av Ibsen-portrettene utførte Vigeland i 1903 byster av blant annet Edvard Grieg, Alfred Nobel, Arne Garborg, Knut Hamsun, kong Oscar II, Fridtjof Nansen og Aasta Hansteen.

Mellom den kampglade kvinnesakskvinnen og tidligere malerinnen Aasta Hansteen (1824–1908) og Gustav Vigeland oppstod det et eiendommelig vennskap i 1894. Hun var betatt av hans kunst, han var fascinert av hennes sterke meninger og oppsiktsvekkende vesen. Hun hyllet ham med et langt dikt i kvinnesaksbladet *«Nylænde»* i 1895, han kvitterte med å portrettere henne først i 1901, deretter i 1903. Selv om hun da var en aldrende kvinne og alderen hadde satt sine tydelige spor, har Vigeland gitt de medtatte trekkene et nesten ekstatisk, visjonært drag: Hodet er noe bøyd tilbake og ansiktet så vidt løftet, leppene en anelse atskilt; under de tunge øyelokkene synes blikket fra de utgravde øynene å skue inn i fremtiden. Hun takket ham varmt

for den dype oppfatning av mitt sjelelige vesen, som De med intenst arbeide har gitt uttrykk i leiren.

Portrettet står reist på hennes grav (ill. 210). Om det inneholder en grad av fortolkning, gir statuetten fra 1905 et øyeblikksbilde av henne slik hun var å se i byens gater iført langt skjørt og jakke, skulderveske og hatt med flagrende bånd (ill. 209). Sterkt opphisset bøyer hun seg forover, fekter med paraplyen i den ene hånden, hever den andre armen og knytter neven, trolig mot sine unge plageånder eller kanskje i protest mot de foraktelige menn. Vigeland hørte til de få hun aksepterte; etter hva Vigeland har fortalt til Hans Dedekam skal de en gang ha utvekslet følgende replikker:

Aasta Hansteen: De er det eneste mannfolk som har sjel.
Vigeland: Nei, takk, det er for meget sagt.

I sin øyeblikksskildring har Vigeland innfanget både komikken og lidelsen i hennes vesen og skjebne.

92

Kråka var en av de to ting som gjorde Garborg og meg uvenner. Han ville ha alle kråker drept. Jeg mente det kunne tenkes at den på en eller annen måte bragte enslags balanse i naturen. Garborg var ikke enig. Den annen ting vi ble uvenner om, var at jeg mente ingen kunstner kunne arbeide i en annen stil, f.eks. i gotikk osv. Garborg mente nei.
G. V. 1920-årene (?)

Vigeland snakket også meget om Hamsun. Pan hadde han lest meget. Sa at Hamsun hadde forlest seg på Dostojevski og Mark Twain og ville ligne begge, men allikevel var han Hamsun. Han var en god venn, sa han.
Anna Nilssen 1928

169

170

De senere portrettene, etter 1907, er mer nøkternt registrerende enn individuelt analyserende. Men så konsentrerte Vigeland seg også stadig mer om det kollektivt menneskelige i de omfattende skulptursyklusene som etter hvert tok form. Likevel kan han stadig nå høyt i sin portrettkunst, noe som blant annet vises i det edle hodet av rektor Anton Ræder fra 1921. I dette portrettet har Vigeland tilstrebet en forening av monumental enkelhet og analytisk beskrivelse, og lever opp til det kunstneriske mål han satte seg for portretter på denne tiden:

Det som det gjelder, er å utarbeide enkelthetene, hver eneste liten detalj helt til bunnen, men bestandig med blikk for helheten, totaliteten, så detaljene underordner seg den.

Samtidig formidler Vigeland også en karakteristikk av Ræders indre dannelse og intelligens.

Fra 1921 er dessuten portrettet av den unge Ingerid Vilberg, som ble hans hustru året etter (ill. 275). Hodet er svakt løftet, formene svulmende og glatte, og øynene store, åpne, uten inngravninger, med et fjernt, drømmende uttrykk. Både de enkelte trekk og helheten synes å gjenspeile Vigelands egen forelskelse.

Det finnes bare bevart ett plastisk selvportrett (ill. 5). Strengt reservert og tilbakeholden som Vigeland forholdt seg til omverdenen, ønsket han ikke å utlevere seg selv. Dessuten var han lite fornøyd med sitt utseende, og vegret seg også mot å bli fotografert. Noen tegninger fra yngre dager viser ham i temmelig dyster sinnsstemning. Et portrett han begynte å modellere i 1903 (ill. 280), knadde han sammen igjen fordi han trengte leiren til en annen

171

166 Professor Sophus Bugge. 1902. Bronse.
      50 × 35,5 × 26,8 cm
167 Knut Hamsun. 1903. Gips.
      46 × 45 × 24 cm
168 Arne Garborg. 1903. Bronse.
      51 × 35 × 26 cm
169 Arne Garborg står på en haug med døde
      figurer. 1903. Penn. 22 × 14 cm.
      Påskrevet: «Lig»
170 Rektor Anton Ræder. 1921. Gips.
      46,5 × 24 × 24 cm
171 Edvard Grieg sitter modell
      i Vigelands atelier, 1903

Egil Skallagrimsson
Han tok i hånden en hasselstang og gikk ut på en berghammer som vendte inn mot land. Så tok han et hestehode og satte opp på stangen. Derpå fremsa han en besvergelse og mælte: «Her setter jeg opp en nidstang, og jeg snur dette nid mot de landevetter som bebor dette land, så de alle skal fare vill og ingen nå eller finne sin bolig før de har drevet kong Erik og Gunhild ut av landet.» Siden drev han stangen ned i en bergrevne og lot den stå der. Han vendte igjen hodet inn mot land, og han risset runer på stangen, og de inneholder hele denne besvergelse. Derefter gikk Egil ombord i sitt skip. De satte seil til og styrte ut på havet. (Hendelsen er tidfestet til år 933.)
Fra Egils saga

Modelleringen av statuen var påbegynt onsdag 11. oktober kl. 3. Lørdag 14. og søndag 15. var hestehodet modellert efter et friskt avhugget hestehode Vigeland skaffet seg som modell. Det var den uhyggeligste modell han hadde hatt. På gulvet såes ennu store blodflekker efter det bloddryppende hode. Mandag 16. ble det begravet i atelierhaven. . . . Hodets kjever var blitt åpnet mens det ennu var varmt, før det stivnet. Der stod ennu en varm gufs ut av gapet da V. studerte det innvendig. Og der luktet råslakt av hodet hele tiden. Alle detaljer i det åpne gap var omhyggelig studert efter naturen og gjengitt i modellen mens hodet var varmt.
Hans Dedekam 1922

< 172   173 >

172 Egil Skallagrimsson reiser nidstang. Vigeland i arbeid
      med gipsmodellen. 1923. Høyde 2,70 meter
173 Egil Skallagrimsson, detalj av statue. Gips

94

skulptur, et annet fra ca. 1918 ødela han. I 1922 bad imidlertid advokat Næser ham om et selvportrett som honorar for diverse juridiske ytelser. Motstrebende gikk Vigeland til verket, som ble fullført i løpet av tre dager. Likheten er lite slående i forhold til fotografier, hans trekk var fyldigere og uten den stramme formen som i portrettet. Noe av seg selv har han likevel innfanget i det strenge, lukkede uttrykket, det skarpe blikket og en anspent holdning som gir seg til kjenne i de sammentrukne brynene, de dype vertikale rynkene over neseroten og muskulaturen rundt de nedtrukne munnvikene. Han er oss ikke nådig.

Mens Vigeland holdt på med portrettet, fikk han en idé om å modellere sitt «indre» hode som en rund kule sammensatt av menneskeskikkelser (ill. 6), og Dedekam refererer Vigelands forklaring:

Med et smil sa Vigeland at grunnen til at han modellerte denne komposisjonen kan hende var at da han holdt på med å modellere sin egen byste, kom han til å tenke på at den i sin rundede form kun gjengav det ytre av hans hode, og tanken oppstod å modellere hjernemassen med dens vindinger som en kule sammensatt av menneskelegemer (hans billedformede hjerne).

En statue av seg selv i arbeidskittel, med hammer og meisel i hendene, utførte han i 1942 med henblikk på oppstilling i skulpturparken (ill. 154). Den gir bare et ytre skall og ingen analyse. Da gir han indirekte mer av seg selv i en rekke andre skulpturer. Vi har hans egne ord for at gutten som sitter forventningsfullt lyttende i en av fontenens tregrupper, er ham selv i 12-årsalderen (ill. 27). Han har plassert seg selv blant figurene i HELVETE, DOMMEDAG og på MONOLITTEN (ill. 196), har identifisert seg med den av mennene som bærer tyngst under skålen på sin store fontene, og han trer inn i skikkelser fra norrøn tid; EGIL SKALLAGRIMSSON som reiser nidstang mot sine fiender blir om ikke opprinnelig (skissen er fra 1919), så under den endelige utforming, et symbolsk bilde på hans egen kamp mot dem som ønsket å hindre at fonteneanlegget ble plassert i Frognerparken; hendene som løfter hestehodet er modellert etter hans egne. Gjennom den mytologiske skikkelsen GUNNAR I ORMEGÅRDEN, som søker å berolige de ilske dyrene med føttenes strengespill, ser Vigeland et bilde på sin egen gjerning: Av og gjennom lidelser fødes hans kunst. Dessuten nedla han så vidt mye av seg selv i flere personmonumenter at også disse gir grunnlag for å skimte forskjellige trekk ved hans personlighet.

288 runer er risset inn i to rekker langs hele stangen etter forskrift av professor Magnus Olsen.

Gunnar i ormegården spiller harpe med føttene.
Det er et forsøk på selvportrett.
Hans Dedekam 1921

Det er det eneste motiv jeg har lånt av andre. Det finnes som De vet på forskjellige stavkirkeportaler ... Jeg synes det motivet er så vakkert og menneskelig.
G. V./Harald Aars 1921

Grieg ville bare ha en byste. Først gjorde jeg en kolossalbyste, men jeg likte den ikke. Jeg husker ikke om noen så den før jeg rev den ned, men det finnes nok fotografi av den. Jeg gjorde da en symbolsk figur, en naken mannsskikkelse som spiller i fjellet, men den likte ikke Grieg ... Derefter modellerte jeg en portrettstatue. Denne statue frøs, og da det ble varmt i atelieret, falt den sammen ... Jeg modellerte en ny. Werenskiold likte den. Grieg kom og så den. Han sa at figuren virket for stor, Nordraak var nemlig liten som jeg, sa Grieg. Bjørnstjerne Bjørnson kom også. Han sa at figuren virket for liten, Rikard var stor som jeg, sa Bjørnson. Så kom Erika Nissen, som hadde vært forlovet med Nordraak, og hun likte statuen ...
G. V.

174

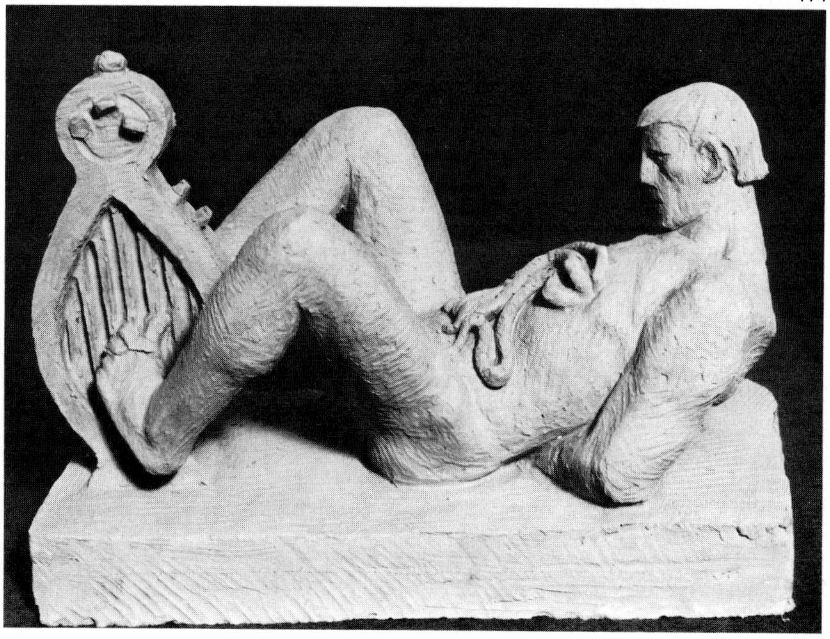

174 Gunnar i ormegården. 1921. Leire. 18 × 25,5 × 10 cm
175 Spilleren. Utkast til monument for R. Nordraak. 1902. Gips. 34 × 29 × 20 cm
176 Tegning til monument for R. Nordraak. 1902. Penn. 22 × 14 cm
177 Tegning til gitter og drager i smijern foran Nordraak-monumentet. Penn. 14 × 22 cm

Monumenter

På 1800-tallet fikk monumenter over fremstående nasjonale personligheter en tidligere ukjent popularitet i alle land. Heller ikke i Norge manglet man ønsker og planer, men slike kostbare manifestasjoner av nasjonalfølelsen var mindre aktuelle før århundreskiftet, da de økonomiske forhold bedret seg. Dette var en fordel for Vigeland, som ennå i 1897 ikke hadde kunnet prestere annet enn to stive, klossete utkast til Ole Bull-konkurransen. Den kunstneriske utviklingen han gjennomgikk i de følgende år, og ikke minst under utenlandsoppholdet 1900–01, frigjorde hans skapende evner også innenfor denne skulpturformen. I tegninger hadde han formulert et mangfold av idéer, og han følte seg klar til å ta fatt. Flere av de oppgavene han tilstrebet, kom han til å realisere i årene frem til 1910.

175

Rikard Nordraak

Det første monumentet Vigeland har utført, er en statue av Rikard Nordraak. Edvard Grieg hadde tatt initiativet og dannet en monumentkomité, hvor også maleren Erik Werenskiold var med som kunstnerisk sakkyndig. I desember 1901 hadde Werenskiold sittet modell for Vigeland til en portrettbyste, og i 1902 foreslo han for komitéen at den skulle be Vigeland om et utkast. Vigeland tok utgangspunkt i en tegning fra november 1900 hvor Nordraak i naken, heroisert skikkelse sitter og spiller i fjellet, og fremstilte motivet i plastiske skisser og en større skulptur. En tegning, også fra 1902, viser en kombinasjon av denne symboliserende fremstillingen i relieff nederst på en høy sokkel, og øverst en portrettbyste. Grieg mislikte «Spilleren» og ønsket utelukkende en byste, men godtok til slutt Vigelands tilbud om å utføre en hel figur for byste-honorar.

Den naturtro Nordraak-statuen i tidens drakt (Vigeland sløyfet en opprinnelig noterull som komponisten holdt i den ene hånden) stod ferdig modellert i 1905. Den ble deretter hugget ut av en bautalignende kleberstein, men i en så vidt myk og avrundet form at den, med tidens patina, på avstand har mer bronse- enn steinkarakter. Som det så ofte hender, tok det år å få avgjort hvor statuen skulle plasseres; først i 1911 kunne minnesmerket

176

177

avdukes på en trekantet plass i Wergelandsveien i Oslo. Muligens fant Vigeland i mellomtiden ut at skulpturen var noe tam og kjedelig. I alle fall tegnet han omkring 1910, og fikk godtatt, et smijernsgjerde rundt monumentet og to lenkede draker som sitter foran. I gjerdets fire felter fremstilte han større draker, først i bister kamp, deretter utmattede etter kampen, foruten flyktende smådraker, i flytende «art nouveau»-linjer og kurvaturer. De lenkede drakene, eller snarere skjelettøglene, foran monumentet har et annet formspråk, hardt og tagget; øglen med det lange skjegget er ifølge Vigeland et karikaturportrett av maleren og polemikeren Christian Krohg, som av en eller annen skjult grunn stadig forfulgte Vigeland med sin skarpe penn. Uvennskapet var gjensidig.

Flere har forsøkt å finne en sammenheng mellom Nordraak og dragene; de har vært tolket som kunstneriske krefter som må temmes, og som et symbol på den nasjonale musikk. Forholdet er snarere at Vigeland fikk realisert noe mer personlig i fantasidyrene, selv om han måtte bøye seg for oppdragsgiverne med hensyn til monumentets utforming.

Han har da også skrevet:

Det er et stort misforhold mellom Nordraaks betydning og monumentets omfang. Dyrene og gitrene i jern er meg og ikke ham.

178 Drage i smijern foran Nordraak-monumentet, detalj. 1910
179 Rikard Nordraak. Monumentet, hugget i kleberstein, ble reist 1911 i Wergelandsveien, Oslo. Statuen er modellert i 1905, høyde 1,85 meter

Niels Henrik Abel

Samtidig som Vigeland arbeidet med de første skissene til Nordraak-statuen, prøvde han intenst å finne en løsning på en annen aktuell monumentoppgave. Etter en lang kamp med seg selv, og deretter med komitéer og opinionen, kunne minnesmerket over matematikeren Niels Henrik Abel (1802–1829) avdukes i Slottsparken i 1908.

Allerede i 1875 forelå de tidligste planer om et monument viet det unge døde geni. Men først i 1902, samme år som 100-årsjubiléet for Abels fødsel gikk av stabelen, ble norske kunstnere invitert til å konkurrere om en sittende eller stående portrettstatue; den skulle stå i tilknytning til Universitetet i Oslo, foran midtbygningen, på venstre trappevange.

Gjennom mer enn 150 tegninger, og plastiske skisser, kan vi følge kunstverkets genesis. Allerede fra tidlig i 1890-årene stammer de første tegningene. Men i 1900 begynte Vigeland for alvor å tenke på forskjellige løsninger til et monument. Den 19. desember tegnet han i Paris en høy, slank mann i fotsid frakk; hodet luter fremover, som under tankenes byrde. Ti dager senere forestilte Vigeland seg Abel helt annerledes aktiv og energisk; hode og overkropp er strukket fremover, det ene benet plassert foran det andre: «skytende frem, kløvende Luften liksom», skriver Vigeland på tegningen. Den 23. januar 1901 ble denne figuren plassert på en høy sokkel, hvor vi skimter to figurer som styrter nedover. Her skjer det en overføring av idéer som Vigeland tidligere hadde arbeidet med til et Henrik Wergeland-monument. På en tegning fra 1897 ser vi Wergeland, som en Apollon, sveve ned gjennom rommet på en vogn trukket av et hesteforspann, og 12. desember 1900 er den svevende bevegelsen gjentatt, men nå står Wergeland direkte på en menneskelignende figur. Lignende idéer gjenfinnes i en rekke tegninger, både anonyme og navngitte. Det blir alt mer tydelig at Vigeland arbeider seg bort fra den realistiske portrettstatuen og mot en symbolsk fremstilling av «geniet», som med sine tanker og visjoner sprenger grensene i tid og rom. Fordi Abel-monumentet var den nærmeste konkrete oppgaven, ble idéen stadig mer knyttet til hans navn. Også de første plastiske utkastene fra mai 1902 fremstiller en naken ung heros, som bæres først av én, dernest av

178

179 >

180

181

182

183

to figurer. Om sommeren – innleveringsfristen til konkurransen nærmet seg – gjorde Vigeland enkelte forsøk på å lage skisser av Abel sittende og stående, i sin tids drakt, eller drapert på antikk vis. Men til slutt, i suveren forakt for alle konkurranseregler, fulgte han sin kunstneriske overbevisning og modellerte et stort, nøye gjennomarbeidet utkast av den symbolske gruppen, «Abel» stående på to styrtende figurer.

Den 23. oktober 1902 falt juryens dom. Den beklaget at Vigelands utkast

...som absolutt står høyest i kunstnerisk evne, ikke kan komme i betraktning ved premieutdelingen, fordi det ikke faller inn under den programmessige plan for monumentet.

Ingebrigt Vik vant første premie. Slaget var likevel ikke tapt; hverken Viks eller de øvrige vinner-utkastene ble anbefalt utført. Kritikken stilte seg stort sett mest positiv til Vigelands forslag, bortsett fra Chr. Krohgs voldsomme, nesten hatske utfall. De gjorde kanskje Vigeland mer gagn enn skade, ettersom de i sterk grad fokuserte interessen omkring Vigelands skulptur og hjalp godt til med å sette i gang den første store offentlige Vigeland-debatten.

Utkastet til Ingebrigt Vik med en sittende Abel lot seg innpasse uten vanskeligheter på det planlagte stedet. I håp om å overvinne juryens betenkeligheter med hensyn til skulpturens utforming laget han monumentet i full størrelse; det stod ferdig i mai 1903 og ble vist på Høstutstillingen samme år. Den endelige versjon hadde vunnet atskillig i sikker og harmonisk form, og gav en sympatisk fremstilling av den unge tenkeren, men var for øvrig helt tradisjonell i sin skulpturale løsning.

Kanskje var det ryktet om hva Vik holdt på med som fikk Vigeland til å satse høyt. I april 1903 gikk han dristig i gang med å legge opp sin gruppe i full størrelse, vel fire meter høy, i det gamle gisne atelieret han den gang hadde på Hammersborg. Han eide ikke penger, og måtte oppta lån allerede for å sette opp det indre jernskjelettet. Tidvis manglet han leire og var tvunget til å rive ned andre skulpturer han holdt på med, deriblant et selvportrett. For å skaffe midler, men kanskje også for å skape propaganda omkring sitt prosjekt, solgte han konkurranseutkastet i bronse til henholdsvis Sverige og Danmark, og oppnådde at hans skulptur ble behørig omtalt i pressen i disse landene. En vesentlig bistand fikk han, nok uventet, fra den svenske finansmannen og kunstmesénen Ernest Thiel, som skrev til Vigeland 13. juni 1904:

Jeg har flere ganger hørt Dem omtales av min venn Gunnar Heiberg...at De har atskillige mindre, ferdige verk, samt at det er vanskelig med penger i Norge.

184

180 N. H. Abel. 19. desember 1900. Penn. 17,5 × 15 cm
181 N. H. Abel. 29. desember 1900. Penn. 20 × 15 cm
182 H. Wergeland: Ca. 1897. Penn. 21 × 17 cm
183 H. Wergeland. 12. desember 1900. Penn. 21 × 15 cm
184 N. H. Abel. 23. januar 1901. Penn. 14,5 × 19 cm
185 Utkast til monument for N. H. Abel. Utført fra 11. august
 til 15. september 1902. Bronse. 147 × 67 × 51 cm
186 F. Duret: St. Michel dreper dragen. Fontene på Place
 St. Michel i Paris, reist 1860. Bronse. Høyde 5,5 meter

186

187

Han tilbød å sende forskudd på en skulptur, som han ville ta ut senere. Vigeland må ha svart omgående, for allerede åtte dager etter sitt tilbud sendte Thiel 2000 kroner.

Foruten at han startet med det store arbeidet uten å ane sakens utfall, levde Vigeland også på andre måter opp til sitt tidligere utsagn:

Man må tro på seg selv, tro at ens eget er det beste og stå på sin rett!

Han henvendte seg til alle sine penneføre venner, med Bjørnson og Heiberg i spissen, og bad dem om hjelp, samtidig som han fôret dem med argumenter. Også i brev til monumentkomitéen avslørte Vigeland seg som en fremragende retoriker og agitator. Mot innvendingen om at han ikke hadde laget en portrettstatue, fremholdt han hvor vanskelig det var når det av Abel ikke fantes annet materiale å bygge på enn en idealisert portrettegning laget av Johan Gørbitz, og i et brev til Heiberg harsellerte han over portrettstatuer i sin alminnelighet og en realistisk gjengivelse av Abel i særdeleshet:

Og du vet hvorledes det er med portrettstatuer, gjort etter fotografi, som bare gir hodet. Det blir et hode det, en byste, og nedfra henges det klær fra den og den tid, i det og det snitt. Men kroppen under er en normalkropp, med så og så mange hode-lengder i, en akademifigur kort sagt.

Jeg syntes – og synes ennå – at det var liten mening i å legge opp en kolossal Abel-statue, en karakterstatue etter det idealiserte portrett av Gørbitz. Jeg kunne ikke stå og lyve en Abel i stand. Jeg måtte ha ham fjernere. Og så gjorde jeg den gruppen jeg sendte deg fotografi av ...

Jovisst kunne det diktes en karakteristisk Abelstatue – hulbrystet, tæringssyk. Han skulle sitte og hoste i stolen. Ansiktet skulle ha hans ødelagte hud. Og han skulle – i motsetning til allverdens portrettstatuer, som har nye forsvarlige såler – nesten ikke ha såler under skoene, ja knapt noen sko å kalle. Og så burde man føle at statuen hadde noe i lommene. Det gjør man aldri ved statuer; de har nesten ikke underklær.

Jeg synes trappevangene på sidebygningene burde bære professorer, påkledte. Der er heldigvis fotografier av både Sofus Lie og (P. A.) Munch. Og det kunne hende at man heretter ikke lot menn dø innen de i det minste var fotografert over hele kroppen. Men nei. Da ble det ikke så meget leven og moro med konkurransene når billedhuggerne ikke fikk minst mulig å arbeide efter.

Et vesentlig ankepunkt var plasseringen. Den store gruppen kunne umulig settes på trappevangen som forutsatt. Vigeland foreslo å flytte statuen av professor A. Schweigaard, som den gang stod midt på Universitetsplassen, og sette sitt eget Abel-monument der i stedet (ill. 187). Der, fremhevet han,

Abel er noe annet enn naturalisme, og derfor er det ikke så underlig om folk er i villrede med den.
G. V./Bjørnstjerne Bjørnson 1903

Det er ikke den mening som kan tas og føles på, som er vesentlig i et kunstverk. At den såkalte mening med et kunstverk er noe meget underordnet, ja, uvedkommende, noe der sent eller senere vil falle bort. At til sist står kunstverket igjen.
G. V./Thiel 1905

Det er klart at fremspringer en subjektiv tanke eller ting her i denne verden, velter den et og annet, skaper skrik og røre simpelthen i egenskap av sin subjektive karakter – og mest skrik og røre blant de reaksjonære individer ... Det er igjen dette med tradisjonen, dette rop efter tradisjoner osv., det samme skrik efter halvbegavelsen, det lille talent som tripper snill og søndagskledt ved siden av reaksjonen. Men nu er det engang så at hva der er gjort av stort i alle land, virker tradisjonsløst. Se Abels arbeide, Wergelands, Ibsens, Bugges funn av de «norske» guders dåpsattest osv. Disse menn var ikke riktig snille med tradisjonen. Det halvgode, det med måte talentfulle, det følger stilt tradisjonen, det rykker ikke noe opp med røttene eller kaster seg ut av skimmeren, det går småskrittvis og forstyrrer ingen. Det lille talent er rettferdig, det store urettferdig – for ikke å tale om geniet, som jo alltid er sinnssvakt og barbarisk og mangler ganske kultur.
G. V./Larpent 1907

Får sådan en vinger,
så rummet han råder,
han svarer for værden
på tusenårs gåder.

Bjørnstjerne Bjørnson: kantate ved 100-årsfesten for N. H. Abels fødsel.

187 På et postkort har Vigeland tegnet Abel-monumentet over statuen av A. M. Schweigaard, som tidligere stod midt på Universitetsplassen i Oslo
188 Monumentet for N. H. Abel. 1905, reist i Slottsparken 1908. Total høyde 12,10 meter. Gruppens høyde 4,10 meter

188 >

ville gruppen kunne sees i meningsfylt sammenheng med skulpturutsmykningen i midtbygningens gavlfelt, «Athene besjeler mennesket, skapt av Prometheus». Abel, farende gjennom rommet, kunne da tolkes som gudenes sendebud fra de høye sfærer ned til menneskene:

Og jeg har felt denne gruppe så nøyaktig inn på denne plass, nittet den ned så jeg i øyeblikket hører den lyd gruppen vil gi – som et ur der får sitt lokk klemt på – når den kommer der.

Argumentet går nesten ordrett igjen i en av Heibergs artikler.

Monumentkomitéen kunne i flere år ikke samle seg om en avgjørelse, og Vigeland utnyttet tiden både til å arbeide videre og til å øve påvirkning. Han fikk blant annet formannen i komitéen, statsråd (og senere biskop) Wexelsen til å sitte modell for en portrettbyste. Vigelands sak gikk lettere da plasseringsspørsmålet kom på glid. En utbredt oppfatning var at gruppen ville bli for dominerende i forhold til de rolige, klassisistiske universitetsbygningene. I desember 1903 foreslo Vigeland selv Studenterlunden, vis à vis Universitetsplassen, og deretter ble flere andre muligheter diskutert. Den 31. januar 1905, da hele gruppen stod ferdig modellert, bestemte komitéen seg for innkjøp. Skulpturen ble deretter støpt i bronse, og i 1907 godtok omsider alle involverte parter å reise monumentet i Slottsparkens sørøstre hjørne, på haugen som i dag kalles Abelhaugen; avdukningsseremonien fant sted 17. oktober 1908.

Abel-monumentet betegner noe fundamentalt nytt i Vigelands kunst. For første gang arbeidet han i kolossalformat med en komplisert tredimensjonal

189

189 Vigeland i arbeid med Abel-monumentet
190 Monument for N. H. Abel, detalj av hovedfiguren

komposisjon. Ut fra den 8 meter høye, grovhugne granittsokkelen strekker de to bærende, identiske figurene seg diagonalt ut i rommet i en fallende bevegelse; draperiet fra skuldrene deres slår i en kurve opp og rundt den stående mannsskikkelsen og binder gruppen fastere sammen. Det sterkt dynamiske element i komposisjonen beror videre på den stående hovedfigurens aktive holdning, med overkroppen dreid til venstre og hodet i motsatt retning, foruten de atskilte bena, det ene stilt foran det andre, med kneet bøyd. Gruppen utfolder seg klarest fra de to langsidene mot sør og nord, men høyst forskjellig; den ene siden markeres av en skrubevegelse, svungne linjer og en romlig dybdevirkning, som blant annet fremkommer ved det vindfylte draperiet; til den andre siden gir gruppen en statisk virkning, og synes som «frosset» innenfor en hellende trekant.

Figurstilen er stram og mager, men samtidig detaljert analyserende; knokler, sener og muskler står frem under overflaten, og ikke alle deler, som for eksempel i brystpartiet, er like godt integrert i en total form. Men slike svakheter har alderens patina nesten helt dekket over, og for øvrig er avstandsvirkningen det primære – inntrykket av gruppens hastige bevegelse gjennom rommet og den høyreiste hovedfiguren med det stolte, vakre hodet.

Idéen med å la en figur stå på andre figurer var ikke noe originalt påfunn fra Vigelands side, selv om den kan sies å være uvanlig i forbindelse med et personmonument. Det er da heller ikke å undres over at mange har stilt seg spørsmålet om hva gruppen egentlig forestiller. Hos Vigeland var det ingen hjelp å få, og utålmodig skriver han i 1905:

Folk vil ha fatt i «meningen», det andre bryr de seg ikke om. «Tanken» og «meningen» vil de kunne ta ut og sette inn igjen som en bok i en hylle. Som om «meningen» var det verdifulleste ved et kunstverk. Se det veldigste av alle kunstverker, Michelangelos «Dio crea il sole et la lune». Dette arbeide virker med uavkortet heftighet (bortsett fra sprekker o. lign.) nu som før, om vi enn alle vet at slik ble ikke et solsystem til.

Nei, kan man ikke la seg løfte med, evner man ikke å henføres av et kunstverk, suse med, så vil man aldri «forstå» det. Folk går sedvanlig hen med stiv nakke foran et kunstverk, istedenfor med bøyet. Ja, med rent barnlig sinn må man gå til et stykke kunst. Hvis ikke fatter man det aldri. Er menneskenakken stiv, reiser kunstverket seg med stålnakke, blir utilgjengelig, lukker seg og lar seg ikke «forstå». Mennesket må bøye seg, gjør det det, bøyer kunstverket seg i samme stund.

Motivet ble svært ofte benyttet i middelalderen, noe Vigeland hadde rikelig anledning til å observere; hellige personer som beseirer det onde ved å tråkke udyr og andre vesener under føttene. Vigeland har selv henvist til en vannspyer på katedralen i Howden som inspirasjonskilde. Men enten husker han feil, eller han ønsker å villede oss, for motivet dukker opp i tegningene fra Paris lenge før han kom til Howden i juli 1901. Som det har vært påpekt, kan Vigeland ha hatt et ganske annet geografisk nærliggende forbilde: Durets fonteneskulptur på Place St. Michel i Paris, med St. Michel som dreper den onde i drakens skikkelse; skulpturen kjente han for øvrig i avbildning allerede fra han var barn. Vigeland tar opp drakekampen i mange andre sammenhenger, mens det i Abel-monumentet neppe ligger noen skjult symbolikk i de styrtende figurene; de er snarere et middel til å fremheve inntrykket av fart og flukt gjennom et tidløst rom, av fantasiens grensesprengende makt.

Likheten med Michelangelos «Seier» (ill. 77) har vært fremhevet, og da Vigeland mange år senere betraktet en reproduksjon, utbrøt han:

Det er Abel. Det er underbevisst. Jeg tenkte ikke på «Seieren» da jeg modellerte Abel. Først senere slo likheten meg.

Er «Abel» også et personlig seiersmonument? Det er kanskje ingen tilfeldighet at idéen utkrystalliseres i årene 1901–02. Nettopp i denne tiden kommer Vigeland til full bevissthet om sine skapende evner, og avslører en hensynsløs vilje til å ta kampen opp mot alle hindringer. I den heroiserte og symbolske fremstillingen av geniet ligger det vel også et stykke kamuflert selvportrett.

191

193 Henrik Wergeland, detalj av statue. 1907. Gips
194 Wergeland i en krans av genier. 1903. Penn. 22 × 17 cm
195 Wergeland i et tre. 1901. Penn. 20 × 15 cm

193

Henrik Wergeland

Fra 1894 arbeidet man i Kristiansand med planer om å reise et monument til 100-årsjubileet for Henrik Wergelands fødsel i samme by. Vigelands nære venn Vilhelm Krag, som selv var fra Kristiansand, har temmelig sikkert underrettet Vigeland om prosjektet, og allerede fra slutten av 1890-årene foreligger tegninger til et Wergeland-monument. Få oppgaver, om noen, må ha virket mer tillokkende. Wergeland var den norske dikter han satte høyest, og hans dype beundring gir seg til kjenne i et brev til Ernest Thiel:

Kan man tale om et folks hjerte, så er det sannelig Wergeland som er inkarnasjonen; men for meg er han noe enda større; han omspenner ikke bare et land, skjønt jeg tror ikke han er videre kjent utenfor Norge. Hans genialeste billeder er universelle, om de ikke lar seg oversette. I velde og inderlighet står de ikke tilbake for noen; det er min mening.

. . . Den voldsomste bevegelse i vårt kunstliv knytter seg til Wergeland, ja, det er han som er stenen kastet i vannet. De andre er ringene, svakere, svakere.

Ut fra en slik opplevelse av Wergelands diktning er det ikke så underlig at Vigeland i en av sine tidligste tegninger lar Wergeland tre inn i Apollons skikkelse og med sin hesteforspente vogn fare gjennom verdensrommet; som vi allerede har sett, lever en beslektet idé videre i Abel-monumentet.

Vigeland følte sterkt at Wergeland, med Bergsliens statue på Eidsvolds plass, ikke hadde fått det monument han fortjente:

Den statue vi har, er fæl, står i kappe med «rike» folder, har bok og penn i hendene, og hans skosåler er tykke som på alle statuer; han står på sin servant og dikter. Folk her betrakter Wergeland-monumentet ikke som monumentet for dikteren Wergeland, men for frihetsmannen, folkevennen, og der legges kranser til hans statue hver 17. mai. Men hvorledes skulle vel folk i alminnelighet fatte Wergelands ekstatiske bilder, varmen i dem; heten i dem kommer med i dybden av ordene fra «Mennesket» –: «Nedknel, tilbed i Guds friske rykende fotspor . . .»

For Vigeland telte frihetsmannen mindre enn Wergelands intense, lyriske sinn, hans fantasirikdom og dikteriske kraft. Han forestiller seg Wergeland ført av sted på inspirasjonens vingete genius, eller, med tanke på hans naturfølelse og lyrikk, stående under et tre, mellom grenene; kanskje har Vigeland erindret noen strofer fra diktet «Hjemme»:

. . . hvor ofte har jeg ikke ønsket at være en Løn af din udødelige Rod og at blande min Krone med din

I tegningen, datert 6. august 1901, synes Vigeland igjen å assosiere til antikken, denne gang til skogguden Pan, hvis bilde kunne stilles opp under trær for å verne og inspirere diktere. Det var neppe noen tilfeldighet at bare få dager senere tegnet Vigeland nettopp Pan inn i et tre (ill. 291). Vigeland lot idéen falle med henblikk på et Wergeland-monument, men den kommer uforandret igjen i en av tregruppene på hans senere fontene.

En ganske annen oppfatning av den inspirerte dikteren kom til utførelse i en plastisk skisse fra 1903, senere ødelagt og bare kjent gjennom tegninger og fotografi: Wergeland som styrter fremover, med en virvel av figurer rundt overkropp og hode. Samtidig med at han skrev til Krag og bad ham skynde på med bestilling, gav han en forklaring på sine intensjoner:

Det monument jeg tenkte å utføre helst, var et større et, med mange figurer, Wergeland stående, og omkring i en hvirvel om hodet hans svevet genier, en masse, liksom en malstrøm om hans hjerne – idéer, tanker, innfall, luner som figurer: en stor krans om hodet, i stor ring. En Wergelands-vrimmel.

Utkastet var ikke bare skulpturalt tvilsomt, men ville også langt overskride de midler som kunne forventes. En forandret og modifisert skisse ble utført i 1905; den nakne Wergeland står med en mengde små fantasibarn som klatrer

194

Angst! O Angst! jeg overvældes
af himmelske Syner og Verdens Storhed
af Livets brogede Hvirvel.
Henrik Wergeland: «Til en berømt Digter»

195

oppover og rundt ham, som en parafrase av den antikke Nil-guden. Bak ham kneler en kvinne – hans inspirerende Stella? Men heller ikke dette utkastet kom lenger enn til skissestadiet. Det gikk smått med innsamlingen i Kristiansand; i 1906 begynte tiden å bli knapp til 100-årsjubileet, og en portrettbyste syntes å være eneste løsning. Fordi komitéen kjente til at Vigeland holdt på med et utkast til Wergeland, fikk han bestillingen. Men som tidligere med Nordraak foreslo Vigeland en reduksjon i sitt eget honorar hvis han fikk gjøre en statue, og dette ble akseptert. Han tok også et råd fra Krag til følge om å gjøre noe mer tradisjonelt, med andre ord en påkledd figur, og fikk godkjent skissen i 1907. Den 17. juni 1908 kunne statuen avdukes i Torvparken.

Både Vigeland og Wergeland tjente på den endelige utforming. Den symbolske figurvrimmelen virket visuelt forstyrrende; gjennom forenklingen har Vigeland bedre formidlet inntrykket av den henførte, inspirerte dikteren. Wergeland synes innfanget i et øyeblikk da han har stanset på sin vandring i naturen; han står noe skjødesløst, tilfeldig skrevende. Hendene er lagt på ryggen og holder om spaserstokken som danner en horisontal linje og fanger blikket vårt et øyeblikk før det endelig konsentrerer seg om det tilbakekastede hodet og det oppadvendte ansiktet. Med de lukkede øynene og leppene så vidt atskilt er det som om han hengir seg til alle inntrykk og følelser som arbeider i ham. Det umiddelbare og momentane i fremstillingen er ytterligere fremhevet ved den noe urolige modelleringen.

Vigeland har fremhevet at statuen ikke illustrerer noe bestemt dikt, men da han ble bedt om å foreslå noe som passende kunne siteres som inskripsjon på sokkelen, ønsket han:

... det mest karakteristiske han har skrevet, det dypest Wergelandske, det sublimeste han har skapt. Jeg tenker på diktet fra 1841 «Mig selv». Dessverre vil man vanskelig kunne gjengi hele diktet på sokkelen. Følgende linjer mener jeg ville egne seg:

> Min Sjæl fryder sig i Himlens Foraarsglæde og skal
> deltage i Jordens.
> Den tindrer stærkere end Vaarstjernerne, og den
> vil snart springe ud med Blomsterne.
>
> Herlige Aftenstjerne. Jeg blotter mit Hoved.
> Som et Krystalbad nedfalder din Glands derpaa.
> Det er Slægtskab mellem Sjælen og Stjernerne.
> Den triner i Stjernelyset udenfor Ansigtets Forhæng,
> hvis Folder ere forsvundne.
>
> Straalerne overgyder min Sjæl med en Rolighed som af Alabaster.
> Som en Büste staaer den i mit Indre. Stirr i dens Træk!

Men disse strofene fra Wergelands selvportrett kom likevel ikke med. Den opprinnelige sokkelen var en grovhugget granittstein. Dessverre sørget Vigeland i 1932 for å bytte ut denne naturlignende sokkelen med en skinnende polert, streng og glatt labradorstein, som harmonerer mindre godt med den følsomme og uttrykksfulle tolkningen av Wergeland.

Vigeland kunne ikke helt slippe idéen med Wergeland og geniene. I begynnelsen av 1920-årene kom han tilbake til geniekransen, men i en meget strammere komposisjon enn i 1903 – den er blitt en sirkel som omskriver den stående Wergeland.

196

196 Wergeland med genier. 1905. Bronse.
50 × 21,5 × 17 cm
197 Nil-guden. Vatikan-museet
198 Ludwig van Beethoven. 1906. Bronse.
153 × 80 × 50 cm

197

198 >

Ludwig van Beethoven

Vigelands ungdom falt sammen med en tid da det geniale menneske raget høyt i folks bevissthet. Mange så på kunstnerne som de nye profeter, som særlig inspirerte formidlere av dypere innsikter. Lidelsesaspektet hørte med i denne sammenhengen, ofte understreket av kunstnerne selv, som når Gauguin fremstiller seg selv i Kristi skikkelse på korset, eller Munch med lett fattbar symbolikk i «Blodblomsten» skildrer hvordan hans kunst suger næring fra hans blødende hjerte. Orfeus-temaet ble ofte anvendt i symbolismens kunst. Som selve inkarnasjonen av den hvis skaperverk er forbundet med personlig lidelse, stod Beethoven, den nye tids Orfeus, og han ble tolket flittig av malere og billedhuggere. Også Vigeland har gitt sitt bidrag. Riktignok viser tegninger fra 1901 at identiske idéer tiltenkes to så vidt forskjellige komponister som Grieg og Beethoven. Men at det først og fremst var den sistnevnte som opptok ham, viser det faktum at han i 1906 uten bestilling, og for egen regning, modellerte og lot støpe i bronse en statue av Beethoven.

Akkompagnerende genier og brusende draperier fra tidligere tegninger er skrelt bort. Den heroisk nakne og muskuløse skikkelsen bøyer seg sterkt fremover med armene utstrakt og nevene knyttet; man må selv bøye seg for å se ansiktet. Trolig er hodet modellert på grunnlag av Beethovens dødsmaske. Men Vigeland har gitt ansiktet atskillig grovere og kraftigere trekk, og rynker og furer har pløyd dype spor. Hele figurens overflate er også gitt et noe urolig, vibrerende preg, som medvirker til å styrke intensiteten i helhetsinntrykket.

Den dynamiske posituren kan minne om en dirigent som kjemper for å trekke den maksimale følelse og tonefylde ut av et usynlig orkester. Men snarere dreier det seg om kunstnerens kamp med stoffet for å skape konkrete uttrykk for det han hører og ser i sitt indre, for å omsette fantasi til form. Vigeland identifiserer seg utvilsomt med Beethovens tyngede, kjempende skikkelse, som levendegjør hans egne ord: «det å skape kunstnerisk er ingen lek, det er lidelse.» Videre har han uttalt:

Den som når alt kommer til alt har skrevet best om meg, er Jens Thiis, som har sagt at kunsten for meg er et martyrium.

Inn i denne sammenhengen hører også den lille skissen av den norrøne Orfeus, GUNNAR I ORMEGÅRDEN, som Vigeland har omtalt som et selvportrett (ill. 174).

200

199

199 Ludwig van Beethoven. Detalj av statue i bronse. 1905.
200 Tegning til Beethoven-monument. Penn. 22,5 × 14 cm
201 Camilla Collett 73 år gammel
202 Camilla Collett. Utkast til monument. 1906. Leire.
      71 × 19,3 × 23,6 cm

201

202

Camilla Collett

En helt annen aktuell oppgave enn Beethoven var et lenge påtenkt monument for Camilla Collett. I 1895, samme år som hun døde, begynte Norsk Kvinnesaksforening å planlegge minnesmerket. Likesom hennes 5 år eldre bror Henrik Wergeland hadde gjort seg til talsmann for de små og rettsløse i samfunnet, ble hun, gjennom sitt forfatterskap, den tidligste forkjemper for kvinnens selvstendighet og frihet i Norge. Bidragene kom jevnt inn etter en utsendt oppfordring, undertegnet av 500 kvinner, og 10. oktober 1902 ble en konkurranse utlyst.

Hvor sterkt Vigeland engasjerte seg i denne oppgaven, fremgår av ca. 130 tegninger og en rekke plastiske utkast. På en tegning datert 17. oktober 1902 står det riktignok påskrevet: «Til konkurransen om dette monument kommer jeg ikke til å delta. Men jeg gjør komitéen oppmerksom på at jeg har ferdig en skisse til monumentet.» Det kan imidlertid tenkes at påskriften er av senere dato. Etter alle besværlighetene med Abel-monumentet deltok Vigeland ikke mer i åpne konkurranser, og bare et par ganger i lukkede etter invitasjon eller mot honorar. Da komitéen dessuten utsatte innleveringsfristen med nesten ett år, til mars 1905, tapte han sin siste rest av lyst til å delta, utsettelsen «... drepte min glede ved oppgaven – iallfall foreløpig». Ikke uten en viss glede noterte han seg juryens beslutning om ikke å anbefale noen av de 12 innsendte utkastene til utførelse. Ingebrigt Vik vant en betinget første premie, som tidligere i forbindelse med Abel-konkurransen, og begynte nok en gang å bearbeide sitt utkast: en sittende, noe melankolsk kvinne med hodet støttet i den ene hånden. Komitéen bestemte seg for en omkonkurranse mellom premievinnerne, og oppfordret dessuten Vigeland til å sende inn utkast. De tidligere utførte utkastene hadde han ødelagt, men han gikk straks i gang med å modellere et par nye.

Tegningene viser hvordan Vigeland forestilte seg henne i forskjellige aldre, sittende og stående, med og uten parasoll eller paraply; hun kunne være opprørt eller elegisk, bister eller resignert. Han var inne på å symbolisere hennes innsats ved å stille henne på en skulpturert sokkel med mange oppadstigende figurer, og skrev på tegnearket: «Kvinder der vaagner». Han lar henne også sitte på en sokkel formet som en bølge av «Bare Kvinder vaagnende».

I september 1906 skulle juryen i all stillhet vurdere bearbeidede og nye utkast. Vigeland leverte to temmelig løst skisserte – det ene av Camilla Collett som ung, med kysehatt på hodet som heller sterkt mot den ene skulderen, og hånd i siden, det andre som eldre, med motto «I storm». Igjen stod avgjørelsen mellom Vik og Vigeland. Den eneste billedhuggeren i juryen, S. Lexow Hansen, fant Vigelands to utkast «for outrert genremessig, så det ikke uttaler tilstrekkelig venerasjon for den fremstilte personlighet», og holdt på Vik. Også Gina Krog, som representerte komitéen, stemte for Vik. To andre jurymedlemmer, malerne Gerhard Munthe og Eilif Peterssen, så derimot begge hvilke muligheter som lå latent i Vigelands skisser, og i sin uttalelse skriver Munthe blant annet:

Viks utkast er sikkert det som er lettest å bedømme, da det som det eneste gjennomførte (hvorom det kan bli tale) tydelig forteller oss hvordan det ville gjøre seg som monument. Det ville bli et brukbart, dyktig arbeide, men alminnelig. Jeg har imot dette både forstandige og vakre arbeide at det *bare* er hva folk venter seg. Det inneholder, iallfall for meg, ingen våken tanke, ingen kunstnerisk stimulans. Det er for meg et «eksemplar av arten», intet individ blant statuer.
...
Å uttale seg om Vigelands to utkast er meget vanskeligere, da de blott gir intensjoner og må og vil endres under utførelsen. De faller begge ut av det alminnelige, det tilvante. Dette er ikke bare en fordel, men burde være en fordring ... Fordi jeg personlig lider i alle byer under denne uniformitet i gemyttet hos alle monumenter, den overlegne «air» og den kanonisering som kunstneren gir dem, er jeg glad for hver én av statuer som holder seg til jorden og gir oss et menneskelig temperament.

113

For et selvstendig billedhuggerarbeide bør arkitekturen være mest mulig nøytral. – Skulpturen er ikke avhengig av arkitekturen og kan godt stå alene eller skyte opp av jorden solo. Hvorfor jeg for de par ting (jeg) har gjort ikke har valgt plasser i selve byen, kommer for øvrig av at jeg ikke har funnet noen arkitektur der passende ville ha kunnet danne bakgrunn. Derfor har jeg valgt plasser hvor monumentet har fått en bakgrunn av natur, av trær og himmel.

Dette skulpturens slaveforhold eller konkurranseforhold til arkitekturen holder ikke lenger. De beste billedhuggerverker har alltid sprengt sin ramme, dvs. når billedhuggerarbeidene ikke har ornamental karakter som f.eks. Parthenonfrisen o.m.a. Det er bare den middels skulptur der forstår å innordne seg og underordne seg under arkitekturen. Hvis jeg selv hadde skapt arkitekturen, så derimot. – Skulpturen er ikke lenger til for å tjene og dekorere arkitekturen. Skulpturen skal tjene og dekorere seg selv og har vel så meget rett og plikt til å stå direkte på jorden som et byggverk.
G. V. 1909–10

... hun var en eiendommelig sammensatt natur, distré, drømmende, fantasifylt, til det yderste følsom og meget uberegnelig, idet hun fra en rent overmodig stemning i en lystig og vittig krets med én gang, uventet for alle, kunne slå om til den motsatte yderlighet: forlegenhet, en trist ordknapphet eller dyp smerte.
Alf Collett 1911

< 203   204 >

203 Camilla Collett. Utkast til monument. 1906. Gips.
     72,5 × 30,5 × 28 cm
204 Camilla Collett. 1909. Bronse. Høyde 1,9 meter. Statuen
     ble reist i Slottsparken, Oslo i 1911

114

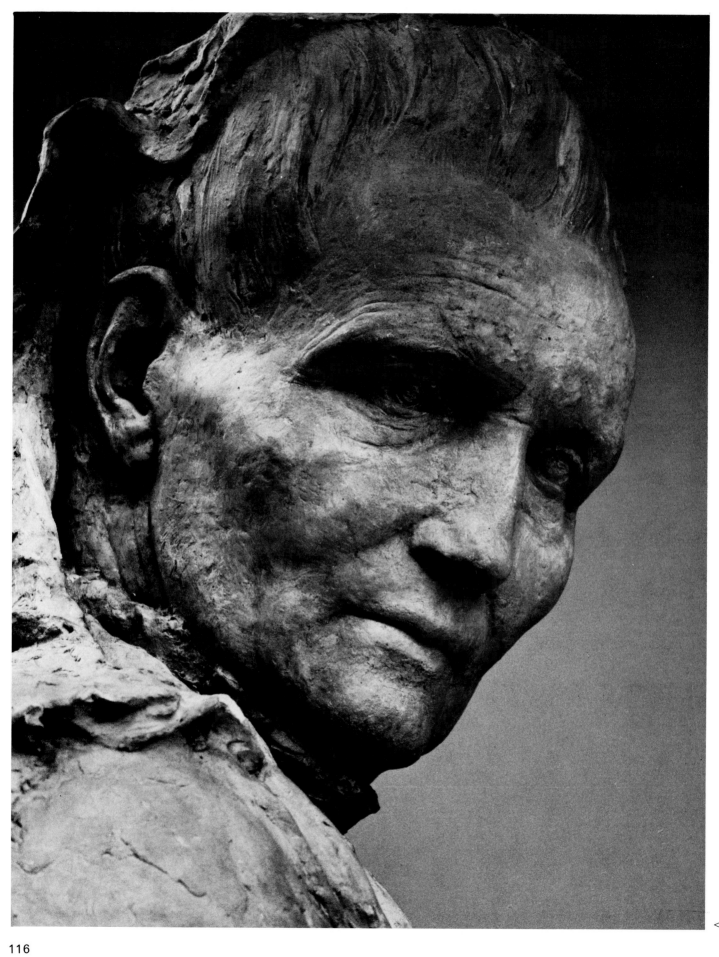

< 205

Han fremholdt at Vigelands «I storm» ville bli «et betydelig kunstverk og ikke mindre en vidunderlig tankevekkende Camilla Collett».

Juryen var så vidt splittet at monumentkomitéen betraktet resultatet som uavgjort. I desember 1907 ble så Vigeland anmodet om å lage et mer gjennomarbeidet utkast, noe han blankt avviste med følgende begrunnelse:

Skulle jeg nu, samtidig som jeg mener at mitt Camilla Collett-utkast er ganske meget utført til et utkast å være, utarbeide et enn mere utført utkast, ville jeg oppbruke min interesse for Camilla Collett-skikkelsen, og, såfremt jeg overhodet kunne gå i gang med den store statuen, ville denne blott bli en gjentagelse av arbeidet i større målestokk. Førstegleden, mitt umiddelbare forhold til figuren, ville være borte – og hermed er allting sagt.

Først i mai 1908, da juryen på nytt ble sammenkalt, gikk et flertall inn for Vigelands utkast av den aldrende Camilla Collett. Ut fra den røffe og uskjønne skissen kan dette fortone seg som en modig beslutning, som nok baserte seg på Vigelands vellykkede monumenter for Abel og Wergeland og kanskje spesielt hans store suksess med et fonteneutkast som Oslo by bestilte til utførelse i 1907. De forhåpninger man stilte til ham, må han sies å ha innfridd.

Vigeland gikk grundig til verks. Han samlet det han kunne få tak i av fotografier av Camilla Collett, fikk utlånt hennes dødsmaske fra Folkemuseet, og averterte etter en 60 år gammel modell. Da han endelig kom i gang med utførelsen, gikk det ikke mange månedene før statuen stod ferdig; den ble påbegynt 6. november 1908 og avsluttet 18. februar 1909. Umiddelbart før modelleringen tok til, kom Camilla Colletts sønn, Alf Collett, til atelieret for å kritisere utkastet og gi kunstneren noen gode råd, referert og kommentert av Vigeland:

Skal dette være min mor, sa han. Det er aldeles forferdelig. Hva er det som skyter ut der, sa han, og pekte på det parti av skjørtet som rører seg, som blåser. Slik blåste aldri min mors skjørter. Og så ser hun ned. Hvorfor skal hun se ned? Mor så aldri,ned. Hun så opp. Hodet må løftes. Nu er det som hun ser efter noe nede på gulvet, som hun går og leter efter noe, en eller annen ting hun har mistet. Og så er der jo ingen folder i skjørtet. Der må være greske folder osv. Da nu professoren hadde talt så meget, måtte jeg si et par ord. Så gikk han. Jeg kan godt forstå Camilla Collett som ikke ville vedkjenne seg sine sønner. Hun var et merkelig menneske, brydde seg fan om folk og gikk omkring og mistet sine skjørter på gaten; et mistet hun på Stortorvet. Og da hun skulle innlegges på Fødselsstiftelsen, ville hun også at mannen, Collett, skulle legges inn. Osv. Slike ting som dette siste hefter kvinnesakskvinnene seg ved og bygger på og glemmer at det var uttrykk for en lyrisk følelse. Hun hadde heller aldri tenkt seg at kvinnesaken skulle ta den praktiske retning som skjedd er.

I selve opplegget følger Vigeland skissen, men i den endelige utformingen er hun blitt noe yngre og alle trekk er foredlet. Hodet luter forover og er bøyd til siden; med fjernt blikk ser hun ned for seg. Med høyre hånd trekker hun sjalet tettere rundt skulderen. Skjørtet er blåst forover, og en myk bue går gjennom hele figuren. Denne svungne rytmen har Vigeland gjentatt i smijernsgitteret rundt statuen, formet som bladløse, forblåste kvister.

Hodet er inntrengende og følsomt modellert, tydeligvis basert på et fotografi fra 1868 da hun var 73 år gammel. Trekkene, og særlig blikket, er gjennomstrømmet av mild ettertenksomhet, og enkelte fant nok at dette stillferdige bildet ikke stemte særlig godt med den Camilla Collett de hadde kjent, og som var fylt av indignasjon og opprør. Men Vigeland valgte å tolke andre sider av henne, skape en gjenklang av hennes livs lange ulykkelige kjærlighet til dikteren Welhaven, hennes ensomhetsfølelse, også en viss stemning av tretthet og resignasjon etter kampen og opprøret. I sin karakteristikk kommer han nær hennes egen selvbeskrivelse helt mot slutten av livet:

Jeg vegeterer som en syk plante der har stått for meget i kulde og nu venter på stille å gå ut.

I Slottsparken, mellom store løvtrær, fikk monumentet de beste omgivelser, og avdukningen foregikk under stort seremoniell 31. mai 1911.

206

208

Petter Dass står merkelig i vår historie, en underlig skikkelse oppi Nordland, blant megen uvitenhet og trollskap. Der fortelles hvorledes han red på Fans rygg fra Nordland til København og tilbake igjen. Da Fan på nedveien utenfor Bergen ble trett, gav Petter Dass ham et nakkedrag så han gynget.
G. V./Signe Lagerlöw 1906

207 Petter Dass. Utkast til monument. 1906. Bronse.
68,5 × 18 × 19 cm
208 Reformasjonspresten Peder Claussøn Friis kaster helgenskulptur. 1937. Bronse, reist i Sør-Audnedal 1938. Høyde 2,78 meter. Detalj, hele statuen ill. 212

207

Aasta Hansteen (1824–1908), Norges første yrkesutdanne-
de malerinne, skribent og kvinnesakspioner, var en ivrig be-
undrer av Gustav Vigeland. Margrete Kjær har i sin erind-
ringsbok «Nils Kjær og hans samtidige (Oslo 1950) be-
skrevet et møte mellom de to:

«Nettopp fordi jeg husket hennes forakt for mannkjønnet,
moret det meg da jeg mange år etter – det var i 1894 – så
henne smelte hen i smil og virkelig få sødme i sitt vesen over-
for en representant for kjønnet – Gustav Vigeland. (…) Vi ble
godt mottatt, selvsagt for Vigelands skyld. Han var også så
utsøkt elskverdig mot henne, han fikk en hel del smilerynker
i det pene ansiktet sitt når han snakket med henne, dem han
slett ikke hadde til daglig. (…) Han fikk henne til å fortelle om
sin daglige kamp mot gateguttene og moret seg kostelig over
det hun fortalte, ga henne gode råd om hvorledes hun skulle
gå frem i kampen mot dem. I all den tid jeg kjente Vigeland –
det var mens stjernen var i oppgående – så jeg ham aldri være
så elskverdig mot noen dame av den yngre årsklasse som han
var mot den gamle Aasta Hansteen den søndag formiddag.»

209

209 Aasta Hansteen med paraply. 1905. Bronse.
47 × 21 × 16 cm
210 Aasta Hansteen. 1903. Bronse, Vår Frelsers gravlund.
36 × 42 × 25 cm

210

Bjørnstjerne Bjørnson

Den intime stemning og beåndede karakteristikk som kjennetegner Werge-
land og Camilla Collett, er fullstendig fraværende i de senere monumentene.
De kan nok stadig være uttrykksfulle, men kjernen i uttrykket er av et hardere
slag.

I 1914 mottok Vigeland bestilling på en statue av Bjørnson fra Conrad
Mohr i Bergen. Allerede mange år tidligere hadde Vigeland tegnet og
modellert utkast til et Bjørnson-monument, og nå sendte han to plastiske
skisser for at en komité i Bergen skulle kunne velge mellom dem. Den ene var
en symbolsk fremstilling fra 1905 av Bjørnson som bæres av en gruppe
menn, den andre viser ham fullt påkledd i dress og frakk, idet han energisk
skritter ut og vender hodet til siden. Komitéen valgte denne siste, og et
fotografi ble sendt til Bjørnsons enke, Caroline; hun var imidlertid alt annet
enn fornøyd og skrev til Vigeland:

Jeg må få lov å gi Dem et lite inntrykk ved å se skissen. Den gir ikke meg Bjørnsons
bevegelse eller holdning. Han hadde aldri uro over sin person. Det karakteristiske ved
ham var at han aldri gikk foroverbøyet eller fremoverlutet da han var i sin manndoms
fulle kraft... Jeg synes at alle som hittil har gjort ham, ikke gir det stilfulle som var over
hans person, de liksom «fortolker» ham til en skikkelse han ikke var.

Hun har vel hatt Stephan Sindings poserende statue foran Nationalthea-
tret i tankene, og var tydeligvis skuffet over at Vigeland ikke hadde gitt en mer
inspirert karakteristikk. I et brevutkast søker Vigeland å forsvare skissen. Han
fremhever at den bare er antydende, og at han «ikke først og fremst har søkt
det «naturlige», men det overnaturlige, apoteosen». Vigeland har kanskje
ønsket å symbolisere Bjørnsons mandige holdning og aktive engasjement i
mange og ulike spørsmål. Kanskje kunne han ha oppnådd et bedre resultat
tidligere, da han arbeidet i en mer nervøs og vibrerende stil. Men da han i
1914–15 laget den $2\frac{1}{2}$ meter høye statuen, var hans formspråk behersket av
tunge og brede former som ikke harmonerer videre godt med det øyeblikks-
betonte motivet. Hodet, som bygger på bysten fra 1901, er det beste ved
statuen, som ble avduket 17. mai 1917 utenfor Den Nationale Scene i
Bergen.

Peter Wessel Tordenskiold –
Peder Claussøn Friis

Det aktive element med det sterkt sidevridde hodet og blikket som skuer
utover, har en langt bedre funksjonell begrunnelse i statuen av sjøhelten
Tordenskiold (utført 1917; reist i Stavern 1935). Men også denne er gitt en
noe kjedelig og glatt form, særlig sammenlignet med den friskt modellerte
skissen fra 1905, hvor Vigeland med noen suverene, raske grep i leiren har
formidlet et spontant bilde av sjøhelten. Derimot preger ikke alene en ytre,
men også en indre dynamikk statuen av EGIL SKALLAGRIMSSON fra 1923 (se
s. 94). I januar 1921 laget Vigeland en skisse av en annen kjent skikkelse fra
norsk historie – presten Peder Claussøn Friis (1545–1614), som kaster fra
seg en helgenskulptur. Peder Claussøn hadde vært prest i Vigelands
hjembygd, og ennå mens Vigeland var barn, levde sagnet på folkemunne om
hvordan presten skulle ha renset kirken for helgenbilder og kastet dem i elven.
Sagnet har ikke noe med virkeligheten å gjøre, og det er uvisst hvorfor
presten, som var en lærd humanist og vår første oversetter av Snorre, er tillagt
rollen som billedstormer. Men kanskje er også denne skikkelsen, tilsynelaten-

211 Bjørnstjerne Bjørnson. Statue i bronse foran Den
Nationale Scene i Bergen. 1915, reist 1917
212 Peder Claussøn Friis kaster helgenskulptur. 1937. Gips.
Reist i bronse i Sør-Audnedal 1938. Høyde 2,78 meter
213 Peter Wessel Tordenskiold. 1906. Bronse.
42 × 15 × 9 cm

212

213

de paradoksalt, et selvportrett. Datoen da skissen ble til, 20–22. januar 1921, faller sammen i tid med det endelige og opprivende bruddet med Inga Syvertsen, hans livsledsagerske gjennom 20 år. Fremstillingen er som en illustrasjon til hans meget tidligere uttalelser om å lage seg «gudebilder» – tolket som en omskrivning for kvinnen – som senere rives ned og ødelegges. Om dette har vært den opprinnelige motivasjon for skissen, var det nok heller det gamle sagnet som i 1938 fikk Vigeland til å modellere en statue i overnaturlig størrelse som han forærte hjembygda til oppsetning utenfor Valle kirke. Kanskje lå det også i denne gaven et underfundig moment av erindring om hvordan han selv hadde følt uforstand og intoleranse da han i sin ungdom ønsket å bli billedhugger. I den endelige utforming er figuren svær og massiv, og prestekjolen faller tungt om en veldig korpus vi bare aner. Her medvirker de brede, udifferensierte formene til å understreke raseriets primitive styrke.

Christian Michelsen –
Snorre Sturlason

Vigelands to siste personmonumenter gir mer et ytre skall enn et levende individ. Når statuene av statsminister Christian Michelsen og Snorre Sturlason er så vidt upersonlige, kan en av årsakene være at de begge var bestillingsarbeider.

Da Vigeland i 1934 ble bedt om å utføre et monument over Michelsen til Bergen by, sendte han avslag, og påtok seg utførelsen først etter fornyet oppfordring i 1935. Året etter modellerte han en portrett-statue i kolossalformat, 3,65 meter høy; den gir en nøktern, naturalistisk fremstilling av Michelsen i korrekt bonjour. Gjennom figurens stilling har Vigeland tydeligvis søkt å forene patrisieren og politikeren; Michelsen står avslappet og naturlig selvsikker med den ene hånden i bukselommen, mens hodet, som er vridd til siden, antyder den aktpågivende landsfaderen som skuer fremover. Men det er særlig ved å plassere Michelsen på en 14 meter høy sokkel at Vigeland har ønsket å understreke hans spesielle historiske innsats; Michelsen er derved, både bokstavelig og symbolsk, løftet opp i en høyere sfære, ut over det daglige liv. På en slik avstand blir silhuettvirkningen det mest iøynefallende ved statuen, som for øvrig er tørt og knapt modellert, i svære, jevne flater.

Vigeland måtte tåle mye kritikk for monumentet, spesielt for den høye sokkelen. Men hva dette punkt angår, holdt Vigeland seg bare innenfor en lang tradisjon der den ærede person heroiseres nettopp ved å heves over menneskemassen, som for eksempel de romerske keisere øverst på frittstående søyler, eller admiral Nelson på Trafalgar Square i London.

Statuen av Snorre ble også utført etter bestilling. En første henvendelse i 1928 fra styret i Snorrenevnden, som ønsket å reise en slik statue på Island og eventuelt også i Bergen, førte i første omgang ikke til noe resultat, men etter en ny oppfordring i 1938 laget Vigeland en skisse som ble godtatt i april, og i november samme år stod statuen ferdig i leire. I 1939 ble den støpt i bronse, men på grunn av den annen verdenskrig måtte oppsetningen på Island utsettes; først i 1947 ble monumentet avduket på Snorres gård Reykholt, og året etter i Bergen.

Snorre er ikledd en enkel drakt og bærer hatt på hodet, under den ene armen holder han en bok, et enkelt attributt til hans litterære sysler. Han står strengt frontalt, ubevegelig rett opp og ned med vekten likelig fordelt på begge ben. Vigeland synes å ha etterstrebet ro og verdighet, og figuren er ikke uten en knapp, fortettet kraft, men virker unektelig noe livløs.

214

Andre monumentidéer

Vigeland modellerte atskillig flere skisser til monumenter enn dem som kom til endelig utførelse.

Lenge gikk han med håp om å få lage en statue av Edvard Grieg. Han hadde allerede skaffet seg et grunnlag da han i 1903 modellerte en portrettbyste av Grieg, som riktignok ikke hører til de beste fra denne tiden. Monument-tanken går imidlertid tilbake til 1901, da Vigeland tegnet en rekke utkast av symbolsk karakter; flere er beslektet med idéer både til Beethoven og Nordraak, og er mer et uttrykk for forestillingen om komponisten i sin alminnelighet enn det spesifikt personlige. Men i 1906 laget Vigeland en inspirert og treffende skisse av Grieg, som står ikledd en stor frakk med oppslått krave og hendene dypt begravet i lommene. Hodet er bøyd bakover og til

215

Han fremhevet som det enkleste og klareste man kunne tenke seg de islandske ættesagaer og Snorres kongesagaer – som menneskeskildring, komposisjon og stil. Han mente hans egne arbeider hadde noe av den samme enkelhet og klarhet.
Hans Dedekam 1922

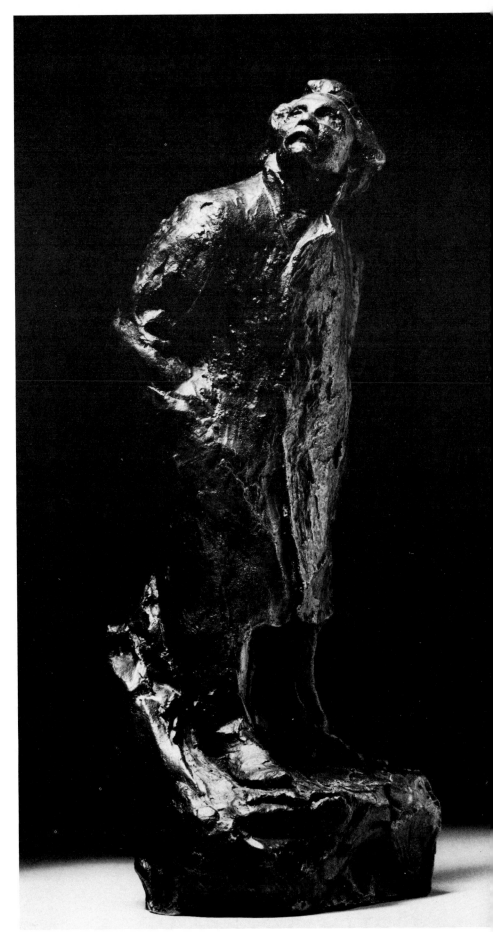

214 Statsminister Christian Michelsen. 1936. Reist i bronse i Bergen 1938. Statuen er 3,65 meter høy; total høyde 18,55 meter
215 Snorre Sturlason. 1938. Reist i bronse på Reykholt, Island, i 1947 og i Bergen 1948 (foto). Høyde 2,54 meter
216 Edvard Grieg. 1907. Bronse. 26,5 × 11 × 8 cm

216

siden; han ser opp og synes å lytte intenst til fuglesangen og naturens egen toneverden. Med den lille figuren har Vigeland ikke bare gitt en typisk fremstilling av Griegs person, men også funnet et lykkelig plastisk uttrykk for den naturlyriske side ved Griegs musikk.

En annen skikkelse som Vigeland lenge hadde i tankene, var Petter Dass (1647–1708); sagn og myter om dikterpresten har gitt næring til Vigelands dramatiske fremstilling: Petter Dass står på en klippe ved havet, og opp av bølgene stiger demonfisker som biter seg fast i samarien og vil trekke ham under, men med den Hellige Skrift i hånden maner han dem tilbake i dypet. Det første utkastet er fra 1902. Da det ble aktuelt med et monument i 1906, laget han det på nytt og tilføyde den høye klippeblokken, skjønt han gjorde seg ikke store forhåpninger om å bli overlatt utførelsen, og 5. oktober samme år skriver han:

I går og i dag har jeg modellert på et utkast til monument over Petter Dass, presten, Nordlandsdikteren fra sekstenhundretallet. Dessverre står en prest i spissen for komitéen, og han vil ikke ha monument først og fremst for dikteren. Sjelden har noe menneske irritert meg som den komitéformann; det lar seg ikke gjenta hva han sa. Smilende skulle Petter stå med Bibelen i sin favn. Er det ikke vakkert? Nu vil jeg uten videre gjøre mitt Petter Dass-utkast og utstille det.

Noen opinion klarte han likevel ikke å reise, og monumentet på Alstahaug ble en vanlig bautastein med innfelt portrettrelieff, og ikke Vigelands skulptur. Heller ikke fikk han noen nevneverdig respons på et utkast til gravmonument over Henrik Ibsen som han lot utstille sommeren 1906.

Bare fire dager etter Ibsens død 23. mai 1906 hadde Vigeland begynt på utkastet. Som på etruskiske gravmæler plasserte han Ibsen delvis omhyllet av et draperi, liggende halvt oppreist på en sarkofag, men føyde til et nytt element ved å la fire sittende, sammenkrøpne figurer løfte sarkofagen på skuldrene og nakken. En forespørsel til Sigurd Ibsen om å få tatt en dødsmaske av faren, førte ikke frem; Suzannah Ibsen ønsket det ikke, og Vigeland benyttet da sitt eget portrett fra 1903 som modell. Denne bevegede og øyeblikksbetonte gjengivelsen kan virke noe overraskende i forbindelse med en avdød.

Kritikken av utkastet var høyst blandet. Den 25. juni stod følgende korte, ironiske omtale i «Morgenbladet»:

Et Ibsen-monument kunne man i dag ta i øyesyn hos Blomqvist i utkast av Gustav Vigeland. Man står noe tvilende likeoverfor utkastets idé. Man ser en vel frisert Ibsenskikkelse i halvt liggende stilling på en hvit blokk i naken tilstand, men med et teppe eller et laken over seg. Det minner noe om en skibbrudden som er kastet i land på en hvit sandbanke – Herren fra havet, kanskje?

Andre, som Rolf Thommessen i «Verdens Gang», er mer positiv i sine uttalelser. Han finner at

Ibsens hode er mesterlig i sin energi og kraft, mens de fire skikkelser som bærer gravstenen, er knuget av et tungt og veltalende vemod. Sikkert står man her overfor et arbeide som i gjennomarbeidet skikkelse vil være av den eiendommeligste og sterkeste virkning, som man må ønske kunstneren leilighet til å få utføre over Ibsens grav.

Hva bare få visste, var at Vigeland hadde til hensikt å flytte hele Ibsens grav. Han tenkte riktignok først å plassere skulpturen på Vår Frelsers gravlund, hvor Ibsen lå begravet, og bare flytte graven til en knaus innenfor området. Men han kunne tydeligvis ikke slå seg til ro med å la Ibsen hvile i en grav blant mange andre, og fikk den høyst romantiske idé å plassere monumentet og Ibsens levninger på en øde holme ute i havet, nærmere bestemt i Oslofjorden. Sokkelen måtte da få veldige dimensjoner og skulpturen likeså. Av tegningene fremgår det hvordan minnegraven vokser sammen med naturen; sokkelen som stiger opp, blir en fortsettelse av selve holmen.

Monumentplanen ble forelagt Sigurd Ibsen, som i et brev fra Roma 30. oktober 1907 på diplomatisk taktfull måte meddeler sin mors innvendinger:

124

217 Vigeland i lånt samarie poserer som Petter Dass
218 Gravmonument for Henrik Ibsen. Penn. 22 × 14 cm
219 Henrik Ibsen på sarkofag. Utkast til gravmonument. 1906. Gips. 82 × 59 × 25 cm
220 Petter Dass. Utkast til monument, detalj. 1906. Bronse. Jfr. ill. 207

217

218

219

220

De spør meg om der er utsikt til å få den monumentplan realisert som vi talte om i Deres atelier. Jeg formoder at De hermed sikter til den ved denne leilighet fremkomne tanke om en overflytning av min fars kiste til omgivelser hvor minnesmerket vil komme mer til sin rett enn dette kunne skje på Vår Frelsers gravlund. Og jeg kan da kun svare at jeg har det inntrykk at min mor, som for øvrig er en varm beundrer av Deres utkast, i tilfelle neppe ville gi sitt samtykke til en sådan overflytning. Dens ønskelighet fra kunstnerisk synspunkt er hun visstnok ikke blind for. Men denne betraktning motvirkes av et følelsesmoment som for henne veier tyngre, og som jeg vel ikke behøver nærmere å forklare, da De lett vil forstå det.

Utkastet ble begravet i Vigelands atelier; han hadde nå et helt annet og atskillig større prosjekt å kjempe frem – sin fontene.

Da det i 1907 så ut til å bli en mulighet for bestilling på et ryttermonument, grep Vigeland til med begge hender. Han gikk med på å avstå fra kunstnerhonorar til en replikk av Wergeland-statuen, som ble reist i Fargo i North Dakota i 1908; til gjengjeld ble han lovet av en initiativrik og monumentglad norsk-amerikaner å få utføre et ryttermonument for president Theodore Roosevelt. Oppgaven engasjerte ham sterkt gjennom lengre tid. Han samlet et omfattende fotomateriale både av Roosevelt og av hester, gav seg i kast med studier av hestens anatomi og tegnet og modellerte rytterutkast med hester som stod stille, steilet, galopperte og travet. Det endelige utkastet, som også ble godkjent av komitéen i Amerika, viser Roosevelt sittende på en hest i trav. Komposisjonen er nøye avbalansert innenfor et tenkt geometrisk system, men hvor inntrykket av fart og bevegelse likefullt kommer til sin rett. Da Theodore Roosevelt oppholdt seg i Oslo i 1910 for å motta fredsprisen, satt han modell for Vigeland i vel en time, og med utrolig fart festet Vigeland hans trekk i et studieportrett med henblikk på

125

221

222

Angående travebevegelsen så føler jeg at jeg måtte velge denne, da jeg ikke kunne holde ut å utføre en ordinær galopperende, steilende, gående eller stående hest.
G. V./H. Goldschmidt

223

monumentet. Han kom så langt at han reiste jernskjelettet til skulpturen i full størrelse. Men innsamlingen i Statene gikk tregt, initiativtageren døde, og forbitret måtte Vigeland omsider erkjenne at monumentet aldri ville bli realisert.

Egne planer om en skulptur med Hellig Olav ridende på en Nordfjord-hest kom heller ikke lenger enn til skissestadiet.

Vigeland nektet lenge å la seg involvere i den vanskeligste og stadig uløste monumentsak i norsk historie – et monument for vår nasjonale frihet som ble stadfestet i Grunnloven på Eidsvoll i 1814. De tidligste planer går tilbake til 1836, men først i 1906, da 100-årsjubileet nærmet seg, ble det utlyst en konkurranse. Vigeland deltok hverken i denne eller den neste i 1908, som begge endte uavgjort. På oppfordringer fra komitéen om å levere et utkast svarte Vigeland at han foreløpig ikke hadde tid. Likefullt arbeidet han, som for øvrig alle andre norske billedhuggere, med idéer til et slikt monument, og de første daterte tegningene går tilbake til 1900. Blant temmelig mange forskjellige motiver utgjør et tårn, utsmykket med relieffer og et nedre trappearrangement med figurer, en egen gruppe; dateringen er usikker, men disse tegningene må sannsynligvis være utført omkring 1909. Muligens er de laget etter at et forslag om Eidsvollsmonumentet som et 20 meter høyt tårn reist på Vettakollen, ble lansert i «Aftenposten» 5. desember 1909; arkitekt H. Kloumann hadde tegnet en ledsagende skisse. Dagen etter foreslo en innsender Hovedøen som passende sted. Det er lett å tenke seg at Vigeland har latt seg fenge av en slik idé med et storslagent minnesmerke fjernt fra byens larm, ute i naturen – på linje med hans egen om Ibsen-graven i havet.

En annen kunstner som vi med sikkerhet vet har festet seg ved dette tårnprosjektet, var Edvard Munch. I et brev til Thiis kommenterer han Kloumanns forslag og nevner muligheten av et samarbeid med Vigeland i forbindelse med utsmykningen.

Jeg synes et stilfullt enkelt tårn med store dekorasjonsfelter inni og skulptur er en god idé – f.ex. felter av meg og skulptur av Vigeland.

126

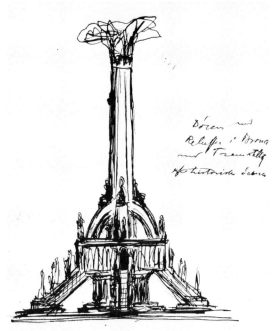

224

225

226

221 President Theodore Roosevelt. Utkast til rytter-
    monument. 1908. Bronse. 62 × 68 × 17 cm
222 Tegning til ryttermonument. Penn og lavering.
    22 × 14 cm
223 Hellig Olav til hest. Ca. 1910. Leire. 57 × 35,7 × 15,5 cm
224 Eidsvollsmonument. Ca. 1909. Penn. 22 × 14 cm
225 Eidsvollsmonument. Ca. 1909. Penn. 22 × 14 cm
226 Eidsvollsmonument. Ca. 1920. Blyant. 14 × 22 cm

Planen om tårnet døde stille hen. Men Vigelands fabulering på papiret om et monumentalt anlegg hvor arkitektur og skulptur kombineres i en større enhet, skulle han senere virkeliggjøre i sin skulpturpark; det finnes til og med en formal parallellitet mellom tårnet og dets trappefundament med figurer, og Sirkeltrappen med Monolitten og granittgruppene.

Året 1914 kom og gikk uten noe monument. Men saken dukket opp igjen år om annet. I 1920 aksepterte komitéen et tilbud fra Vigeland om å lage et utkast mot honorar. En tidligere figurrik skisse med grupper av mennesker som søker å verne om hverandre, dannet utgangspunktet. Sokkelen tenkte han seg sammensatt av tre monolitter, to oppstandere med Eidsvollsmenne- nes navn, og en overligger. Utkastet stod ferdig i 1923, men ble ikke antatt av bedømmelseskomitéen i januar 1924. Vigeland utførte skulpturen i kolossal- format i 1936 med henblikk på plassering i sin skulpturpark.

Av diverse andre monumentutkast skal for øvrig bare nevnes en skisse fra 1922 med fire kvinner som står rundt en kule og holder hverandre i hendene, tydeligvis symboliserende universell kvinnesamhørighet. Nå var Vigeland langt fra noen kvinnesaksmann, men han hadde god teft for tanker som beveget seg i tiden, og allerede i 1901, forut for Camilla Collett-konkurran- sen, skrev han med et anstrøk av humor:

Det er jo kvinnedyrkingens tidsalder. Alle som én vil her stå frem og skyve til et monument snart ruller frem. – At dette er alvor, kan De være viss på; jeg er jo billedhugger.

Samvær og vennskap gjennom flere år med betydelige og intelligente kvinner som Aasta Hansteen, Fernanda Nissen, Nini Roll Anker og Hulda Garborg satte vel også enkelte spor. Men i likhet med mange av de øvrige monumentutkastene som Vigeland utførte, kom heller ikke kvinnemonu- mentet frem for offentligheten.

227 Fire kvinner i krets rundt en klode. 1922. Gips. Høyde 19 cm

< 227

Forandringer

Jeg har ikke videre respekt for all den import fra Paris. Jeg tror
nemlig der har vært kunst før i dag og at der er gjort kunst annet
sted enn i Paris. Jeg mener ikke at mennesket først nu har fått
forstand eller at alle førlevende mennesker var idioter. Fremfor
pariserkunst foretrekker jeg egyptisk, gresk, indisk eller asiatisk
overhode. Jeg synes jeg lærer mer ved å gå direkte til kilden, til det
opprinnelige og ikke dit hvor tingene allerede er absorbert ... Herfra
er kunstnere reist rett til Paris, det er som den ene efter den annen
triller inn igjennom et loddet rør som strekker seg fra Kristiania til
Gare du Nord ... Det er nu snart på tide at vi får en ny kunsthistorie
hvori Asia, Sydamerika og Afrika får seg en bredere plass. Det er på
tide at ikke all verdens kunst blir sett i Paris' speil.

G. V./Andrea Butenschøn 1917

«Mann og kvinne» på ny

Etter at Vigeland i 1902 hadde gjort seg ferdig med bestillingsarbeidene til domkirken i Trondheim, konsentrerte han seg i noen år vesentlig om portretter og monumenter. Men i 1905 tok han opp igjen sin gamle plan fra 1890-årene om å modellere statuetter i full naturlig størrelse, og begynte med MANN MED KVINNE I FANGET (ill. 11). I forhold til tidligere gikk Vigeland nå inn for korrekt anatomi og grundig gjennomarbeidelse av formen. Omhyggelig utførte han hver figur for seg før han satte dem sammen. Figurene er fremdeles slanke, men ikke lenger så asketisk utmagret som tidligere. Stadig betones skjelettet, benbygningen og knoklene, men også muskulaturen er viet et inngående studium, uten at han henfaller til å bli det han selv med forakt kaller en «muskeldikter». Den indre, faste struktur er det primære.

Sammenlignet med gruppen fra 1897 (ill. 100), hvor en diagonalbevegelse fra føttene til de to hodene gjør seg gjeldende, er komposisjonen nå samlet om en midtakse og preget av større ro. Selv om gruppen kan forekomme mindre heftig, er inderligheten og følsomheten i uttrykket likevel ikke gått tapt, snarere er den blitt ytterligere understreket. Den glatte overflaten er forlatt til fordel for en noe urolig, småklattet behandling av leiren, og vi kan se spor av hendenes arbeid. Ved en slik differensiering av overflaten fremkommer en viss vibrerende og malerisk virkning.

Ønsket om anatomisk analyse og detaljbehandling gir seg også til kjenne i UNG MANN OG KVINNE fra 1906, som finnes både i bronse og marmor. Et bølgende, pulserende liv gjør seg særlig gjeldende i marmorskulpturen. De to står vendt mot hverandre med ben og hofter tett sammen; overkroppene heller noe bakover, som to grener fra en felles stamme. Den nære fysiske kontakten tilsvarer ikke en sjelelig; hodene er vendt til hver sin side og blikkene møtes ikke, men glir forbi hverandre (ill. 10).

232

229

230

231

229 Mann og kvinne. 1901. Penn. 20,3 × 13 cm
230 Mann og kvinne. Ca. 1903. Penn. 21 × 15,9 cm.
   Påskrevet: «Motto: Den hvem Kjærlighedens Orm
   engang har bidt, heles aldrig.»
231 Mann og kvinne. Ca. 1906. Penn. 21,8 × 13,6 cm
232 Knelende mann omfavner stående kvinne. 1908. Gips.
   168 × 76 × 70 cm
233 Stående kvinne. «Søvngjengersken». 1909. Teaktre.
   172 × 41 × 40,5 cm

233

Den naturalistiske gjengivelsen av det fysiske legeme, uansett dets skjønnhet, blir for Vigeland aldri et mål i seg selv. Vigeland søker å analysere den indre opplevelse av kjærligheten, mannens og kvinnens sammensatte følelser og reaksjoner, tiltrekningen så vel som de latente understrømmer av dissonans og konflikt. Dette kommer tydelig frem i hans mangeårige bearbeidelsen av motivet i MANN KNELER FORAN STÅENDE KVINNE, som han blant annet modellene i full størrelse i 1908 (ill. 13). Den utelukkende beskrivende tittelen er for øvrig typisk, Vigeland ønsket ikke å «binde» betrakterens fantasi og fremholdt: «En tittel tvinger alltid, er påtrengende, så man ikke godt kan komme den forbi.» Mannen som klynger seg til kvinnen i statuettgruppen fra 1898 (ill. 113); uttrykker en sår lengsel og hengivenhet. I tegninger gjennom flere år forandrer motivet karakter og får et klarere erotisk preg; mannen fremstilles heftig pågående, mens kvinnens holdning, vekslende aktiv og passiv, virker noe ambivalent, og i skulpturen fra 1908 er det usikkert om hun trykker mannen til seg eller skyver ham bort.

Det har vært hevdet at gruppen synes avledet fra Rodins L'ETERNELLE IDOLE, men at selv om Vigeland har overtatt billedtypen, har han radikalt forandret komposisjonen: Hos Vigeland utfolder figurene seg relieffmessig, lukker seg ikke om et rom, men holdes sammen i en gjennomløpende S-formet linje. Også stemningen er en helt annen; det nytende og sensuelle er fraværende i Vigelands gruppe, som er preget av et tungt og patetisk alvor.

Mot fyldigere form

Den naturalistiske formgivningen og reminisenser fra nybarokk og impresjonisme nådde et klimaks i 1908 med den forstørrede versjonen av TIGGERNE fra 1899 og GAMMEL KVINNE MED LITE BARN (ill. 314), en av tregruppene til den store fontenen. Året etter kan man imidlertid registrere en markant forandring i Vigelands stil. Når det er mulig å gi en så konkret tidsangivelse, er det fordi han i 1909 tok for seg flere skulpturer fra tiden etter 1900, som han forstørret og formet på ny. Dette gjelder blant annet MOR OG BARN, som ble utført i naturlig størrelse i 1907 med de typisk slanke figurene og den urolig vibrerende overflateteksturen (ill. 236). I 1909 tok Vigeland frem igjen gipsmodellen og arbeidet videre på den i gips. Han gjorde kvinnekroppen fyldigere, detaljene mindre fremtredende, og overflaten ble glattet ut; større former og mer harmonisk helhetsvirkning er tydeligvis siktemålet. Det er ikke det endelige materialvalg som har betinget denne utviklingen, for skulpturen ble både støpt i bronse og hugget i marmor (ill. 237). Den vare, ømme stemningen er stadig intakt, og særlig i marmor får morens stille hengivenhet et betagende, skinnende uttrykk.

Tendensen mot klassisk stil kommer enda klarere frem i KVINNETORSO, også denne fra 1909 (ill. 9), tidligere utført som statuett i 1902 og begge skulpturene med Inga Syvertsen som modell. Kvinnen sitter med bena bøyd inn under seg og med avkuttede armer. For én gangs skyld finnes det ingen handling, men en avklaret ro, og de formale problemene synes å ha vært de mest fremtredende. Noen avbleket neo-klassisistisk skulptur er denne torsoen likevel ikke – uttrykket i kvinnens ansikt er personlig og alvorlig, og selv om armene er kuttet av, aner vi en latent styrke i kroppen. Fremstillingen er dessuten gitt liv ved at overkroppen er vridd svakt til den ene siden, mens hodet er vendt i motsatt retning.

En tredje skulptur fra 1909 som viser de nye signaler i Vigelands formgivning, er KVINNE MED BENA OVER KORS. På originalmodellen kan vi se hvordan kunstneren har modellert videre på figuren med gips og særlig lagt på de slankere deler som legger og ankler. Denne figuren ble senere skåret i teak.

Flere forhold kan forklare den nye utviklingen i Vigelands kunst. Selv betraktet han overgangen til fyldigere former som utslag av egen fysisk forandring, en tanke han hevdet allerede i 1905 i et brev til Jens Thiis:

Mine figurer blir sværere, de er ikke så stramme og tørre lenger; det er tilfellet med enhver kunstner at hans figurer blir større med årene; på fjernt hold vokser de liksom parallelt med ham selv.

Mange år senere utdypet han denne oppfatningen:

Enhver kunstner portretterer på en måte seg selv. For å si det grovt: jeg var mager og gjorde derfor – naturligvis ubevisst selvkjærlig – magre figurer. Det kom ikke av at mine modeller eller andres figurer var magrere, heller ikke av at det lå i «tiden». Jeg var selv benet, senet og stram, og mine figurer ble selv deretter og vokste med meg.

Noe kan det vel være i denne forklaringen. Fotografier viser at han økte i volum. Men henvisningen til eget ytre innebærer en grov forenkling, og Vigeland har for øvrig selv bidratt til et mer nyansert syn på utviklingen, i og med at han også finner en sammenheng mellom sin ungdoms rastløse heftighet og sine figurers form. I noen frie vers fra ca. 1913 skriver han:

> Da jeg var ung, så stormet jeg mot leiren
> og gikk til angrep som på en fiende.
> Jeg lyttet ikke til dets egen stemme,
> men rev det opp med nebb og ville klør.
>
> Det ble figurer, linjer, slanke, magre,
> just som meg selv dengang, så benet, senet,
> en stramhet som jeg skapte i ekstase
> mens tanken kom for sent til min idé.

Som ung hadde han følt seg tiltrukket av egyptisk og høyklassisk kunst. Men han hadde ikke maktet å forene de strenge formkravene med eget uttrykksbehov. Innflytelsen fra Rodins frie og levende formbehandling satte dessuten dype spor. Etter århundreskiftet gikk imidlertid tendensen igjen mot en enklere og mer monumental form, og Vigelands avvisning av det som lå i «tiden», lyder ikke særlig troverdig. Et tegn på en nyorientering kan være at han høsten 1908 drog til London for å studere Parthenon-skulpturene på nytt. Men selv om hans egne skulpturer fra 1909 er gitt en større ro og fylde enn tidligere, kan man ennå ikke tale om noe egentlig brudd i Vigelands formgivning.

Sykdom og krise

Fysiske plager som forkjølelser, bronkitt og gikt var plager som hjemsøkte Vigeland temmelig ofte. I januar 1910 ble han imidlertid rammet av tørr plevritt og ondartet revmatisme, som særlig gikk ut over høyre arm og skulder. Selv trodde han sykdommene skrev seg fra arbeidet med de våte leirmassene i kolossalfigurene til fontenens midtgruppe, som han hadde modellert i 1909. Plevritten var overvunnet etter ca. 6 uker, men revmatismen kom til å plage ham sterkt i de neste 2–3 årene. «Verst er det med hendene,» skrev han i et brev 10. mars 1910. «Jeg må f.eks. bruke begge for å lukke opp en dør.» I lengre perioder måtte han avstå fra å modellere, og frem til 1913 er hans produksjon langt mindre omfangsrik enn vanlig.

Ingen ulykke kunne ramme ham dypere enn arbeidsuførhet. Å skape var for Vigeland en indre nødvendighet, en slags besettelse. Nå demmet idéer og krefter seg opp i ham uten at de fikk komme til utløp, og notisbøkene fra

234

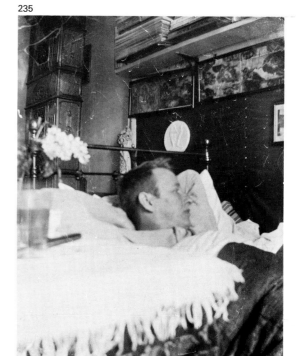

Jeg er ennu ikke frisk. Jeg skal, sier legen, gå og drive omkring og intet bestille. Og det har jeg da gjort. Nu ser jeg først hvor alene jeg har arbeidet i alle disse år, nu da jeg skulle ha fatt i mennesker som kunne hjelpe meg å file dagene til ende. De jeg kjente engang, dengang jeg gikk ute, kjenner jeg neppe igjen. Og de visst ikke meg. Og får jeg da tak i et, forstår jeg knapt hva det sier; det taler et ganske annet sprog enn mitt. Og jeg må gå igjen.
G. V./Vilhelm Krag 1903

235

234 Gustav Vigeland, 6. august 1917
235 Gustav Vigeland syk julen 1902
236 Mor og barn. 1907. Bronse. 137 × 81,5 × 70 cm
237 Mor og barn. 1909. Marmor. 137 × 73 × 63 cm

For det er da følelsen det kommer an på, varmen, hva? Da et
menneske var dypest nede, eller i hans høyeste øyeblikk, var
det så dekorativt, da? – Er det ikke noe av kommodestasfølel-
sen som er oppe her og vil søke å kvele livet? Jeg har ikke den
dekorative følelsen. Jeg synes den får holde seg tilbake og
vente på om man vil ha den med eller ikke. Alltid i annen rekke,
eller rettere i tredje. For i annen rekke kommer formen, dens
riktighet og levedyktighet må først være der. Så får vi siden se
om vi vil ha det «dekorative» med. Ti for svarte satan er det
først og sist mennesket, *mennesket* som skal gives.
G. V./Larpent 1901

Av andre av hans verker som sette scener hadde gitt idéen til,
nevnte han marmorgruppen Mor og Sønn. Den uttrykte
kanskje ikke bare moderfølelse. Gutten var en hel liten mann.
Moderfølelsen var komplisert og vanskelig å analysere.
Hans Dedekam 1922

236

237 >

133

238

238

Et luftdrag vrider meg alene i været,
i hvirvel skrur jeg fykende oppover,
en omvendt malstrøm har tatt meg
og vrider (svinger) meg til værs i små spiraler
til jeg høyt oppe stanser og står oppreist
i dirrende luftskjelv.

Jeg gruer for de kommende år,
jeg ser med gru mot de kommende dager
og bøyer bort fra livets støy.

Jeg går på tvers av gatens strøm
og bøyer bort fra livets larm
til andre gater, ensomt rom,
og stiller meg i vinduet og ser de andre leve.
G. V. 1912

denne perioden forteller om angst og depresjon. At han undertiden også fryktet sin psykiske tilstand, viser noen vers som antagelig er nedtegnet i 1912:

Mine skuldre er svære
og mitt bryst er bredt
men jeg er sinnssyk
rør meg ikke

Min meste kraft går
til å beherske
meg selv for ikke
å velte byen
Den (Min) kraft skar innad
i mulm og mørke

Stadig behersket
og stadig stengt
Følelser bruser
mitt vesen hovner
Men stadig behersket
stadig stengt
(i frihet stengt)

Det er trettende å hvile. Men jeg holder vel ut når jeg henger i med energi. Man må jo finne seg i sin skjebne og ta den ferie som skal være så gavnlig for en. Bare jeg kunne forstå det, forstå gavnet. Men jeg skal ikke bry meg med det nu, kan jeg tenke. Bare «slite på tia», gå på bryggen, se på måker, på motorbåter osv. Det er nok når man bare er nøysom. Og det må eller bør man tvinge seg til å være, især i ferien.
G. V./Inga Syvertsen 1912 (fra Larvik Bad)

Nu synes jeg at jeg er så utslitt som jeg aldri ellers har vært. Jeg har aldri vært så kjed og matt og lei. Det verste er at jeg ikke engang har følelsen av det forferdende i å spille tid, men lar bare dagene gå. Forhåpentlig kommer jeg ikke her igjen, iallfall ikke med min gode vilje. . . . Vekk herfra må jeg, skal jeg bevare min helse.
G. V./Inga Syvertsen 1912 (Larvik Bad)

239

Kanskje er det ikke tilfeldig at Vigeland gjennom en kortere periode i 1911, da han synes å befinne seg midt i en krisetid, skrev ned sine drømmer. Psykologen Kjell von Krogh har antydet at han på denne måten, ved å integrere og klargjøre stoff fra underbevisstheten, kan ha medvirket til sin egen helbredelse. Interessant i denne sammenheng er Vigelands diskusjon med seg selv om hvorvidt det kunne fremme eller skade hans kunstneriske virksomhet å feste drømmene på papiret:

Egentlig burde jeg ikke skrive ned disse drømmene. Ikke fordi de er sjeldne. Det tror jeg ikke de er. Heller ikke fordi de er alminnelige. Men fordi jeg liksom foregriper noe som ikke vil foregripes. Jeg kommer kanskje nu til all reflekteren i drømme, forsøke å tvinge meg, lokke meg til å drømme noe usedvanlig. Er det ikke synd mot drømmens ånd blott dette å nedskrive sine drømme?

Men da drømmene mer eller mindre direkte vedkommer ens våkne liv, må man da ikke av hensyn til sitt arbeide fastholde blott de groveste trekk av ens drømmer?

som fangen ved natt og dag
graver og borer og hugger
for å komme løs,
slik hugger mitt hjerte
i sitt ribbensbur.

Urolig rastløs som et dyr i bur
går mitt hjerte,
slår mitt hjerte, jeg ser det jamre
som en fange inne i sitt ribbensbur.
...
som et fanget vilt dyr bak sprinkler
hugger og graver og klorer for endelig
en dag å komme løs.
G. V. 1912–13

Hvor jeg ser, står stener og bier,
venter meg – som går forbi.
Hva nytter alt arbeide når jorden skal brenne eller knuses
engang.
G. V. 1913

Leonardos ord var sant: at en kunstners figurer gjengir ham selv, selv om Leonardo herved bare tenkte på ansiktet. I Vigelands kunst er hans figurer tynne da han selv var mager (i ungdommen), de er føre da han selv ble før. Han mente det kom av at man til enhver tid av sitt liv tror at den alder man lever i, betegner toppunktet, den viktigste alder i ens liv.
Hans Dedekam 1922

Men den våkne drøm, fantasien, fanger man jo inn og søker å gi form. Er ikke drøm og fantasi én og samme ånd, hvor blott belysning gir «forskjellen»?

Vigelands rikholdige bibliotek er sparsomt utstyrt med litteratur om psykologi. Men med sin interesse for menneskers og sitt eget følelsesliv – og med venner som Przybyszewski, Hamsun og Garborg i årene rundt århundreskiftet – kunne han vanskelig unngå å komme i kontakt med nye idéer og teorier innen psykologien. Foruten drømmens betydning erkjente han sannheten i læren om det ubevisste, hvis eksistens og virksomhet han har beskrevet i følgende malerisk-poetiske ordelag:

Man har i øyeblikket ikke overblikk over mer enn et begrenset synsfelt, der belyses som ved en blendlykt. Utenfor denne lysflekk brer seg et vidstrakt måneskinnsland-skap, hvori tingene kun svakt og ubestemt skimtes. Bakenfor, på den andre siden av kloden, som ikke treffes av månens stråler, er det helt mørkt. Sånn er det med bevissthetslivet og den ringe del av det som vi i øyeblikket overskuer.

I siste kapittel vil Vigelands oppfatning av en sammenheng mellom det ubevisste og den skapende fantasi bli noe mer utdypet.

Under sykdomsårene satt ikke Vigeland passiv og uvirksom. Han utførte et par av tregruppene til fontenen og flere mindre skulpturer. I disse årene synes han også å ha gjennomgått en indre modningsprosess som førte til en endret livsoppfatning. Hittil hadde sorg og lidelse, og menneskets uavvendelige gang mot døden, dannet et gjennomgangstema i hans kunst. I karmgruppe-ne på fontenemodellen fra 1906 fremstilte han livets forskjellige faser, men ennå uten noen klar sammenheng. En syntese og et videre perspektiv gir seg først til kjenne i planer for tregruppenes oppstilling i 1912. Da settes stadiene i menneskets liv inn i en større sammenheng, som peker ut over den enkeltes følelsesmettede sfære. Menneskene inngår i en kosmisk prosess, hvor de stadig fornyer seg i likhet med trærne de står sammen med, og døden betegner ikke lenger noen slutt, men blir i seg selv en del av livsstrømmen. Denne nye eksistensielle oppfatningen må for øvrig sees i sammenheng med de vitalistiske strømninger som gjorde seg gjeldende i samtidskunsten til fortrengsel for 1890-årenes melankoli og pessimisme. En lignende nyorien-tering skjedde hos Edvard Munch, også for hans vedkommende etter en personlig krise i 1908–09.

240

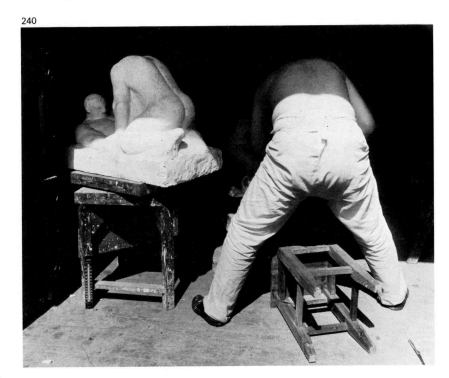

238 Maridalsveien 17, hvor Vigeland bodde i 2. etasje fra 1906 til 1924
239 Fredensborgveien 1, nå Schandorffs gate 4. Det åpne hjørnevinduet og de tre nærmeste til høyre tilhørte leiligheten hvor Vigeland bodde fra 1902 til 1906. I forgrunnen Krist kirkegård
240 Vigeland i arbeid med en av steingruppene i «mellom-størrelse», ca. 1914

Selv om sykdom til tider hemmet Vigelands skapende utfoldelse, kan årene 1910–13 på flere måter betraktes som en forberedelsestid. Da han hadde gjenvunnet sin fulle førlighet, skrev han i en notisbok fra 1913:

> Takk for i dag
> takk for mine hender har vært friske
> At de har kunnet bøye seg
> at jeg har kunnet gripe ting
> uten å føle den minste smerte
>
> Takk for min gode helse i dag
> for at jeg kunne gå hvor jeg ville
> og bevege armer og hender som jeg ville

Da Vigeland igjen tok fatt for fullt, synes det som om ubendige krefter var frigjort.

241

Steinskulptur og stilskifte

Et tidstypisk trekk var billedhuggernes interesse for en utvidet bruk av forskjellige steinsorter som materiale. Vigeland hadde for det meste benyttet bronse til sine skulpturer, med bare sporadiske innslag av kleberstein og marmor. Mot slutten av året 1909 fremgår det av Vigelands korrespondanse at han nå også ønsket å vurdere andre steinsorter, og bestilte prøver tilsendt fra Danmark. Men først i 1913 kom Vigeland til å virkeliggjøre sine ønsker om å eksperimentere med steinskulptur. Mens han tidligere kunne la én og samme skulptur hugge i marmor eller støpe i bronse, begynte han nå å modellere en serie grupper som bare var beregnet for stein. Innen sommeren 1915 hadde han utført 33 komposisjoner i omtrent samme format; 14 av disse ble hugget i stein.

Vigeland fortsatte stadig å være «modellør». Han formet først i leire, og på grunnlag av gipsavstøpningene ble skulpturene kopiert i stein. Men gipsmodellene til disse såkalte mellomstørrelsegruppene er temmelig summariske; Vigeland ønsket at det skulle stå igjen tilstrekkelig med stein etter at de var grovhugget, slik at han på frihånd kunne utarbeide detaljene når han selv hugget dem ferdig. Han kan muligens ha vært influert av tidens ideal om «direct carving», en fordring om at kunstneren selv skulle være ansvarlig for hele huggingsprosessen. Så langt gikk han aldri, det ville ha vært uforenlig med hans utålmodige gemytt som stadig krevde nyskapende virksomhet; selv Henry Moore, som opprinnelig var blant de ivrigste talsmenn for «direct carving», kom med årene til samme slutning.

Vigeland eksperimenterte med å la gruppene hugge i forskjellige steinsorter, mest kalkstein og sandstein. Om han bare ønsket variasjon, eller om han lette etter én stein han kunne samle seg om, er uvisst. Motivene er sammensatt av eldre idéer og nye komposisjoner. De to tidligste gruppene, modellert våren/sommeren 1913, er KVINNE og ENHJØRNING, tidligere benyttet i et av fontenerelieffene, og MANN OG KVINNE SITTER MED PANNE MOT HVERANDRE, en idé som er foregrepet i en tegning allerede i 1894. Blant nye komposisjoner kan nevnes PIKER I KRETS.

Typiske trekk ved steingruppene er en massiv og tung helhetsvirkning. Figurene er gitt en bred og svulmende form, med avrundede lemmer. Alle detaljer er utslettet, og stilen er ikke lenger naturalistisk; formen er potensert og abstrahert. Stilomslaget kan nok delvis sees som utslag av en ny og jordnær livsfølelse, men har også en klar sammenheng med samtidige tendenser i europeisk kunst. Gjennom de franske, tyske og engelske kunsttidsskriftene han abonnerte på, hadde han rikelig anledning til å holde seg orientert. Han kan vanskelig ha unngått å merke seg illustrasjoner av de

Han mente at norsk kunst i det hele har vært for lite universell, for lokalfarvet. Vi trodde vi gjorde oss sterke ved egenartethet og isolasjon.
Hans Dedekam 1922

I de første arbeider var innholdet, i de følgende var analysen og i stenfigurene var syntesen det primære.
G. V./Henrik Bergh 1923

242

Den kunst jeg helst ser, er den antikke, Donatellos og Michelangelos og Constables. Constable rører ved mitt hjerte, så han får meg til barn igjen. For slik rørte været seg over den lille by hvor jeg er født. Så Dostojevskij og Beethoven. Og selvfølgelig setter jeg mere pris på Eleonora Duse enn på Sarah Bernhard.. Og den kunst jeg helst ikke ser, er den moderne rokokko, det polerte ålemenneske som svømmer i marmor, og som blott mangler elektrisk kolørt lys over seg. Og teknikken: disse detaljer som puffes frem. Disse små smell og knall i formen. Dette hang til spiralavslutning helt fra den store komposisjon og ned og inn til den minste detalj. Jeg ynder det ikke.
G. V./A. Juncker 1903

243

fulle og enkle formene i skulpturer av blant andre Wilhelm Lehmbruck og Ernst Barlach, og i tidsrommet 1912–14 vet vi dessuten at Vigeland skaffet seg fotografier av skulpturer av Aristide Maillol, Antoine Bourdelle og Henri Matisse.

Også Vigeland lot seg engasjere av samtidens interesse for utenom-européisk skulptur, ikke som mange andre av negerkunsten, men av den indiske og østasiatiske. I mai 1913 reiste Vigeland et par dager til Paris for å se en kinesisk utstilling, og han skaffet seg med årene en stor fotosamling av asiatisk kunst.

Vigelands forhold til kubismen, den nye toneangivende retningen fra 1912 og fremover, er av en noe sammensatt karakter. Den tidlige kubismens avvisning av menneskelig tematikk, av følelsesmessig og fortellende innhold, måtte Vigeland med sin faste forankring i romantikk og symbolisme naturlig nok stille seg avvisende overfor. «Kubismens eneste innsats var dens fremheven av det tredimensjonale,» uttalte han i 1922. Og all non-figurativ kunst må ha fortonet seg for ham som fullstendig meningsløs. Men ettersom han fikk en mer intellektuell holdning overfor komposisjon og form, kom bruken av geometriske elementer til å oppta ham. Om «mellomstørrelse-gruppen» SKREMT (1914) sa han senere at han hadde vært «. . . mest opptatt av det geometriske, av den rent formelle komposisjon.» Enkelte fontererelief-fer fra perioden 1912–14 viser Vigelands interesse for anvendt geometri i oppbygning av komposisjonen: TO DANSENDE PIKER danner en rombe, FIRE BARN en stjerneform, et tredje relieff er TO MENN OG EN KVINNE I HJULFORM. Særlig sirkelen, dette symbolladede geometriske tegn, skulle Vigeland komme til å gjøre utstrakt bruk av i sin kunst, mest monumentalt i LIVS-HJULET.

Det har vært diskutert om mellomstørrelsegruppene er å betrakte som forarbeider for de store granittgruppene, som gjentar mange av de samme

241 Fire piker i stjerneform. 1912–14. Bronse. Relieff på fontenen i Vigelandsparken. 56 × 60 cm
242 Kvinne dier enhjørning. 1913. Grå sandstein (cotta). 66 × 21 × 47 cm
243 Mann og kvinne sitter med pannene mot hverandre. 1916. Granitt. 1,60 × 1,40 × 1,06 meter

244

motivene. En plan Vigeland var inne på sommeren 1914 om å utstille de mindre steingruppene rundt om i Europa, tyder imidlertid på at han betraktet dem som en selvstendig serie. Krigsutbruddet satte en strek over planen. En ny idé om et selvstendig «steinmonument» vokste frem, et anselig arkitektonisk trappeanlegg med et større antall skulpturer, som viser likhetspunkter med tegnede utkast til Eidsvollsmonumentet. Gruppene skulle ha store dimensjoner, og han måtte finne en stein som egnet seg for norsk klima. Til fonteneskulpturen Binne med unge (reist i Kragerø 1917) valgte han i 1913 rød granitt; broren Julius utførte huggingen hjemme på gården på Vigeland. Men til den nye store serien bestemte han seg for den lysegrå Iddefjordgranitten.

Et eldre motiv som går igjen både i de større og mindre steingruppene, var Mann med kvinne i fanget, men i vesentlig forandret utforming. Mannen sitter med korslagte ben direkte på plinten; de svulmende kroppene er kompakt samlet innenfor en stor oval (ill. 12).

Vigeland må ha innsett at idéen om det veldige «gråsteinsmonument» ikke lot seg realisere. I stedet knyttet han den nye serien med granittskulpturer i stort format til fonteneanlegget. I alt utførte han i årene fra 1915 til 1936 hele 60 modeller i full størrelse, hvorav han kom til å benytte 36 i den endelige oppstillingen. Enkelte motiver som for eksempel Mann med kvinne i fanget ble helt sjaltet ut; andre som Skremt modellerte han flere ganger før han kunne slå seg til ro med den komposisjonelle løsningen.

245

246

Tresnitt

Samtidig med at Vigeland kastet seg inn i arbeidet med serien av de store granittskulpturene, tok han opp en helt ny kunstnerisk uttrykksform: tidlig på året i 1915 laget han sine første tresnitt. Det kan tenkes at Edvard Munchs omfattende grafikkutstilling i Oslo året i forveien, med 188 numre, har virket som insitament og utfordring, for omtrent samtidig med sine egne tidligste forsøk skriver han:

Alt jeg har sett av tresnitt har vist meg at tresnittet i sitt vesen vel så meget er av plastisk vesen, vel så meget av plastisk natur, som av malerisk. Hittil har malerne liksom tatt patent på tresnittet, men med urette... Ofte velges tre med karakteristiske årer, kvister, sprekker, utenomting, som ikke har det ringeste med selve tresnittet å skaffe.

138

247

244 Julius Vigeland hugger på BINNE og UNGE, ca. 1915.
Rød granitt, reist som fonteneskulptur i Kragerø 1917
245 Henri Matisse: To negresser. Ca. 1908
246 To kvinner danser. 1917. Bronse. Relieff tenkt til
fontenen, men ikke anvendt. 50 × 60 cm
247 Figurer i bevegelse. 1918. Tresnitt. 33 × 19,5 cm

Uttalelsen har tydelig adresse til Munch. Selv viste han ingen tilbøyelighe-
ter til å eksperimentere med trevirket, streken alene dominerer, og han
benyttet aldri annen farge enn sort.

Tresnittene ble til i ledige stunder om kvelden eller under ferieopphold ved
kysten. Med sin treskjærerbakgrunn og med sin tegneferdighet hadde han
det beste grunnlag for å utnytte mediet. Som trevirke benyttet Vigeland
vanlige glatthøvlede brødfjeler av bjørk; disse fjelene var lette å skaffe og
enkle å frakte med seg. Til å begynne med stod Inga Syvertsen for trykkingen,
og hun prøvde seg fram med forskjellige papirtyper. Vigeland hadde ingen
slike interesser og holdt seg i senere år til et tykt, gulaktig papir og et annet,
hvitere.

Vigelands fremgangsmåte var først å tegne på frihånd på fjelen, oftest etter tidligere utførte tegninger. Tegningene kunne være av langt tidligere dato og gjort uten tanke på tresnitt, mens andre er beregnet for nettopp dette formål. Etter at han hadde overført motivet på fjelen med blyant, skar han i langveden. For en som var mindre trenet i å skjære i tre, ville fremgangsmåten ha budt på sterke begrensninger, men Vigeland oppnådde en rekke varierende strekvirkninger og sorthvitt-kontraster, fra det kraftige og grove til det lette og elegante. Skjæringen kunne gå i forrykende fart; skal vi tro en av Vigelands uttalelser til Aars, brukte han for eksempel en halv time på MUNK KJEMPER MED ØGLE. Men det gikk ikke alltid så lett. Det hendte han foretok møysommelige og tidkrevende «rettelser» ved å kutte ut små biter av den allerede utskårne fjelen og nitte inn nye med de ønskede forandringer.

Bare unntagelsesvis kan tresnittene dateres med sikkerhet, og trykkenes antall er ukjent, men i de fleste tilfeller har det neppe vært særlig mange.

I alt utførte Vigeland bortimot 420 motiver; noen er repetisjoner med enkelte forandringer. Han holdt to salgsutstillinger, første gang i 1917 i Kunstnerforbundet i Oslo med 57 trykk, og sist i 1932 i atelieret på Frogner med 131 numre. Her ble de hengende, han ønsket ikke å sende dem «på tourné fra kunsthandler til kunsthandler». Men mange besøkte atelieret, og det forekom salg og bestillinger.

Formspråket i de tidligste trykkene varierer fra rugende tyngde til raffinert letthet i snittet. Brede, sorte linjer tegner opp motivet i MUNK KJEMPER MED ØGLE. En dekorativ flatestil kjennetegner også TRE PIKER, som med den klart beskrivende sorte konturen og få detaljer peker frem mot de senere figurportene i smijern på Monolittplatået i Vigelandsparken.

Motivene varierer. Relativt sjelden, og mest til å begynne med, gjengir Vigeland sine skulpturer. En egen gruppe utgjør tresnitt laget etter tegninger fra dyrehagene i Paris og London i 1900–01; tilsynelatende like lett som han tidligere tegnet, skar han nå ut dyrenes omriss og enkelte karakteriserende trekk i tynne linjer, som i trykket står hvite mot den sorte flaten. LIGGENDE LØVE kan tjene som eksempel på Vigelands raffinerte og sikre linjeføring. Et trykk fra 1918 vitner om Vigelands tekniske ferdighet: 57 ørsmå figurer er fordelt på en sort flate som måler 19,3 × 33 cm; noen danner grupper, andre utfører gymnastiske øvelser og fremstilles i fortløpende bevegelsesmomenter som på en filmstrip. De stadig tilbakevendende «liv- og død»-motivene i Vigelands kunst dukker også opp i tresnittene, og har blant annet fått en barsk, humoristisk utforming i skjelettet som ligger på ryggen og sjonglerer med fire småbarn. Noen få portretter, antagelig fra 1918, er gitt en hard, monumental form, fjernt fra de opprinnelige skulpturbystenes inntrengende og følsomme analyser. Mann og kvinne, barn og modellstudier utgjør andre motivgrupper.

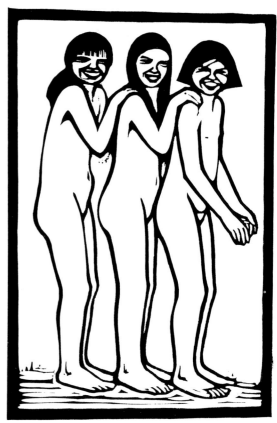

249

Vigeland er idékunstner og som sådan av store dimensjoner, men hans formsprog er lunefullt og springende, svinger mellom stor primitiv kraft og et spekulativt raffinement. I sin grafikk er hans form nærmest litt tørr, det er det idémessige, selve illustrasjonskunsten som er dens sterkeste side.
Pola Gauguin 1932

248

248 Liggende løve. Tresnitt. 10,5 × 19,5 cm. Jfr. tegning ill. 135
249 Tre leende piker. Tresnitt. 30 × 19,5 cm
250 Munk kjemper med øgle. Tresnitt. 35,4 × 21,2 cm
251 Kamp. Tresnitt. 47 × 23 cm

250

251 >

252

253

En streng vinter kom en ulv og satte seg tett utenfor det gamle hus. Bestemor åpnet framdøren, som var skrøpelig nok, tok en staur og gikk ned trappen til skrubben, som hun slo og jaget over bekken, forbi kvernhuset og oppover haugen. Men da den kom til lia, vendte den seg og viste tenner.
G. V. 1939

255

254

Fra 1920-årene og utover dominerer landskapet, med eller uten dyr og mennesker. Da Vigeland i 1922 begynte å feriere om sommeren i sin barndoms trakter, utgjorde trefjelene en fast del av bagasjen. Da han bygde hus på Breime i nærheten av familiegården, fikk han innredet et arbeidsværelse med utsikt mot det åpne havet. Den barske og værbitte kystnaturen ble hans inspirasjonskilde. I landskapsmotivene forlot han flatestilen og benyttet dybde og perspektiv, og det maleriske spillet i kontrastene mellom svart og hvitt ble mer variert.

Vigeland studerte skyformasjonene på himmelen og havet som bryter mot klippene. Ett av motivene (ill. 258) kan i bølgenes formasjoner og de rullende skumsprøyt-toppene minne om japanske tresnitt, men dynamikken og kraften i totalvirkningen er typisk vigelandsk. Med variert linjespill tolker han

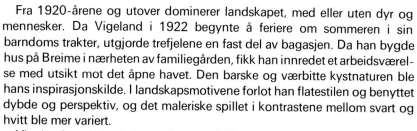

256

For Vigelands fantasi glir landskapets former, det almindelige liv, den sommerlige idyll, inn i en stor sammenheng mellom natur og mennesker... Og kraften og sansen for det umåtelige gjør at man drar kjensel på Vigeland. Den tegner hans eiendommelige fysiognomi også i hans grafiske verk for ens øyne, gjør det til et forunderlig levende menneskelig dokument som så meget annet av det han tar i... Sort-hvittkunstens koloritt, teknikkens muligheter for malerisk virkning, alt dette som kan friste maleren i grafikken og tresnittet, det interesserer ikke Vigeland.
Johan Langaard 1932

252 Gutt vokter sauer. Tresnitt. 16,4 × 31,2 cm
253 Gammel kvinne jager ulv. Tresnitt. 16 × 32,2 cm
254 Kvinne foran jordgamme. Tresnitt. 16 × 31,8 cm
255 Pike plukker blomster. Tresnitt. 31,7 × 16 cm
256 Pike i forblåst gammel furu. Tresnitt. 32 × 16 cm
257 Mann og kvinne. Aften. Tresnitt. 15,8 × 29 cm
258 Bølger slår mot klipper. Tresnitt. 19 × 37 cm
259 Ridende kvinne og to menn. Tresnitt. 17,3 × 33,5 cm

257

258

259

også fjellets struktur: det flate svaberget til høyre og de eruptive steinartene i den bratte klippen til venstre.

Et furutre ved havet er gjengitt med dramatisk realisme (ill. 2). En stadig vind har sørget for at treet vokser horisontalt; de krokete røttene strekker seg ut i bredden, kryper over og under hverandre og klorer seg fast til det skrinne jordsmonnet. Det stormfylte inntrykket er videre formidlet ved store skyer som driver over himmelen – kontrasten mellom det svarte og hvite gir inntrykk av et blendlys som kastes inn over treet. Snittet er minutiøst utført, som om det skulle ha vært en radernål og ikke kniv og huljern han hadde benyttet i det mangslungne linjespillet.

Landskapet befolkes, og som vanlig hos Vigeland med nakne mennesker. I sin harde og knappe form maner han frem en urtidsbefolkning i nær kontakt

143

260

261

260 To gutter bærer fisk. Tresnitt. 17,3 × 33,3 cm
261 Tre løpende hester. Tresnitt. 16,6 × 31,5 cm
262 Henrik Ibsen. Tresnitt. 15,2 × 16,5 cm
263 Skjelett sjonglerer med genier. Tresnitt. 25 × 12,5 cm
264 Seks menn rundt en kvinne. Tresnitt. Diameter 12,5 cm
265 Sinnssyk kvinne på skjær. Tresnitt. 16 × 31,2 cm
266 Mennesker går. Tresnitt. 11,5 × 15 cm

med dyr og natur. Disse menneskenes primitive jordnærhet har litterære paralleller i Johannes V. Jensens «Breen» og Knut Hamsuns «Markens grøde». De holder til i jordgammer og enkle hytter, steller sine dyr, henter fisken opp av havet. De leker, elsker, drømmer og slåss. Ett av tresnittene skildrer en vill kampscene: Angripere kommer i båter og klatrer skrått oppover steile fjellet, mens forsvarerne på toppen lar steiner hagle ned over dem. Med enkle midler får Vigeland frem mennenes muskuløse kropper, deres krigerske gester og brutaliteten i kampen. Men tresnittene rommer også fredelige innslag, særlig der hvor barna er med, og i en måneskinnsstemning med en mann og en kvinne som står og ser ut over havet, hersker ro og harmoni.

Bare få motiver refererer seg til direkte personlige opplevelser. Blant disse finnes en kvinne i fillet kjole som står ute ved havet; en sommergjest på Breime har skrevet om hvordan de oppdaget henne en dag de alle var ute på båttur:

Så får vi plutselig se en sinnssyk pike. For oss så hun ut som en 40 år, hun sto oppmed en bergvegg og gjorde de underligste dansetrinn, strakte armene opp og beveget seg som i takt med usynlig musikk, og rett som det var lo hun. Vi ble så brått revet ut av stemningen. Flere kvelder efter, da Vigeland, Ingerid og jeg satt alene i

262

263

265

266

264

stuen, sier han plutselig: «Jeg vet ikke om dere føler som jeg, men jeg syntes det var ikke langt spranget over til henne».

Hun holder hendene knuget mot brystet. De spisse, taggete steinene står opp av vannet som et akkompagnement til hennes forvillede sinn, eller kanskje snarere til den angst Vigeland selv følte.

Surrealistisk i sin virkning er et ganske lite tresnitt med mange figurer som alle går i hver sin retning uten kontakt med hverandre, unntatt kvinnen med barna til høyre. Det grovkuttede «rommet» er uklart definert, vi vet ikke sikkert om de alle er på vei ut av det, eller om de går hvileløst omkring innenfor usynlige grenser.

Fantasimotiver og symbolske motiver kommer hele tiden igjen, fra de tidlige menneske- og øglefremstillingene til et av de senest utførte – en sirkel med en kvinne i sentrum og menn som roterer rundt henne, evig og alltid magnetisk tiltrukket.

Selv om formspråket varierer, er det oftest hardt og nøkternt. Den kraftige linjevirkningen er det vesentligste. Som alt han fikk mellom hendene, preget han også tresnittene med sin sterke og dynamiske personlighet, sin iakttagelsesevne og frodige fantasi.

145

267   269

268

270

Kvinnen er alltid lenger innpå oss enn vi tror.
G. V. 1901

Hun var en ganske eiendommelig kvinne, lyskrøllet og med
rolige, varme blå øyne og meget klok. Det var noe harmonisk
og sindig over hele hennes opptreden, og hun hadde en
makeløs evne til å omgåes Vigeland. Jeg tror ingen har
forstått ham bedre enn henne. Og hun har betydd overordent-
lig meget for ham... Foruten til alt husarbeide brukte han
også Inga til å hjelpe til i atelieret. Han hadde lært henne opp
til å lage jernstativene for byster, og hun har gjort mange, bl.a.
for min. Og så slo hun leire på så det ble til en passende
hodeklump.
Harald Aars 1928

Personlige forhold –
samliv og ekteskap

Etter at Vigeland kom hjem fra utlandet i oktober 1901, begynte hans liv å
flyte i et roligere leie. Det skyldtes ikke minst den unge piken som han snart
flyttet sammen med. Inga Syvertsen var bare 16 år gammel da Vigeland traff
henne i februar 1900 og bad henne sitte modell for et portrett. Hun kom fra
enkle kår og arbeidet som bud i Kristiania Viserguttkontor; det holdt til i
samme gård i Pilestredet der Vigeland hadde atelier. Hans heftige forelskelse
medførte nok at skilsmissen fra Laura forløp mer dramatisk enn den vel ellers
ville ha gjort. Men de opprivende opplevelsene kom etter hvert mer på
avstand, og Vigeland kastet seg med voldsom energi inn i den ene store
oppgaven etter den andre. Inga støttet ham helt og fullt, og gikk selvutslet-
tende opp i hans arbeid. Vigeland ble hennes gud, hans arbeid var hellig.
Offisielt var hun hans husholderske, og kaltes gjerne bare for «frøken». Men
foruten å stelle hans hus stod hun modell og hjalp til i atelieret. Der renset hun
leire og la opp jernskjeletter til mindre skulpturer. Vigeland lærte henne å
støpe i gips, og inntil hans økonomi ble bedre og han kunne holde seg med
profesjonell gipsstøper, utførte Inga mye av dette arbeidet, fra byster til hele
Nordraak-statuen.

Omhyggelig tok hun vare på alle tegningene hans, og for øvrig på alle
papirer som hadde med Vigeland å gjøre, like til kolonial- og kullregninger.
Særlig verdifulle for ettertiden er hennes nøyaktige opptegnelser over
skulpturenes kronologi, som hun omhyggelig førte inn i protokoller, og likeså
hennes store samling fotografier av hans arbeider. Gjennom hennes opptak
kjenner vi blant annet flere skulpturer som ikke lenger eksisterer, og vi kan

271

267 Inga Syvertsen. 1907. Gips. 40,5 × 35 × 22 cm
268 Inga i atelierdøren på Hammersborg, ca. 1904
269 Inga sitter modell. 1902. Blyant. 22,3 × 13,5 cm
270 Vigeland og Inga Syvertsen, 25. mai 1902
271 Inga leser avisen. Penn. 21,7 × 14 cm

følge Vigelands arbeid med Abel-monumentet gjennom de forskjellige stadier.

Inga var til det ytterste nøysom og sparsommelig, og det var hun som i de første vanskelige årene strevde med å få endene til å møtes og holdt orden på Vigelands økonomi. Hun har fortalt at hun nesten daglig pleide å utstyre Vigeland med en fast sum til kaffe, sigar og drikkepenger til kelneren når han gikk til «Logen» eller «Engebret» for å lese de utlagte norske og utenlandske avisene.

Vigeland deltok aldri særlig aktivt i bohemlivet, og nå ble det så godt som slutt. Det hendte nok at han gikk ut en kveld, og at Inga forarget noterte: «Vigeland syk av drikk», men det skjedde visstnok ikke ofte. Begge trivdes best med å arbeide. Men det hendte at de av og til reiste sammen. Sommeren 1905 gikk Vigeland fottur i Jotunheimen, og året etter tok han med seg Inga. I 1907 drog de til Paris, og senere flere ganger til Danmark.

Vigeland har foreviget Inga Syvertsen i et portrett fra 1907. Lange hengekrøller innrammer et rolig ansikt med høy panne og tenksomt blikk; alvor og ynde er smeltet sammen. Vi kjenner trekkene hennes igjen i KVINNETORSO og flere andre skulpturer.

Samlivet varte i 20 år. Da synes hans erotiske sidesprang og forviklinger å ha ført til så mye bitterhet og kamp dem imellom at et brudd ikke var til å unngå. De hadde aldri inngått ekteskap, ifølge Inga fordi hun ikke trodde forholdet ville vare. Det forhindret ikke at oppgjøret ble smertefullt og sårende. Etter hans død fikk hun en liten pensjon av Oslo kommune som en påskjønnelse for sin innsats. Hun glemte ham aldri. I trygdeleiligheten på Manglerud, hvor hun tilbrakte sine siste år, var veggene dekket med innrammede fotografier og avisutklipp av Vigeland selv og hans kunst. På Vestre Gravlund står en liten urne med tre småpiker som lener seg lyttende tett inntil den; Vigeland hadde laget den for en av Ingas søstre som døde ganske ung, og her ble også Inga begravet i 1968.

Tidlig på året 1921, omtrent på samme tid som det endelige bruddet med Inga, kom en ny ung kvinne inn i Vigelands liv. Han søkte en modell med vakre hender, og en av hans hjelpere introduserte ham for Ingerid Vilberg. Hun var bare 18 år gammel, kom fra Jessheim hvor faren drev et lite mekanisk verksted, og hadde kontorpost i Oslo. Samme år modellerte han hennes portrett. Formene er ungdommelig fulle og glatte, øynene har tunge lokk som gjør blikket noe trett og sløret, munnen er fyldig sensuell. Hodet er lett tilbakelenet, og de rolige, avrundede trekkene utstråler harmoni og en drømmende stillhet.

Vigeland var igjen dypt betatt. Hvilke sjanser hadde vel den unge, følsomme piken til å stå imot hans intensitet og sterke vilje? I november 1921 tilbød han henne ekteskap. Hun var klok nok til å nære frykt for fremtiden, men han overvant hennes betenkeligheter. Den 28. januar 1922 giftet de seg hos byfogden. Selv ikke denne dagen lot Vigeland arbeidet ligge; en skisse med tre kjempende menn er påført samme dato. Kort etter noterer Aars:

Han er lykkelig over å være gift. «Ekteskapet er det eneste – alt det annet er ingenting, ingenting, – hva er det for noe?» Og han viste meg flere fotografier av henne.

I nærmere 15 år levde de godt sammen, selv om det kunne by på vanskeligheter for henne å underordne seg hans strenge vilje. Han voktet over henne som øglen rundt piken ute i skulpturparken (ill. 387), hans sjalusi var grenseløs.

Inga hadde vært aktiv, sterk og dynamisk, et arbeidsjern. Ingerid var hennes diametrale motsetning – stillferdig, innadvendt, noe melankolsk av legning. Men om hun hadde et noe fjernt forhold til hans arbeid, kunne de møtes i felles interesser for litteratur og musikk. De leste høyt for hverandre, sagaene, Cervantes, Molière, H. C. Andersen, og de spilte plater. Vigeland foretrakk visstnok Beethoven, som han følte seg mest beslektet med, og Mozart; til Dedekam sa han

272

273

272 Mann og kvinne går forbi hverandre. Leire. 21,5 × 14 × 11 cm
273 Tre kjempende menn. 1922. Leire. 22,2 × 15 × 12 cm
274 Ingerid Vigeland
275 Ingerid Vigeland. 1921. Gips. 41 × 39 × 26,8 cm

148

Det verdifulleste, det avgjørende ved en kvinne er *karakteren*. Det er den eneste faste grunn et ekteskap kan bygges på. Kvinnens beste egenskap er huslighet. Han tenkte best om de kvinner han kun så nesetippen av, fordi de stadig hadde det travelt med sin huslige gjerning. Blåstrømper brød han seg ikke om. Allerminst kvinner som selv modellerte.
Hans Dedekam 1921

Han mener fullt og fast at erotikk er en form for galskap.
Harald Aars 1921

274

275

at han forestilte seg at Gud oppe i himmelen hadde lekt med en flokk små engler og herunder kommet til å miste en av dem så han falt ned på jorden. Det var Mozart. Han beveget seg i sin musikk så yndefullt, lekende og lett som englebarn på blomsterkalker.

Nytt i ekteskapet med Ingerid var Vigelands interesse for innredningen av hjemmet. Tidligere hadde han overlatt slikt til Inga, som fylte opp med blomsterpotter og møbler, temmelig tett. I 1902 hadde Vigeland flyttet fra Pilestredet 8 til Fredensborgveien 1 B (nå Schandorffsgate 4) like ved atelieret på Hammersborg. Fra 1906 bodde han i annen etasje i et hus i Maridalsveien 17, inntil han i 1924 installerte seg for godt sammen med Ingerid i den rommelige leiligheten på toppen av atelier- og museumsbygningen på Frogner. Atskillige møbler ble utført etter hans tegninger, likeså lamper, lysestaker og en klokke i smijern. På rutet millimeterpapir tegnet og fargela han mønstre til duker og puter som hans unge kone sydde, broderte og vevde. Og til veggene i de to stuene tegnet han pasteller, i den ene stuen en serie med nakne figurer på blå bunn, i den andre sørlandsmotiver med hav og furutrær. Selv oppholdt han seg helst i biblioteket, hvor bøker dekket veggene fra gulv til tak, og med vinduer som vendte ut mot det fredelige indre gårdsrommet.

276

278

Etter at han giftet seg, tok Vigeland seg tid til å feriere i flere måneder hver sommer og leide forskjellige hus ute ved kysten i nærheten av Vigeland, før han fikk sitt eget «Breime» i 1928. Til dette huset tegnet han nesten alle møblene i en egenartet kraftig og nøktern stil. Her ute mellom skog og hav levde ekteparet friere enn hjemme, gjester kom på besøk, og fra midten av 1930-årene tok de med seg et «feriebarn» som de var kommet i kontakt med gjennom en annonse i avisen. Vigeland gledet seg over det uforpliktede samværet med Kari, som var 5 år første sommeren hun kom til dem.

Omkring 1937 synes ekteskapet å ha slått dype sprekker. Vigeland følte seg undertiden deprimert, og hans irritasjon og mistenksomhet vokste til nye høyder. Det endelige bruddet kom likevel først sommeren 1940. Nok en gang hadde han forelsket seg i en ung pike. Hun var fra hjemstedet, og stelte i huset hos dem. Vigeland og Ingerid ble separert.

279

277

Kun en forsvinnende del av livet er belyst av den menneskelige bevissthet.
Gid jeg var verd denne vakre sommer.
Gid jeg sto på høyden og var verd den minste ting.
Gid jeg var verd livet.
G. V. 1926

276 Vigelands sommerhus, bygd 1928, Breime, Sør-Audnedal
277 Gustav og Ingerid Vigeland på Breime
278 Breime, utsikt mot havet
279 Gustav Vigeland med «feriebarnet» Kari
280 Vigeland ved siden av selvportrett fra 1904. Portrettet ble revet ned igjen
281 Vigeland i Telemark sommeren 1917

280

Det personlige bud fra en ånd som jeg får når De skriver et brev som det jeg sist fikk fra Dem, skal jeg aldri glemme. Det følger meg. Fra jeg traff Dem og til det siste brev er De én eneste én. På en måte som få eller ingen. Men lykkelig er De ikke.
Bjørnson/G. V. 1903

Det blir slikt vær i stuen efter Deres brev; for De er i regelen så velgjørende sint.
Bjørnson/G. V. 1904

«De brenner Dem opp innvortes,» sa Bjørnstjerne Bjørnson til meg.
G. V. 1932

De ulykker som hadde rammet ham i hans liv, hadde alltid vært til hans eget beste – han var vokset på dem. Han trodde på en høyere styrelse i alt.
Hans Dedekam 1921

Vigelands paniske redsel for basiller, sykdom og død er jo uttrykk for engstelse for ikke å få utrettet alt han skal her i livet, men den gir seg jo av og til nokså komiske utslag. Som det at han aldri vil reise med sporvogn, kun ytterst nødig telefonere osv.
Harald Aars 1927

I Vigelands underbevissthet lå det noe som sa ham at han hadde levet en gang før, nemlig i det gamle Egypt. Man skulle ikke gjøre narr av troen på sjelevandring. Han syntes bedre om sin forrige tilværelse.
Hans Dedekam 1922

Han likte ikke å bli fotografert, jeg er så stygg, brukte han å si.
Inga Syvertsen 1917

Karakteristiske trekk

De få som kom til å stå Vigeland nær, har alle fremhevet de store svingningene i hans sinn og de ekstreme utslag av hans temperament. Vigelands første hustru omtaler i et brev fra 1900 både hans godhet og brutalitet. Inga Syvertsen sier i et intervju: «Hans følelser beveget seg fra det absolutt svarte til det helt lyse. Han kjente ikke mellomstadiene.» Ingerid Vigeland føyer en nyanse til portrettet når hun uttaler: «Dessverre hersker den oppfatning at Gustav Vigeland var hard og barsk. Men grunntonen i hans vesen var mildhet. Det barske vesenet hadde han lagt seg til for å dekke sin altfor store følsomhet.» Vakkert og forståelsesfullt sagt av en kvinne som i høy grad hadde fått føle også hans hardhet.

Veien fra tillit til mistenksomhet, fra vennlighet til motvilje og flammende hat kunne være kort. Det gjaldt så vel i kjærlighet som i vennskap. Ingen har vel kanskje analysert disse trekkene så godt som Harald Aars, selv en av de mange forstøtte venner, som likevel aldri opphørte å interessere seg for Vigeland, selv etter bruddet i 1922. Med en blanding av bitterhet og forståelse skriver han:

... han var i høyeste grad ensidig i sin dom over sine medmennesker. Så lenge han hadde bruk for dem, så lenge de kunne hjelpe ham til å fremme hans planer, så lenge de ikke på noen måte krysset hans kunstneriske eller erotiske interesser, var han elskverdigheten selv, ja ofte rørende snill og gavmild og trodde bare godt om dem. Han hadde et stort og varmt hjerte. Men det skulle ikke meget til før han slo om til motsatte ytterlighet ... Da kunne han være meget brutal, og da skydde han ingen midler. Da så han rødt ... Før eller senere gikk det galt med alle som ikke underkastet seg blindt. Og sånn måtte det være, skulle han nå sitt mål.

281

< 282

283

I går kom Vigeland plutselig herut, og i *ni timer* (med fradrag av måltidene) satt han i den samme stolen og snakket ustanselig og rasende, mest om Thiis og komitéen og erkefienden Christian Krohg ... Når Vigeland taler, bruker han mange bilder, som alltid er treffende og klare. Man merker han er ensom og hoper opp stoff. Jeg tror hans isolasjon mere er et gjemsel – for han er blyg – enn en fornødenhet. Han leser alt og følger med i alle aviser, men når han har talt seg het og hissig, ender han alltid med å si: Men hva raker det meg?
Nini Roll Anker/Eugenia Kielland 1916

282 Vigeland 1903.
283 Vigeland hos Johan Anker i Asker, våren 1916
284 Vigeland utenfor Akershus festning, mars 1926

284

Hans Lødrup, som var den første til å skrive en omfattende monografi om Vigeland og også hadde personlig kontakt med ham, er trolig inne på et vesentlig punkt når han fremhever fantasien som en sentral og dominerende egenskap:

Det usammenhengende får sammenheng, det tilsynelatende selvmotsigende koordineres når man vet at mange av Vigelands reaksjoner ikke skjedde på basis av en objektiv bedømmelse av virkeligheten, men ut fra det bilde av virkeligheten som hans fantasi jaget opp i ham.

Vigeland sier for så vidt det samme, skjønt tilhyllet poetisk:

Jeg er jo en forferdelig forstørrer, jeg kunne bli sinnssyk. Jeg kan sprette meg selv til månen, og da glemmer jeg aldeles at det finnes noen jord.

Vigelands tilknappede, strenge ytre fortalte lite om hva som foregikk i hans indre. Sin person holdt han helst i bakgrunnen og skydde all offentlighet. Derimot hadde han en spesiell evne til å inspirere andre til å fremme sine planer. Han eide en glimrende formulerende evne, skriftlig og kanskje i enda sterkere grad muntlig. Aars forteller:

Han brukte gjerne drastiske bilder. Hans replikker falt som pistolskudd, og lynrapt gav han dem ferdig form. Han meislet sine ord.

Og hos Dedekam heter det:

Når Vigeland taler om ting som interesserer ham, blir hans ord dikterisk inspirerte – hans fantasi kommer i bevegelse, og bilde avløser bilde.

Ifølge enkeltes uttalelser synes Vigeland å ha vært i besittelse ikke bare av en sterk personlighet, men også av en nærmest hypnotiserende utstråling. Slik uttrykker Hans Lødrup det:

Den åndskraft som emanerte fra ham, virket nesten overveldende, man følte geniet, overmennesket, uten at han i noen henseende oppførte seg aparte. Den kom innenfra denne kraft, den var som en aura om hans person, den lå som en tryllering om ham og gav ham en selsom makt over menneskene.

Aars gir uttrykk for det samme med færre ord:

Jeg har aldri møtt et menneske med en så ubendig vilje. Han suggererte sine omgivelser fullstendig.

Fotografier av Vigeland forteller klart og tydelig om et selvbevisst og selvhevdende menneske. At han også kunne se de mørke sider i seg, kommer et par ganger til uttrykk i notisbøkene som når han skriver i Paris i 1893:

Jeg er ond. Jeg må være det. Jeg vil ikke avlegge det gamle menneske. Kun for jeg hater så intenst, derfor gjør jeg hva jeg gjør.

Og i 1933 undret han seg over hva «... Gud vil meg her, hva det er hos meg Gud tåler ... Kanskje det Gud tåler bare er min skygge». Andre utsagn vitner om en iboende lidelse og pessimisme, personlig og universell; han ville gjerne vært som andre og kunnet «fange gleden», men trøstet seg med at «Hva han tapte som menneske, kom alt sammen hans kunst til gode».

Han stilte seg totalt fremmed for en positivistisk livsanskuelse:

Jeg tror nemlig ikke på utviklingslæren; man går ikke fremover. Jeg synes man kunne tilstå det. Jo visst: vi blir spesialister, blir mindre og mindre, vinner ett og annet, men hva taper vi vel ikke? Taper av storhet. Selvfølgelig finner man mere og mere ut – men hovedsaken, mennesket, det står som før, er like lavt som før, fullt av svik og bedrag som før. Nei, m.h.t. utvikling av den rent menneskelige karakter så tror jeg slett ikke på det. Alt, som jernbaner, elevatorer, dampmaskiner, dynamitt, hvor er det ikke «nyttig» alt sammen. Men hva hjelper det det stakkars hjerte vi går med? Det er like sårt, like tungt. Og så skal alle disse oppfinnelser være skritt henimot en «lykkeligere» tilværelse. Takk.

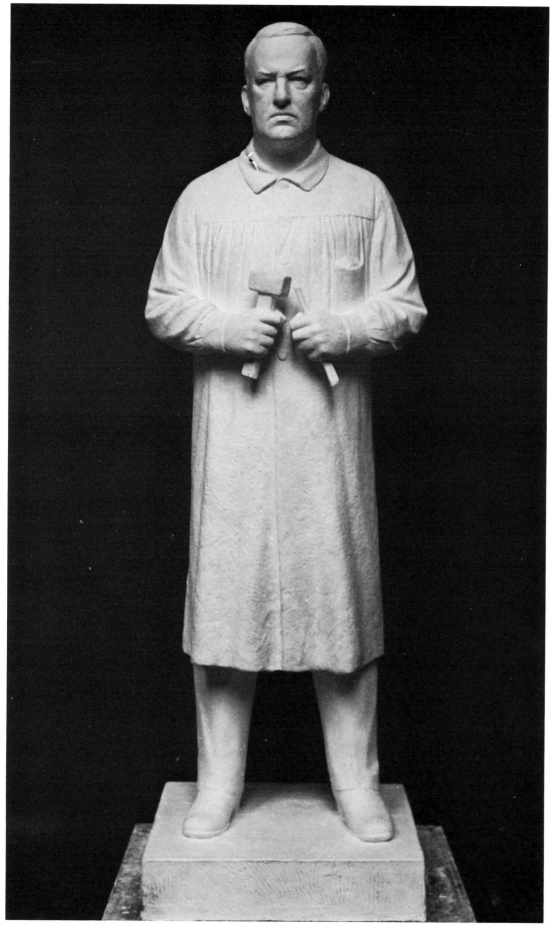

285 Selvportrett, statue. 1942.
     Gips. 186 × 60 × 60 cm
286 Kvinne sitter på et dyre-
     lignende tre. 1905.
     21,5 × 14,5 cm

Vigelandsparken

Det er et sterkt ord dette «forstå». Jeg for min part forstår jo ikke meg selv, det nærmeste, det jeg har under hender. Og jeg har aldri forstått noe menneske helt. Er kunstverket lettere å forstå? Til tross for forenkling og syntese er det som ethvert verk verger seg mot å bli forstått, og skjønt kunstverket utfolder seg i tilståelser og bekjennelser, blir det i «kjernen uutgrunnelig, og er kun til å ane, å føle; det står der mens masser av mennesker vrimler forbi det og ser det hver på sin måte århundrer nedigjennom; istedenfor å gå inn mot kunstverkets kjerne blir verket mer som en skovl der kaster oss tilbake så man strøes utover som korn hver til sin kant. Enhver skaper sitt eget kunstverk på impulser objektet gir...

G. V./A. Butenschön 1918

Historien om en fontene

I forrige århundres Kristiania fantes bare noen få masseproduserte støpe-jernsfontener, og det var derfor rimelig grunn for billedhuggere til å håpe at byen før eller siden ville ønske å reise en fontene med original kunstnerisk utsmykning. Vigelands notisbøker fra 1890-årene inneholder atskillige fonteneutkast, særlig under og etter oppholdet i Firenze. Han valgte å konsentrere seg om et i og for seg lite originalt motiv med figurer som løfter et kar med vann. En tegning fra 2. august 1897 viser som bærende elementer to spinkle figurer. Men da de to er en mann og en kvinne, kan vannet tenkes å ha

287 288

en symbolsk funksjon som bilde på fruktbarheten, slik man har gjort seg forestillinger om vannet fra uminnelige tider. Ett år senere skiftet han ut mannen og kvinnen med en gruppe på seks menn som bærer karet, og denne idéen fastholdt han i et plastisk utkast fra 1900. Vigeland tilbød deretter Kristiania kommune å utføre fontenegruppen i naturlig størrelse til for eksempel Grev Wedels plass, hvor det allerede fantes et granittbasseng. Uten særlig håp om bestilling reiste han til Frankrike. Her ble han underrettet av venner hjemme om at kommunen snarere ønsket en større fontene til en mer sentral plass i byen, nærmere bestemt Eidsvolls plass vis á vis Stortinget. «Og man spør,» rapporterer Larpent i brev 31. januar 1900: «Kunne de seks menn som løfter skålen, ikke danne toppunktet, eller sentralgruppen, i et større anlegg?» Vigeland grep raskt idéen, og svarte allerede 5. januar 1901:

På bassengets rand skal stilles 16 urner i bronse, 3 alen høye, og hver med sin særegne selvstendige figurfremstilling.... Det blir da som alle Kristianias statuer til sammen, ja mer.

I de følgende ukene tegnet Vigeland en rekke utkast til fonteneskulpturene, men allerede i begynnelsen av februar fikk han vite at noen større fontene likevel ikke var aktuelt. Temmelig nedslått utbrøt han:

En rar fontene. Den svulmer opp og kan trekke seg sammen. En dag imponerende, en annen dag ikke så imponerende. Den trekker seg vel sammen til intet, til slutt... Blott ikke skissen, med gipsmassen mellom figurene, blir stående som den eneste seksmannsfontene, liten i gips, som en svak røst i en vid ørken, ropende etter sin store bror.

Vigelands bange anelser slo til. I begynnelsen av mai 1901 mottok han kommunens avslag på tilbudet om å utføre fontenen med de seks mennene

289

156

Med dette verk utförd på den plats, för hvilken det är ämnadt... skulle Kristiania blifva en annan stad än den nu är, på en gång höjas från konstnärligt fattigdom och trivialitet – ty vad man nu möter på dess offentliga platser är mest fattigdomsbevis på piedestal – till en undantagsställning bland Europas städer. Jag har sett det meste som Europa har att bjuda på af monumental stadsutsmykning, men jag måste gå tilbake till det gamle Rom för att finna en motsvarighet i grandios anläggning och stor konstnärlig konception till denne Vigelandska fontän.
Tor Hedberg 1906

287 Fontene. 1901. Penn. 13,5 × 23,5 cm
288 Modell til fontene. 1905–06. Gips. Bredde 4 meter
289 Fontene. 1897. Blyant. 21,5 × 17 cm

som bærer fatet. Men saken skulle ikke uten videre bli begravet i de kommunale arkiver. I Paris hadde Vigeland møtt forfatteren Gunnar Heiberg, som etter å ha sett Vigelands tegninger og hørt ham fremlegge sine planer, skrev en begeistret artikkel til «Verdens Gang» under den klingende tittel «Staden med Fontenen»; den avsluttet med en flammende appell:

Det var noe for de Kristianiaborgere som har ærgjerrighet på sin bys vegne og som vil gjøre en storby og en stor by ut av den, om den dag skulle komme da Norges hovedstad over den vide verden kaltes staden med fontenen!

Hos Vigeland selv kan vi snart registrere en ny, kjempende holdning. Den 27. juli 1901 skrev han i et brev:

...det er min akt, om fred sikres meg, at jeg vil, selv på egen bekostning, lage den store fontenen med de 16 urner, det kan De være trygg for. En urne av gangen, en figur av de store av gangen. Jeg skal nok klare det arbeide, og om ikke så svært lang tid.

Og noe senere heter det:

Fastere overbevist om at det arbeide blir mitt livs hovedarbeide, har jeg ikke vært.

Han tenkte allerede på hvordan han skulle klare å utføre midtgruppens bærende giganter:

Urnene kan jeg alltid lage i mitt atelier i Pilestredet, men figurene, de store, ikke. Jeg tør ikke stå med en slik koloss der oppe i 4de etasje. Den går gjennom gulvet med sin tyngde... Men ennu har jeg ikke sett at et arbeide jeg har satt meg i hodet for å gjøre, ikke er blitt til.

I Frankrike hadde Vigeland god anledning til å studere fontener. Han hadde ikke mye til overs for de moderne, «... med nymfer helt nedpå fortauet, og en fet Neptun under rokokkomusling-paraplyen . . .» «Hvorfor,» spør han seg, «aldri en enkel, liketil, ukunstlet fontene, uten vredne profiler, fiskehaler, padder, muslinger og delfiner.» Heller ikke likte han «. . . vann, levende, rennende vann, som skjærer arkitektoniske linjer.» Derimot ser det ut som et av barokkens store parkanlegg gav ham idéer: I hans fotosamling finnes 50–60 prospektkort fra parken i Versailles; de ble sannsynligvis kjøpt nå. Han har åpenbart studert bassengene, skulpturene og ikke minst de store urnene og deres figurrelieffer med interesse. Tidligere hadde han tegnet sitt fontenebasseng rundt, svakt ovalt eller åttekantet; nå fikk det en ut- og innsvunget grunnform av barokk karakter, samtidig som perspektivskissene av den store fontenen fra januar 1901 fikk noe av de samme voldsomme dimensjonene som vannbassengene ute i Versailles.

Plasseringen av skulptur på bassengkarmene kjente Vigeland fra italienske fontener, og han møtte nye eksempler i Versailles. Særlig betydning fikk kanskje urnene ved bassengene eller omkring i parken, urner med hoder av satyrer og fauner, ranker av eføy og vinblad eller hele figurer som beveger seg rundt urnelegemet. Men det lå Vigeland fjernt å lage skulptur blott til pynt. Urne-tegningene viser at han ønsket å skape noe ut fra seg selv, uttrykke egne tanker og personlige opplevelser. Når han lar en sverm av småbarn omkranse urnen, er ikke utgangspunktet barokkens dekorative og yndefulle puttier, men en forestilling om livets iboende fruktbarhet. Og paret som faller med hodene ned langs urnen, gjenspeiler tydeligvis hans sinnsstemning på denne tiden under forhandlingene om skilsmisse fra Laura og alt dette førte med seg. Bemerkelsesverdig er det likevel hvordan han bruker selv de dystreste opplevelser. Både denne og andre tegninger leder tanken mot relieffet HELVETE fra 1890-årene, og Vigeland minnet selv om dette verket da han skrev om de tidligste urneutkastene: «Disse figurer, som nærmest blir å ligne med «Helvetes», gleder meg meget.»

Etter å ha modellert to urner i 1902 stoppet han av ukjente grunner arbeidet med dem. De delvis sterkt bevegede og fritt formede figurene kan ha vist seg vanskelig å komponere sammen med urnene, som av hensyn til den monumentale helheten måtte formes likt. Kanskje manglet han ganske enkelt

290

290 Urne til fontenen. 1901. Penn. 15,5 × 20 cm
291 Pan. 1901. Penn og lavering. 20 × 15,5 cm
292 Barn sitter i et tre. 1903. Penn. 22 × 14 cm
293 Skisse til tregruppe på fontenen. 1905. Bronse. Høyde 48 cm

291

292

293 >

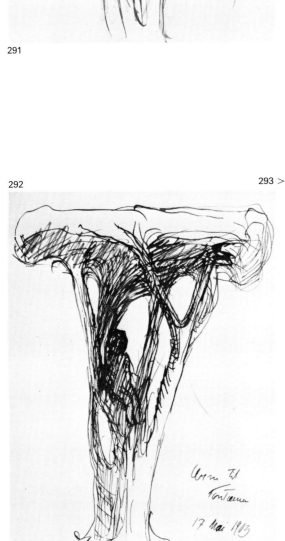

gulvplass og leire. Dessuten opptok nå andre oppgaver hans tid. Men fontenen var ikke glemt. Fra mai 1903 finnes en serie tegninger til karmgruppene, som viser at urnen har gjennomgått en metamorfose og antatt form av et tre. Dette var av flere grunner et lykkelig grep. Bedre enn urnen harmonerte treet med sentralgruppen; den flate, brede kronen korresponderer med fatet, og de avsmalnende grenene med mennene som bærer. Treets åpne komposisjon gav figurene friere og mer varierte bevegelsesmuligheter. Dessuten kunne treet gis en meningsfylt symbolfunksjon som «livets tre».

294

Sammensetningen av figur og tre var ikke ny i Vigelands kunst. Den finnes i statuetter fra 1892 og 1900, hvor treet symboliserer destruktive krefter (ill. 55, 116). Men også tidligere hadde han vært inne på å benytte treet som fontene; fra 1897 finnes en serie tegninger til YGGDRASILS ASK, et lavt og bredt tre med lange, tungt nedbøyde grener midt i et basseng. Omkring valkyrjene og Frøya inne i treet satt æsene, Odin og flere av de andre norrøne guder og skikkelser, Fenrisulven var med, og Midgardsormen lå kveilet rundt bassengkarmen «. . . med hodet ned til vannet og selv siklende vann. Mellom Yggdrasils røtter rant og piplet vannet frem på mange steder og ned i bassenget.» Vigeland har neppe trodd at denne norrøne fontenefantasien lot seg realisere, og må vel ha vært enig med Larpent, som så tegningen og erklærte at dette ikke var noe plastisk motiv.

Flere eksempler kunne nevnes på Vigelands forening av figurer og trær. Men første gang han er inne på muligheten av å omskape fonteneurnen til et tre, er i en tegning datert 11. august 1901 med skogguden Pan, hvor urnen er splittet opp i langstrakte grener som omgir skikkelsen til alle kanter; på tegningen har Vigeland skrevet: Urne til fontenen? Noen dager i forveien hadde han også tegnet et monumentutkast til Henrik Wergeland som står naken inne i et tre (ill. 195). I 1903 ble dette innlemmet blant motivene til de omskapte karmgruppene. Kanskje skjedde det en syntese av Wergeland og Pan, for på en av tegningene hvor Wergeland-motivet gjentas, lyder påskriften «Skogånden». For øvrig ligger det nær å tro at Vigeland identifiserer seg med Wergeland og føler et dypt slektskap med hans beåndede natursyn, og kanskje er den viktigste forutsetningen for tregruppene hans egen sterke naturfølelse. Skjønt impulser fra symbolismen og art nouveau som i utstrakt grad gjorde bruk av trær og planter i en rekke sammenhenger, skal også være nevnt.

295

De fleste av de tidligere urne-figurene ble overført til treet, og nye idéer føyd til i løpet av de neste par årene. Da et eksisterende fond til en fontene på Eidsvolls plass så ut til å kunne bli benyttet til annet formål, besluttet Vigeland seg for å handle. I 1905–06 laget han i $\frac{1}{5}$ størrelse en modell av hele fontenen, som han utstilte i Kunstindustrimuseet høsten 1906. Så snart han hadde lagt siste hånd på Abel-monumentet, formet han fra 24. april til 4. juni 1905 et endelig utvalg av 20 grupper av mennesker og trær i plastilin. Disse gruppene fremstiller et tverrsnitt av menneskets liv, fra spedbarnsmylderet i treets krone til døden som sitter avventende i «livets tre». De små skissene har en levende plastisk uttrykksfullhet, og den antydende modelleringen gir gruppene en særegen sjarm. Øverst er trekronen formet som en skål. Vigeland syslet med tanken om levende planter som skulle henge ned over bronsetreet om sommeren, og muligheter for lysende fakler om vinteren, men han har nok innsett at da ville tregruppene i full målestokk ha virket som nipsgjenstander i kjempeformat og dermed ha fått en uønsket dekorativ karakter.

Det er uvisst når Vigeland fikk idéen til å innfelle relieffer i bassengkarmen; muligens var det i 1904, da han utførte to i full størrelse. Den 9. juni 1906 skrev han til sin gamle våpendrager Gunnar Heiberg at fonteneprosjektet var hovnet opp: «Der skal innfelles over 100 relieffer og over 100 småfigurer omkring bassenget». Den fullførte modellen viser imidlertid et visst måtehold i forhold til denne meddelelsen; i bassengkarmen er innfelt 66 relieffer, og de bebudede nisjefigurene mellom dem finnes det ikke spor av.

Utstillingen ble en formidabel suksess, folk strømmet til, og avisene var

'Kunstnerisk Snigmord?

Af alle de eiendommelige Indvendinger, som vi har hørt mod at lade Vigeland faa udføre sin Fontæne, er ingen saa tarvelig og ondartet som det udspredte Rygte om, at hans Helbred ikke vilde tillade ham at leve længe nok til at fuldføre Verket. Det har sneget sig fra Mand til Mand — ingen ved, hvorfra det kommer, og ingen ved, hvorhen det gaar.

Men Hr. Vigeland er ikke syg, hverken paa Legeme eller Sjæl. Og derfor har han, som en Handlingens Mand, han er, straks taget Tyren ved Hornene. Og nu ligger der for os tre Attester: fra Overlæge Frich, fra Dr. Hans Daae og fra Dr. Jacob Stockfleth, der alle paa Stillings Vegne har givet Billedhuggeren saa gode Attester for legemlig Sundhed, at vi nogen hver kunde misunde ham ogsaa dette Plus i hans Udstyr.

294 Ygdrasils ask. 1897. 14 × 22 cm
295 Notis i Morgenbladet 23. november 1906
296 Olaf Gulbrandson: Karikaturtegning av Vigelands
    fontene på Eidsvolds plass. 1901
297 Kentaur med barn på ryggen. 1904. Gips.
    62 × 53 × 26 cm. Relieff til fontenen, ikke benyttet.

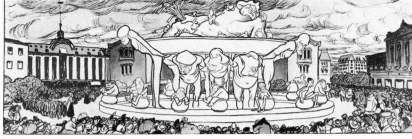

296

fulle av stoff om begivenheten. Panegyrikken blomstret, men det manglet heller ikke på negativ kritikk. Særlig gikk Vigelands mektige motstander Christian Krohg hardt ut; han fant utkastet

... smått, pirket, utrolig tynt. Det ligner en oppsats med en punsjebolle i midten og en hel del glass på stett rundt omkring ... Enkelthetene har intet som helst med hverandre å gjøre innbyrdes like så lite som med det hele ... Alt sammen er den sorteste uklarhet og den håpløseste forvirring.

Hans utfall var imidlertid så unyansert grove at virkningen snarere ble den motsatte av det som var tilsiktet. Av større betydning var omtalen av de to kunsthistorikere A. Aubert og C. W. Schnitler. Begge hadde enkelte innvendinger, men uttrykte seg likevel sterkt positivt, særlig Aubert, som innledningsvis brakte følgende hyllest:

... Gustav Vigeland er den sterkeste og fruktbareste plastiske evne som det norske folk har frembrakt ... Her kan man bruke det sterke ord geni.

Og videre skriver han:

Med fontenen er han vokst sammen i sin innerste sjel. I den uttrykker han sine plastiske tanker oppsummerende og overdådig rikt.
Jeg stiller meg ikke uten kritikk overfor Vigelands fontene. Det er hans plastiske geni jeg beundrer. Fontenen bærer preget av å være en billedhuggers verk. Det er en komposisjon av en leire- og bronsekunstner som følger de eiendommeligste påskudd for sin overstrømmende figurskapende kraft. I en fantasifull, stundom fantastisk forbindelse av menneskeskikkelser med grensterke trær, tyve ganger gjentatt rundt bassengets rand, har han uttalt mange av sine lykkeligste tanker.

Samtidig med åpningen av utstillingen hadde Vigeland tilbudt fontenen til Kristiania kommune. Det eksisterende fond til en fontene på Eidsvolls plass ville på langt nær strekke til. Derfor satte private i gang en innsamlingsaksjon med Hans Dedekam og Johan Anker som drivende krefter; på åtte dager tegnet velstående mennesker rundt om i landet seg for 80 000 kroner. Generøse bidrag kom også fra Sverige. Kunstsamleren Klas Fåhræus skrev til Vigeland: «Gärna vore jag med för 5000 kronor i ett hörn av din fontän,» og den storslåtte mesén Ernest Thiel, som allerede flere ganger hadde kommet Vigeland til unnsetning, gav alene 50 000 kroner til fontenens oppførelse. Thiel hadde dessuten på et tidligere tidspunkt, da fontenens skjebne var på det mest usikre, latt Vigeland forstå at han kanskje selv ville overta den. Mulighetene for at fontenen kunne forsvinne til Sverige ble et virkningsfullt propagandamiddel for dens forkjempere, og hemningsløst utnyttet.

Men det manglet heller ikke på bakholdsangrep. Et rykte som fra ukjent hold ble satt i omløp, gikk ut på at Vigelands helbred var for dårlig til at han kunne gjennomføre et så omfattende arbeid. Da dette kom Vigeland for øre, oppsøkte han i tur og orden tre leger og fikk skriftlig attest på sin legemlige sunnhet. Redaktør N. Vogt i «Morgenbladet» lot rykke inn en notis under tittelen «Kunstnerisk snikmord», der ryktene ble avsannet og navnene på de tre legene offentliggjort.

Dedekam og Anker tok initiativ til å danne «Indbyderkollegiet til Reisning av Vigelands Fontæne», som 8. februar 1907 tilbød kommunen de midlene som var samlet inn, under forutsetning av at kommunen ville bevilge det resterende beløp og at fontenen ble reist på Eidsvolls plass. Den 11. november samme år godtok kommunen tilbudet og bestilte fontenen.

I Stockholm har jeg utenfor kunstnerne selv bare truffet *et menneske* – Ernest Thiel – som stod i edelt forhold til kunst; de andre var knyttet til kunsthandelen.
G. V. 1930

297

161

Fonteneanleggets vekst.
Fra Eidsvolls plass til Frogner

Vigeland hadde regnet med å bruke 10 år på utførelsen av fonteneskulpture-ne. Det som ingen hadde kunnet forestille seg, var at fontenen først skulle stå reist 40 år senere, og da på et helt annet sted enn Eidsvolls plass.

Allerede i 1913 var Vigeland riktignok på det nærmeste ferdig med skulpturene – bare en av tregruppene og en del relieffer gjenstod. Men på dette tidspunktet hadde han fått betenkeligheter med plasseringen på Eidsvolls plass, som han fryktet ville bli for trang, slik at trær måtte hugges og fontenen bli liggende bar mellom «ganske grim arkitektur». Mer og mer ønsket han å se sine skulpturer oppført isolert:

For et selvstendig billedhuggerarbeide bør arkitekturen være mest mulig nøytral. Skulptur er ikke lenger til for å tjene og dekorere arkitektur. De monumenter jeg hittil har utført, har jeg sørget for ble oppstilt lengst mulig fra arkitektur.

Dette skrev Vigeland til Fontenekomitéen 13. mai 1913, og foreslo å flytte fontenen til Abelhaugen i Slottsparken; Abel-monumentet tenkte han seg flyttet til den motsatte haugen av oppkjørselen til Slottet. Videre begrunnet han sitt forslag med at fontenen på dette stedet ville virke ved sin helhet og på avstand; det er første gang monumentale synspunkter gjør seg gjeldende for plasseringen av fontenen. I juli 1914 offentliggjorde Vigeland sin første plan for fontenens plassering på Abelhaugen, der han nå innførte en åttekantet vanngrav rundt bassenget. Planen utløste en livlig debatt, avisene gav spalteplass for tallrike forslagsstillere som flyttet fontenen rundt til hvert tenkelig sted i Kristiania. Fontenekomitéen hadde godtatt Vigelands forslag, men byens myndigheter begynte nå å tvile og ønsket en idékonkurranse om plasseringen før de fattet sin beslutning. Indignert skrev Vigeland til Fontenekomitéen 24. mars 1915:

Tingen løses ikke ved at der blir ramset opp navn på plasser her i byen. Man behandler fontenen som om det var en mobil ting som kunne plasseres nær sagt hvor som helst. Jeg vet intet som er galere enn denne konkurranse ... I mine øyne kunne man like så godt blandet seg i arbeidet på et tidligere tidspunkt og modellert med på selve fontenen.

Jag tror ingen konstnär så satt sin prägel på en stad, som du kommer att göra med Kristiania. Ditt minne der kommer i sanning att furstligt kvarlefva.
Klas Fåhræus 1911

I mitt første utkast tok jeg hensyn til trærne og de omgivende gater. I mitt annet utkast tok jeg mindre hensyn til trærne, men tok ennu hensyn til gatene. I mitt tredje og siste utkast tok jeg ikke noen bihensyn.
G. V. 1915

Om fonteneanleggets vekst sa han at han var en «naturkraft»; han hadde ikke makt over og kunne ikke demme opp for kreftene i ham selv. Alt utviklet seg med naturnødvendighet og uavhengig av hans egen vilje.
Hans Dedekam 1922

298

299

Godtok man ikke hans nye forslag til plassering, ville han gå tilbake til den vedtatte plan, Eidsvolls plass.

Vigelands motstand veltet idékonkurransen, og i januar 1916 var saken avgjort; de offentlige instanser samtykket i at Abel kunne flyttes og fontenen oppføres på monumentets plass. På dette tidspunktet var billedhuggeren allerede i gang med en helt annen plan for Abelhaugen; den ble offentliggjort i april 1916. Fontenen beholdt sin tidligere posisjon oppe på platået, som nå var tenkt som en steinlagt labyrintplass. Men det overveldende nye bestod i en halvsirkelformet trapp fra platået og ned til gatenivået med 38 grupper i granitt plassert i rekker nedover trinnene. For å agitere for den nye tilveksten av granittskulptur åpnet Vigeland sitt atelier på Hammersborg for publikum; besøket var rekordartet og begeistringen igjen enorm. En ny innsamlingskomité for granittgruppene ble opprettet, og store summer gitt og lovet. Kritikk

300

298 Modell til fonteneanlegget på Abelhaugen 1916–17. Bastionene, gjerdet og portene var ikke med på den offentliggjorte planen i 1916. Gips. 108 × 77 cm

299 Modell av Vigelands atelier/museum med skulpturanlegget i forgrunnen. Ca. 1922. Gips. 108 × 93 cm

300 Kø utenfor Vigelands atelier på Hammersborg, april 1916

om at oppkjørselen til Slottet ville få en slagside med en dominerende utsmykning på den søndre siden, mens den nordre, Nisseberget, ville bli liggende på det nærmeste uberørt, tok Vigeland seg straks ad notam. Året etter fremla han en plan der også Nisseberget var tatt under behandling med arkitektonisk front mot oppkjørselen, som han dessuten kunne tenke seg flankert av nok en serie granittgrupper med øgler og mennesker. To av disse gruppene i full størrelse og flere skisser ble modellert i 1917.

Fontenen var etter hvert blitt redusert til et element i et større anlegg som var sterkt preget av granitten. I den tredje og siste plan for Abelhaugen ser det ut som om Vigeland har ønsket å la fontenen få tilbake sin selvstendige posisjon ved at han isolerer den fra granittgruppenes dominerende nærhet. Balustradene omkring forhøyes til et anselig steingjerde med store stupalignende portanlegg og voktende dyr. Planen bærer et tydelig orientalsk preg og røper Vigelands sterke interesse for Østens kunst på denne tiden. Forslaget ble imidlertid aldri kjent for offentligheten, og vi vet ikke om Vigeland ville ha ønsket å gjennomføre den. Da Kristiania kommune i 1919 besluttet å oppføre et atelier for billedhuggeren på Frogner, foretrakk Vigeland å plassere det stadig voksende skulpturanlegget på området utenfor, mot Nobelsgate. Årsakene var flere; han fryktet at grunnen i Abelhaugen ikke var tilstrekkelig stabil til å bære de svære steinmassene, særlig fordi undergrunnsbanen ville bli lagt i umiddelbar nærhet. Han har også gitt uttrykk for at han aldri var helt fornøyd med Abelhaugen, fordi den lå i et hjørne av et veldig areal og han ikke visste hvordan dette ville bli behandlet i fremtiden. Nok en vektig årsak var bedre muligheter for å innlemme sin siste og vesentlige tilføyelse: en høy søyle dekket med figurer som skulle hugges ut av én granittblokk og derfor ble kalt MONOLITTEN.

På modellen som ble utarbeidet for området foran atelierbygningen, er fontenen og granittgruppene skilt fra hverandre som to klart atskilte enheter, men fordi de er plassert langs en akse, skapes det likevel en sammenheng. Halvsirkeltrappen er forandret til en full sirkeltrapp med 36 grupper stilt radiært i 12 rekker på trinnene, mens Monolitten er plassert midt på platået øverst på trappen. De øvrige skulpturene fra Abelhaugen, dyrene fra balustraden og kampgruppene med øgler og mennesker var sløyfet; for en gangs skyld hadde Vigeland også innskrenket et prosjekt.

301

301 Slekten, detalj
302 Slekten. 1936. Gips. 3,33 × 5,30 × 1,80 meter
303 Slekten, detalj

302

Hur man än ställer sig till detta verk, är det tydligt, att det inom skulpturen mer omfattande och allsidigt än nogot annat förverkligar 1800-talets dröm om allkonstverket, och att det i sina hundratals, delvis hemlighetsfulla och inneböredsdigra kompositioner framstår som ett av symbolismens centrale verk i plastisk form.
Bo Wennberg 1975

303

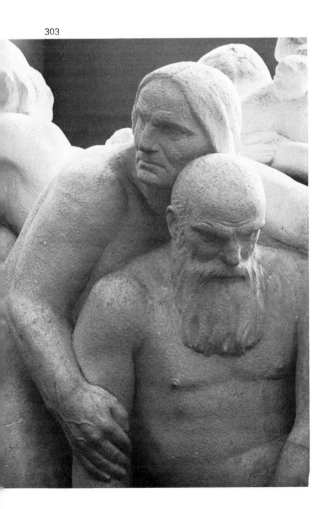

Planen fikk alminnelig tilslutning, og den vanlige hissige debatten uteble. Paradoksalt nok ble den veltet av en av Vigelands mest glødende beundrere, høyesterettsadvokat og viseordfører H. Berg, som ikke syntes plassen var god nok for Vigelands arbeider. Han oppnådde til slutt at bystyret henstilte til Vigeland å finne en annen plass innen Frognerområdet. Når Berg kunne oppnå et flertall for sitt forslag, var det fordi Vigeland også selv var kommet på andre tanker og foretrakk Tørtberg, et naturområde vest for dammene i Frognerparken. Han laget en modell hvor fontenen og sirkeltrappen fortsatt var atskilt og lagt langs en stigende akse; fontenen lavest i terrenget, deretter en oppstigning gjennom terrasser til toppen av høydedraget, hvor sirkel-trappen med Monolitten var plassert. Den strenge, aksebetonte planen var tydelig påvirket av 1920-årenes barokk-klassisisme.

Nå var det slutt på enigheten. Striden om Tørtberg-planen hører til de mest dramatiske avsnitt i Vigelands liv. Gamle forkjempere som byarkitekt Aars og professor i kunsthistorie C. W. Schnitler gikk til voldsomme angrep på utkastet, og den store debatten i pressen ble ført med den særlige bitterhet som oppstår når gamle bånd brytes. En sentral del av kritikken gikk ut på at Vigelands skulptur ikke var avstandskunst, og for intim til å tåle det store friluftsperspektivet. Aars' troverdighet ble nok noe svekket da det ble kjent at han selv syslet med tegninger til en stor bygning på Tørtberg-høyden, hvor Monolitten var tenkt oppstilt, noe som Vigelands tilhengere utnyttet maksimalt. Debatten varte i to år, men 27. november 1924 vedtok bystyret mot bare tre stemmer at Vigelands plan skulle gjennomføres.

Det var ingen tilfeldighet at skulpturanleggets akse fluktet med det eksisterende inngangspartiet ved Kirkeveien og broen over dammene, som var blitt oppført i anledning av Jubileumsutstillingen i 1914. Selv om det ikke ble nevnt i det kommunale vedtaket i 1924, var det forutsatt at Vigeland senere skulle utforme inngangsparti og bro. I 1927 presenterte han et forslag til monumental inngangsportal med smijernsporter og granittpilarer. Da Oslo Sparebank forærte byen en jubileumsgave på 200 000 kroner, besluttet bystyret å finansiere Vigelands portarrangement med denne gaven. Og allerede i 1925 begynte Vigeland å tegne og modellere utkast til skulptural utsmykning av Broen. I 1930 var han kommet så langt at han holdt åpen utstilling i atelieret og viste frem bromodellen i $\frac{1}{5}$ størrelse med skisser av 58 skulpturer på rekkverkene, foruten flere ferdige i full størrelse. For tredje gang ble det stiftet en komité som skulle sørge for innsamling av midler, og 1. juli 1931 ble Broen, foruten en sterkt utvidet parkplan, godkjent av bystyret.

Gjennom de neste 10 årene fortsatte Vigeland stadig å skape nye skulpturer for parken: LIVSHJULET, fra 1934, skulle avslutte den nå 850 meter lange aksen i vest; SLEKTEN, nest største skulptur etter MONOLITTEN – en kolossalgruppe med 21 figurer – stod ferdig i gips i 1936 og var tenkt plassert som avslutning av en tverrakse gjennom fontenen i nord. Flere andre enkeltskulpturer ble også utført i 1930-årene. I 1940 laget Vigeland relieffene på bronsedørene på portstuene ved hovedinngangen til parken: sirkelforme-te komposisjoner med øgler og mennesker. Noe av det siste Vigeland modellerte, var åtte små barnefigurer til en liten sirkelplass ved dammen, nedenfor Broen; midt på plassen skulle FOSTERET stå, modellert allerede i 1923.

I 1947 besluttet bystyret at Vigelands skulpturer og planer etter 1931 skulle gjennomføres, bortsett fra flere porter med skulptur og smijern i parkens omkrets, som ikke var tilstrekkelig utarbeidet ved kunstnerens død.

Vigeland hadde ønsket at alle skulpturene skulle reises omtrent samtidig. Men da den annen verdenskrig brøt ut, ble han urolig for parkens skjebne og lot broskulpturene komme på plass i 1939–40. Fontenen, begynnelsen til det hele, stod ferdig montert først i 1947. Ennå mangler flere skulpturer, blant annet SLEKTEN, som stadig står i gips i Vigeland-museet, likeså et selvportrett, en statue av kunstneren i arbeidsskittel og med hammer og meisel i hendene, som han hadde tiltenkt en plass innenfor hovedinngangen (ill. 285).

Den alt overskyggende del av Vigelands produksjon finnes i det som i dag kalles Vigelandsparken, og som omfatter 192 skulpturer i bronse, granitt og smijern, med til sammen nærmere 600 figurer. Foruten at han modellerte alle skulpturene i full størrelse, er Vigeland ansvarlig både for den arkitektoniske rammen og for selve parkplanen. Denne skulpturparken kan sees som et gigantisk monument over én kunstners visjon, vilje og skaperkraft, men den forteller også om en by som hadde entusiasme og mot til å satse på et utradisjonelt kunstnerisk prosjekt av uvanlige dimensjoner, skjønt Oslo hverken var stor eller velhavende.

Ved andre større skulpturanlegg, enten det gjelder sakrale og verdslige bygg eller parker, har det gjerne vært oppdragsgiveren som har fastlagt et billedprogram og engasjert kunstnere, og til moderne skulpturparker kjøpes det oftest inn verker av forskjellige billedhuggere. Et usedvanlig trekk ved Vigelandsparkens tilblivelse er at kunstneren selv har hatt idéene, utført skisser og modeller og presentert sine prosjekter for offentligheten, og deretter mottatt de nødvendige midler gjennom en bys styrende organer. Det foregikk ikke uten uendelige debatter og sverdslag med ord. Og det må tilføyes at parken som den fremstår i dag, ville ha vært nærmest utenkelig om det ikke hadde skjedd en gradvis vekst ved at ledd ble føyd til ledd gjennom nærmere 40 år. Begynnelsen var en fontene, først liten, siden større, med ringvirkninger som aldri opphørte så lenge Vigeland levde.

304 Vigelandsparken

Fonteneskulpturene

305 Geniesverm. Ca. 1905. Penn. 21,8 × 14 cm. Påskrevet:
«Som en Bisværm-klump skal de hænge»
306 Fontenen, Vigelandsparken

Den endelige plassering av fontenen på et flatt og åpent terreng gav den en utpreget fjernvirkning. Vigeland fant at modellens opprinnelig buktede grunnplan harmonerte dårlig med disse omgivelsene, og bestemte seg for et større kvadratisk basseng og tregruppene trukket sammen i grupper på fem i hvert hjørne. Den strengere planen passet mindre godt med trærnes bevegede, asymmetriske og art nouveau-pregede former, mens derimot sentralgruppen vant ved å bli frigjort til alle fire sider. På avstand rager de seks løftende gigantene mot det åpne himmelrommet, og inntrykket av kraft, energi og anspennelse kommer fullt ut til sin rett. Sett på nærmere hold lider flere av figurene av visse svakheter. Dette gjelder særlig de to mot øst, hvor det er et påtagelig misforhold mellom hodene og resten av kroppene; hodene virker altfor små og ser ut som om de er plassert direkte på ryggene, uten nakke og hals. Gjentatte ganger, sist i 1936, forsøkte Vigeland å modellere disse hodene på nytt, uten å bedre det endelige resultatet. Midtgruppen ble for øvrig modellert i 1909, da Vigeland var på vei mot en enklere og mer monumental stil, noe som kan forklare den brytning som skjer i figurenes utforming mellom inntrengende naturalisme og enklere stil. I de store perspektivene ute i parken og når vannet flommer over dem om sommeren, svinner de fleste feil og mangler bort, og midtgruppen får tross alt en storslagen, monumental virkning.

Hver figur er formet individuelt; de representerer forskjellige aldre så vel som skiftende evne og vilje til å løfte. Fatet kan vi kanskje oppfatte som «livets byrde», og mennene som bærende atlanter. En av dem løfter tydeligvis tyngre enn de andre, musklene spenner seg til det ytterste i den bulnende ryggen; av en tegning til denne figuren fremgår det at Vigeland hadde seg selv i tankene.

Vannet som flommer fra fatet og trærne på bassengkarmen, forener seg i en meningsfylt billed-symbolikk som har røtter i de eldste tider. I mytologi og religion verden over finner vi forestillinger om vannet som alt livs opphav, og som bærer av sæden, et fruktbarhetssymbol. Treet representerer det manifesterte liv, og det levende kosmos. Mircea Eliade skriver i «Patterns of comparative religion» om en alminnelig oppfatning av treet som «. . . kilden til regenerasjon og 'liv uten død', en kilde som mennesket vender seg mot, fordi det synes å gi det grunnlag for dets egen udødelighet.» Etter hvert som vi følger skulpturene rundt karmen, både tregruppene og relieffene, ser vi hvordan kunstneren har gjort seg lignende forestillinger. Bronsetreet kan tolkes som «livets tre» eller det kosmiske tre; det omgir menneskene fra spedbarnet til oldingen. Livets syklus begynner i nord med en sverm av kravlende og svevende spedbarn. Vigeland har kalt dem for «Englebarn», og på en tegning har han utstyrt dem med vinger; det synes som om han har tenkt på de ennå ufødte og har villet uttrykke en platonisk tanke om en tilværelse før livet på jorden. Han kaller disse fantasibarna også for «genier», en benevnelse som kommer igjen i mange forskjellige sammenhenger og kan tolkes generelt som ynglende og spirende liv. Deres forgjengere i kunsten er antikkens eroter og renessansens putti. Vigeland har komponert et mylder av 18 småunger i levende, øyeblikksbetonte situasjoner – de klatrer, stuper kråke oppi kronen og henger seg etter grenene; han puster spontant liv i den symbolske fremstillingen og gir fantasimotivet en nær virkelighet.

Et typisk trekk ved fonteneskulpturene er hvordan den glidende overgang og veksling mellom fantasimotiver og realistiske, dagligdagse fremstillinger veksler og glir over i hverandre. De neste tregruppene kunne vært tatt direkte fra virkeligheten: en gutt sitter i treet og synes å lytte etter noe, gutter klatrer, og tre småpiker står og prater rolig sammen rundt treet. De første fem gruppene, som representerer barndommen, avsluttes med en fantasifremstilling: En ung pike svever ned gjennom treets grener med oppstilte øyne og åpen munn; hendene holder hun knyttet foran brystet. Med denne uttrykksfulle komposisjonen har Vigeland skapt et bilde av puberteten, av

305

306 >

307

308

overgangsstadiet fra barn til voksen med nye og ukjente følelser som våkner og skaper spenning, angst og forventning.

De følgende fem gruppene fremstiller ungdommen. I den første står en kvinne og lener seg ut av treet, i den siste står en mann inne i treet, begge drømmende. Mellom dem utspilles tre faser av et kjærlighetsforhold: den første vare tiltrekning, hvor de står vendt mot hverandre, panne mot panne, og betrakter hverandre søkende. I den neste utspilles en konflikt, kvinnen vender seg bort fra mannen, men et usynlig bånd synes likevel å binde paret sammen. Den siste gjengir foreningen i et heftig erotisk favntak.

Det neste stadium, den modne alder, er en sekvens hvor ulykkelige følelser og kamp gjør seg gjeldende. I den første tregruppen sitter en melankolsk kvinne med hodet støttet i hånden; treet er formet som et fabeldyr med lang hals som ender i et gapende hode, mens kronen over danner et gevir. Det hviler en tung stemning over henne med overtoner av drøm og lengsel. Den melankolske kontemplasjon står i tilspisset kontrast til spensten i det dyrelignende treet. Hun synes lukket inne i sin egen ensomhetsverden, og har ingen kontakt med det lille spedbarnet i det følgende treet, som vi kan

307 Pike svever ned mellom grener. Detalj av tregruppe på fontenen
308 Pike svever ned mellom grener. Tregruppe på fontenen. 1907. Bronse. Høyde 2 meter
309 Barn bader i vanngraven rundt fontenen

170

betrakte som en ny generasjons inntreden i livets syklus. Vigeland har fremstilt barnet forlatt og alene mellom de voksnes konflikter; i den påfølgende gruppen faller et par med hodene ned gjennom treet. Treet har her antatt form av et levende vesen; grenene holder de to som i en skruestikke og slynger seg taulignende rundt dem. Den neste gruppen fremstiller en mann som svinger seg rundt treet. Komposisjonen er som flere av de øvrige overtatt fra de tidligere urnegruppene fra 1901, men denne gjengir ikke et umiddelbart menneskelig innhold. En tegning med påskriften «Fortvilelse» gir oss et nærmere grunnlag for å tolke mannens forvridde stilling. Ser man på mannens ansikt (noe som bare lar seg gjøre med gipsmodellen i Vigeland-museet), kommer det lidelsesfylte bedre frem. Motivet er åpenbart sprunget ut av samme stemning som foregående gruppe. Inn i denne sammenhengen hører den siste av disse fem gruppene, mannen som jager genier opp i kronen; han fornekter det spirende liv, representert ved de gråtende barna. Sett i forhold til Vigelands eget liv i årene 1901–05, da alle motivene ble fastlagt, synes hele sekvensen å fremstå som en direkte selvbekjennelse.

Det siste hjørnet på bassengkarmen er viet alderdom og død. Virkningsfullt stiller Vigeland opp mot hverandre det nye og det forbrukte liv, spesielt i gruppen med den gamle utmagrede kvinnen og barnet. Hun står og holder om armen til en liten gutt som sitter på en av grenene; hennes gest med hånden mot haken uttrykker engstelse og bekymring. En nærmere kontakt er det mellom en gutt og en gammel mann. Motivet tilhører romantikkens emnekrets og banaliseres i utallige genregrupper fra det senere 1800-tallet. I Vigelands tregruppe er scenen lagt til «livstreet», og oldingens belæring for den lyttende gutten har et dypt alvor. Utførelsen er ikke så monumental som i Munchs «Historien»; en senere granittgruppe står Munchs opphøyde verden nærmere.

I den nest siste gruppen sitter en mann med munnen åpnet i et skrik ved foten av «livstreet» og klynger seg fast til det. Men i det aller siste treet venter døden i skjelettets skikkelse, som er slik formet at det er vanskelig å skjelne mellom knokler og grener. Her har Vigeland skapt en metamorfose av treet og døden – livstreet er blitt dødstreet. Men bare i denne gruppen – i den neste, og den første i kretsløpet, svermer geniene omkring, og livet begynner på nytt.

Tregruppene stod ferdig modellert i 1914, og fulgte i det vesentligste modellens skisser. Utviklingen mot større fylde og mindre detaljering gjør seg gjeldende i de senere tregruppene, særlig markert i omfavnelsesgruppen fra 1913 (ill. 309). Formen på kvinnens hode nærmer seg kuleform, mens hun på skissen hadde langt, nedhengende hår. De svulmende skikkelsene er sammenføyd i en massiv klump, og det robuste formspråket i figurene har også smittet over på treet, hvor grener og kroner er mer bastante enn tidligere.

Overflatestrukturen varierer likeledes. Den klattete behandlingen forsvinner etter 1909; Vigeland fant muligens at den ville ha virket forstyrrende for den fyldigere og enklere formen. Men han ønsket heller ikke noen fullstendig glatt overflate – den ble gjort svakt ripet og ruglet. Denne mer tørre overflaten er delvis betinget av at billedhuggeren fra 1910 ikke ønsket å benytte den hollandske pipeleiren, men foretrakk en oljeholdig masse. Fordelen med denne «kunstleiren» var at den ikke måtte holdes våt; giktplagene hadde for en tid gjort Vigeland redd for den fuktige leiren.

I friluft spiller lysvirkningene som veksler med sol og overskyet vær, en aktiv rolle for vår opplevelse av skulpturene. Skarpt belyste partier vil til andre tider av døgnet befinne seg i dyp skygge.

Av fontenemodellens skisser til relieffer finnes få igjen i den endelige utførelse, blant annet er de antikk-inspirerte innslagene av kentaurer sløyfet. Da det trakk ut med å reise fontenen, fortsatte Vigeland like til 1936 med å modellere stadig nye motiver; i alt utførte han 112, hvorav 60 ble benyttet.

Relieffene står som pendanter til tregruppene og gjentar livets stadier og syklus. Generasjonene som avløser hverandre, og død og nytt liv som betinger hverandre i en uendelig prosess, er ytterligere anskueliggjort. Gjennom flere relieffer vises dødens gradvise, oppløsende prosess, som

172

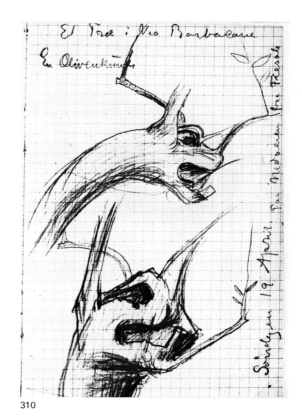

310

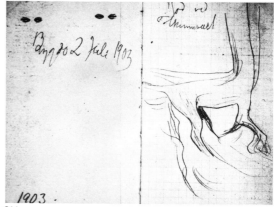

311

312 >

310 «Et Tre i Via Barbacane. En olivenknute.» 1896. Blyant. 16,5 × 10,5 cm

311 «Rot ved Folkemuseet». 1903. Blyant. 13,5 × 17 cm

312 Kvinne sitter på dyrelignende tre. 1907. Bronse. Høyde 2 meter

umiddelbart følges av en liten genius som troner på kraniet til et fortidsdyr; videre følger genier som rydder grunnen for at nytt liv skal få slippe til.

Blant relieffene finnes flere sammenstillinger av mennesker og dyr: ulv, bjørn, rein og fantasidyret enhjørningen. Dyrene kan tolkes slik at de representerer naturen, som menneskene forholder seg til på forskjellig vis: De små barna leker fortrolig med ulven, mens den voksne mannen bekjemper den innbitt og aggressivt. Mellom kvinnen og dyret hersker derimot hengivenhet og harmoni; hun dier enhjørningen, lar seg føre av sted på bjørnens rygg eller sitter drømmende i reinsdyrets horn. Men langt de fleste av motivene er viet typiske og realistiske situasjoner i menneskets forskjellige stadier: barns lek, ungdoms kjærlighet, samhørighet og konflikt mellom modne mennesker, de gamle ensomme, eller sammen med barna. I mange av sine relieffer har Vigeland på den lille flaten formidlet eviggyldige situasjoner med enkel naturlighet, som for eksempel i et par familiescener der mannen kroner kvinnens hode med spedbarnet, eller hvor kvinnen med splittet oppmerksomhet står med underkroppen vendt mot mannen som kneler foran henne, mens hun bøyer overkroppen bakover og ser etter barnet.

Typisk for relieffene er den nøytralt glatte og perspektivløse bakgrunnen. Figurstilen og utnyttelsen av flatene veksler derimot betraktelig i løpet av de 30 årene Vigeland holder på med utførelsen av dem.

313

314

315

313 Liten gutt. Detalj av tregruppe på fontenen. 1911.
Bronse. Høyde 2 meter
314 Gammel kvinne og lite barn. Tregruppe på fontenen.
1908. Bronse. Høyde 2 meter
315 Gammel mann og gutt. Tregruppe på fontenen. 1914.
Bronse. Høyde 2 meter
316 Geniesverm. Tregruppe på fontenen med 18 små barn.
1912. Bronse. Høyde 2 meter

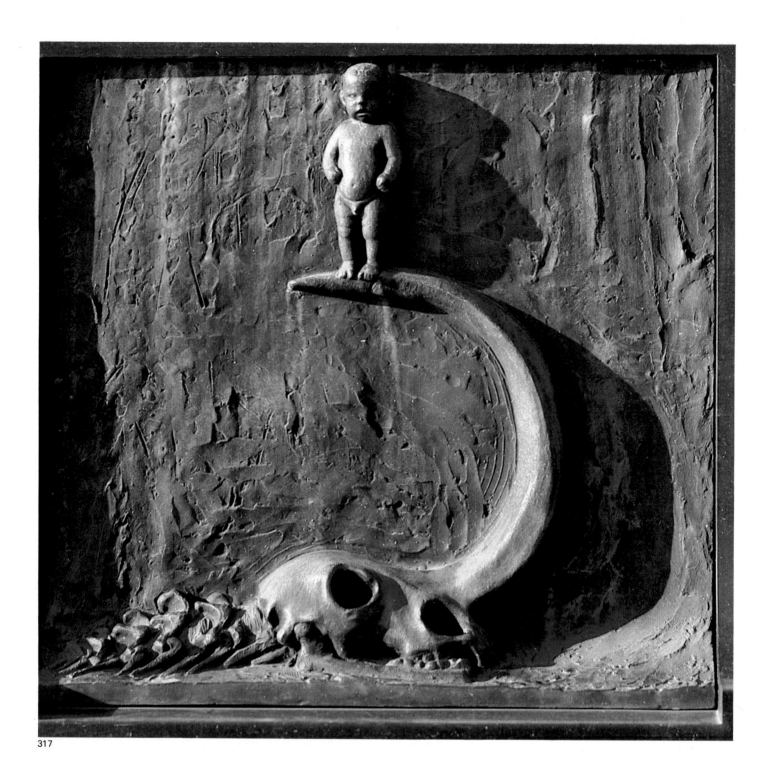

317

317 Genius står på kraniet til fortidsdyr. Relieff på fontenen.
1916. Bronse. 55 × 60 cm
318 Fem småbarn (genier) samler skjelettdeler og svever av
sted med dem. Relieff på fontenen. 1916. Bronse.
55 × 60 cm
319 Fire barn leker med ulv. Relieff på fontenen. 1935–36.
Bronse. 55 × 60 cm
320 Mann sparker ulv. Relieff på fontenen. 1930–35.
Bronse. 55 × 60 cm
321 Kvinne dier enhjørning. Relieff på fontenen. 1906.
Bronse. 55 × 60 cm

318

319

320

321

322

323

324

325

Vigeland sa det moret og forbauset ham når han andre steder i
verdenskunsten gjenfant motiver han selv hadde anvendt i sin
kunst. Det var nylig hendt med motivet på relieffet MANN
OG KVINNE, MENS BARN SER PÅ (ill. 323). Han hen-
viste til et arabisk dikt av Amr il Kais, skrevet ca. 500–540.
Han viste meg det både i tysk og dansk oversettelse . . . Inn-
holdet var: Jeg har elsket mange kvinner, også sådanne som
har gått med barn eller nylig har født. Med sin overkropp har
hun vendt seg mot barnet og sett på det, men hennes legeme
er blitt uforanderlig hos meg.

Det almenmenneskelige er det høyeste i kunst og diktning.
Her står kinesere, europeere og negre hverandre like nær. I
nyere norsk diktning finnes intet som i sublimitet kan
sammenlignes f.eks. med den arabiske dikters og Li-Tai-Pe's
dikt – ikke engang Vigeland har nådd så høyt (V. dixit).
Hans Dedekam 1926

326

322 Kvinne mellom to menn. Relieff på fontenen. 1930–35.
Bronse. 55 × 60 cm
323 Kvinne mellom mann og barn. Relieff på fontenen.
1923. Bronse. 55 × 60 cm
324 Døden skiller mann og kvinne. Relieff på fontenen.
1916. Bronse. 55 × 60 cm
325 To skjeletter. Relieff på fontenen. 1916. Bronse.
55 × 60 cm
326 Smuldrende skjeletter. Relieff på fontenen. 1915.
Bronse. 55 × 60 cm

Labyrinten

En sommeraften i 1914 satt Vigeland hjemme i Maridalsveien og betraktet en korallstein som lå på gulvet og holdt verandadøren åpen. Det svungne mønsteret i steinen minnet ham om en labyrint og gav idéen til å forme plassarealet rundt fontenen med en steinsatt labyrintvei. Han gav seg straks til å tegne, og studerte flittig alt det materialet han kunne komme over om fortidens labyrinter, fra Kreta til Nordens «Troja-borger», så vel som vegg-malerier og gulvmosaikker i middelalderens katedraler. To ganger tegnet han i detalj det lange, innviklede mønsteret, først med tanke på Abelhaugen, og senere helt på nytt for å innpasse fontenebassengets forandrede utforming i Frogner-terrenget.

Mønsteret i den steinsatte plassen med mosaikk i sort og hvit granitt består av 16 sirkler omskrevet av to kvadrater lagt utenfor hverandre. Alle sirklene har varierende mønster. De hvite steinene danner den nærmere 3000 meter lange labyrintveien, som i motsetning til labyrinter flest har forskjellig inngang og utgang; man går inn fra øst og kommer ut i vest. Foruten å ha en dekorativ funksjon har Labyrinten en åpenbar symbolikk som knytter den sammen med fonteneskulpturene. Den lange gangen med alle sine mange kroker og vendinger kan sees som et bilde på livets vei, det innviklede og uoversiktlige i oss, som det kreves vilje og utholdenhet for å finne veien ut av. Men labyrintsymbolikken går langt tilbake i tiden og er i høy grad kompleks. Den knytter seg til forestillinger om fare, vanskelighet, skjebne og – av særlig interesse i forbindelse med fontenen – til mysteriene om liv, død og gjenfødsel.

328

327   329

Han fortalte at han hadde hele labyrinten i hodet, han kan den utenat, enda den er forskjellig i hvert eneste ledd. Han hadde først konstruert en labyrint helt ferdig, men så var den blitt for liten. Anker hadde foreslått at han bare skulle legge til litt utenpå den andre, noen border mere. Nei, så hadde han tegnet en helt ny labyrint ... Labyrintmotivet finnes hos alle folkeslag og i de eldste tider, langt, langt tilbake. Vi har alle en liten labyrint aller dypest og innerst inne i oss.
Harald Aars 1922

327 Tegning til labyrintplassen rundt fontenen i Vigelands-parken. 1942. Plassen ble lagt som en mosaikk i sort og hvit granitt.
328 Fontenen med labyrintplassen i forgrunnen. «Veien» i labyrinten følger de hvite steinene og er ca. 3 kilometer lang
329 Korallsteinen som skal ha gitt Vigeland idéen til en steinlagt labyrintplass rundt fontenen
330 Vigelandsparken

330 >

331

333

334

184

332

331 Gammel kvinne setter opp håret på ung kvinne. 1916.
Granitt. 1,76 × 1,35 × 1 meter
332 Mann og kvinne med barn mellom seg. «Familien».
1917. Granitt. 1,6 × 1,4 × 1,06 meter
333 Gammel kvinne setter opp håret på ung kvinne. 1895.
Penn. 21 × 16,5 cm
334 Mann og kvinne med barn mellom seg. Blyant.
14 × 22 cm
335 Kvinne bøyet over mange barn. 1918. Granitt.
1,59 × 1,37 × 1,03 meter
336 Tre speidende gutter. 1925. Granitt. 1,72 × 1,40 × 1,06
meter

336

335

En menneskeverden i granitt

Fra fontenen fortsetter vandringen oppover via tre terrasser. Øverst og sentralt på en stor oval, steinsatt plass reiser seg en sirkulær trapp med 36 granittgrupper i 12 radier nedover trinnene. Innenfor denne strenge arkitektoniske rammen har Vigeland nok en gang skildret livets syklus; på øverste trinn mot øst, og aksialt med fontenen, er død og spirende liv stillet opp mot hverandre i to kompakte grupper, den ene med døde legemer og den andre med myldrende småbarn. Forskjellen fra fontenen er likevel påtagelig, formalt og innholdsmessig. Den harde granitten betinget en ganske annen formbehandling enn bronsen. Komposisjonene måtte ta hensyn til steinens tyngde og at volumene skulle hevde seg i et stort, åpent luftrom. Tungt ruger figurene på sine plinter. De voksne figurene sitter, kneler eller bøyer seg, bare barna kan stå oppreist innenfor blokkens plan, men uten at de virker kunstig sammenpresset eller knuget.

Gruppenes massivitet og monumentale preg skiller seg vesentlig fra tregruppenes romantiske lys- og skyggefylte verden og deres mer grasiøse skikkelser, hvor mange av dem vitner om vemod og fortvilelse. Granittmenneskene er forenet med en jordnærhet og primitiv styrke som betegner et nytt stadium i Vigelands utvikling. Denne utviklingen er, som tidligere beskrevet, nært forbundet med utbredte idéer og tendenser i samtidens kunst i videste forstand.

Granittskulpturene består alle av grupper med minst to figurer, enkeltfigurer eksisterer ikke. Det er nå først og fremst de mellom-menneskelige relasjoner og det sosiale samspill som fremheves. Typisk nok spiller familiemotivene en ny og vesentlig rolle. Selve urbildet på familien er gruppen med mannen og kvinnen som sitter med pannene mot hverandre og spedbarnet mellom seg. Som en moderne fruktbarhetsgudinne står en frodig kvinne bøyd over mange små barn som kryper inn under denne «Moder

337

At jeg har gjort modellen til stenfigurene enklere i overflaten, kommer også av at jeg ville stenhuggerne som punkterer ikke skulle være i tvil. Av og til har jeg måttet gjøre modellen *for* tydelig for at den ikke skulle misforståes av dem. Anderledes med bronsefigurene, som ikke skulle gjennomgå slik prosess som stenfigurmodellene; her var intet slikt hensyn å ta ... Jeg gjør stenfigurenes overflate glatt nærmest for at figurene skal være holdbare; været biter ikke lett på en slepet overflate som på en blott hugget, som derfor er knust og forvitrer lett.
G.V./Bergh

< 338

337 Åtte piker i krets. 1917. Granitt. 2 × 1,4 × 1 meter
338 Gruppe med store og små barn. 1921. Granitt.
1,7 × 1,4 × 1 meter
339 To gutter plager åndssvak mann. 1923. Gipsmodell til
granittgruppe. 1,82 × 1,4 × 1 meter

I går hadde han modellert en skisse av to gutter som erter en tussing (Elias i Ponsen). Skissen var bygget over virkeligheten: Elias var alltid vergeløs overfor guttene som ertet ham og forsvarte seg med komiske og virkningsløse geberder. Vigeland beskyttet ham, og Elias pleiet å si: «Bare vent til Gustav kommer.»

Vigeland hadde lenge båret på idéen til en fremstilling som skissens, men ikke før nu plutselig funnet formen for den. Han venter alltid til en komposisjon av seg selv trer frem for hans indre blikk, stigende frem av underbevisstheten. Han eksperimenterer seg ikke til en komposisjon gjennom refleksjon.
Hans Dedekam 1923

339

Jord»s beskyttende favntak. Vigeland har formet barnets verden nært og levende, uten å henfalle til det sentimentale. Piker står i krets og stikker hodene sammen. Tre gutter på kne speider ut i luften, en liten gutt søker kontakt med en liten mistenksom pike. Men barnets verden er langt fra bare uskyld, og ut fra sin egen barndoms erfaringsmateriale og med psykologisk klarsyn har Vigeland i en gruppe fremstilt to gutter, ondskapsfullt plirende, som plager en vergeløs, gammel, åndssvak mann.

Her er igjen kjærlighetens stadier, den vare tilnærmelse, de to som drømmer rygg mot rygg, den erotiske kraft i favntaket. I andre grupper er det konflikt som preger forholdet; mistenksomt betrakter en eldre mann en ung, smilende kvinne, i volsomt raseri har en mann løftet en kvinne over hodet og vil kaste henne fra seg. Dette uhyre dristige og kompliserte motivet kan muligens være inspirert av Canovas gruppe med Herakles som skal til å slynge Likhas over sitt hode.

Vigeland har også gjort seg til tolk for de menneskelige aggresjoner i forskjellige andre sammenhenger. På sirkeltrappen finnes et formidabelt gutteslagsmål, der deltagerne tårner seg oppå hverandre i en samtidig dynamisk og velbalansert komposisjon, og dessuten en brytergruppe med to voksne menn. Brytermotivet er gammelt og velkjent i skulpturens historie, og kanskje mer enn når det gjelder andre veletablerte emner fra antikkens dager, har Vigeland følt dette som en spesiell utfordring.

Til stadiene i livets utvikling hører konfliktene mellom generasjonene, her fremstilt i to grupper: Faren som refser sin unge sønn, og den unge mannen som vender seg avvisende bort fra sin gamle mor.

Alderdommen er skildret med inntrengende, realistisk analyse; særlig gjelder dette for de gamle kvinnenes vedkommende. To gamle menn har en annen monumental karakter – heroiske i sin velde og opphøyde ro. Det aldrende paret, som Vigeland i 1898 hadde fremstilt i en statuettgruppe (ill. 105), har paradoksalt nok fått en ytterligere intim og inderlig karakter i kolossalformat, der hun halvt ligger i mannens fang, støttet av hans kropp.

Vigeland modellerte de 36 gruppene, foruten flere som ikke ble benyttet, fra ca. 1916 til 1936. Så snart en gruppe stod ferdig i leire, ble den støpt i gips, hvoretter steinhuggernes arbeid kunne begynne, de dyktigste han kunne oppdrive i de nordiske land. En steinhugger brukte ca. halvannet år på å kopiere en gruppe i stein, og deretter flere måneder på å polere den for å få en jevn, glatt overflate som kunne stå seg mot det harde norske klimaet. Muligens hadde Vigeland selv tenkt å utføre noe finhugging til slutt, særlig av de tidligste gruppene, men dette ble ikke gjort.

Visse stilistiske forandringer gjør seg gjeldende gjennom de 20 år gruppene ble til. De aller første har en særlig tyngde og massivitet, figurene har brede, avrundede former med liten grad av detaljerende analyse. Denne syntetiske stilen kommer særlig tydelig frem i MANN OG KVINNE MED PANNENE MOT HVERANDRE (ill. 243); de to er nesten identiske i kroppstype og fysiognomi. Men den voldsomme tyngden og de abstraherte formene kunne i lengden ikke tilfredsstille Vigelands behov for en realistisk analyserende menneskeskildring. Allerede i 1918 inntraff nærmest en eksplosjon så vel i bevegelse som i følelsesladet uttrykk med MANN KASTER KVINNE, og i løpet av samme år ble de TRE GAMLE KVINNER til, magre, nesten uttærede – en patetisk påminnelse om livet som rinner hen (ill. 423). I midten av 1920-årene skjer en tilstramming, formene blir hardere og komposisjonene søkes i større grad tilpasset blokkens plan, noe som klarest kommer frem i TRE SPEIDENDE GUTTER. De siste gruppene fra 1930-årene nærmer seg igjen de tidligste i sin ro og sine fyldige, runde former; som illustrerende eksempel kan nevnes KVINNE SITTER INNTIL MANNS RYGG (1930).

340

341

342

Hans yndlingssted i Homer nu var skildringen av Ate (19. sang). Den gyldenlokkede kvinne tripper med dunbløte føtter henover mennenes hoder og sår splid og tvedrakt. Zevs griper henne i hennes gyldne lokker og svinger henne over sitt hode rundt horisonten og slynger henne så ned på jorden. Der er sollys blå himmel over scenen. Over Vigelands gruppe av mannen som kaster kvinnen er himmelen lav og mørk, og der trekker tette, lavtsvevende gråblå skyer. Den sannhet gruppen rummer, strekker seg fra Olympen til Vinkelgaten nr. 2.
Hans Dedekam 1922

Vigeland pekte på mannens bryst og vridning og sa det var noe av det beste han hadde gjort av modellering. Legemets vridning var et stort problem i billedhuggerkunsten – den organiske forbindelse mellom underkropp og overkropp, buk og bryst.
Hans Dedekam 1920

340 Kvinne sitter inntil manns rygg. 1930. Granitt.
      1,77 × 1,38 × 1,05 meter
341 Gammel kvinne og ung mann. «Mor og sønn». Detalj.
      1918. Granitt. 1,59 × 1,44 × 1,08 meter
342 Antonio Canova: Herkules kaster Lica i havet. 1795–96.
      Marmor
343 Mann kaster kvinne. 1918. Granitt. 1 × 1,4 × 1 meter
344 Gammel kvinne sitter støttet til gammel mann. 1919.
      Granitt. 1,77 × 1,38 × 1 meter

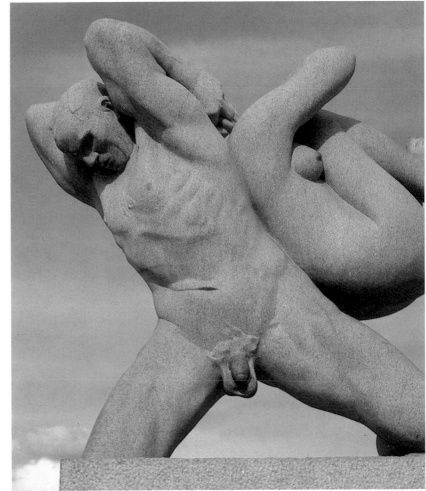

343

344

Monolitten

Opp fra granittgruppenes horisontale kretsløp reiser det seg en 17 meter høy søylelignende granittstein; over det sekstenkantede sokkelpartiet er steinen helt dekket av mennesker i alle aldre. Vigeland selv kalte gjerne denne skulpturen for MENNESKESØYLEN, men fordi både sokkel og figurdel er hugget ut av én eneste stein, fikk den tidlig benevnelsen MONOLITTEN, som den siden er blitt hetende.

Den første plastiske skissen går tilbake til våren 1919. Utenpå figurene lå da et spiralbånd av fire slangelignende øgler som biter hverandre i halen. En aktuell utsmykningsoppgave i Oslo på denne tiden var en skulptur til Jernbanetorget. Vigeland foreslo å plassere søylen her. Forslaget ble ikke godkjent, men så vesentlig anså han denne skulpturen å være at han besluttet å innarbeide søylen i sitt utvidede fonteneanlegg i planen for Nobelsgate i 1921. Da søylen i prinsippet ble godkjent som del av den nye planen høsten 1921, ble likevel utførelsen utsatt. Det skyldtes at det trakk ut med avgjørelsen om anleggets endelige plassering på Tørtberg, og at hans atelier på Hammersborg var for lite til å utføre en så stor skulptur. Han måtte derfor vente til det nye atelieret på Frogner stod ferdig i 1924. I mellomtiden prøvde han ut en rekke beslektede idéer i skisseform. Den 4. mai 1922 laget han en søyle som den opprinnelige, men uten øglebåndet, og etter et års argumentering med seg selv besluttet han å legge denne til grunn for den endelige utførelsen. Selv om spiralbåndet ville gitt søylen en fastere og mer dekorativ virkning, har Vigelands beslutning trolig vært betinget av at det ville overskjære figurene på en uheldig måte. En noe større skisse ble utført i september 1923, 73,5 cm høy. Uten flere mellomstadiemodeller kom denne til å danne det direkte grunnlaget for utførelsen i kolossalformat.

Noen måneder etter at Vigeland flyttet til Frogner, ble det store arbeidet påbegynt. Av hensyn til høyden var det bare mulig å modellere en tredjedel om gangen. På en tretrommel med jernstenger og trekryss ble leire lagt på; rundt trommelen stod et stillas på trinser med trapper og bevegelige «gulv», slik at Vigeland kunne heise seg opp og ned etter som arbeidet skred frem. Forstørrelsen fra skissen skjedde ved et kvadreringsnett og en rekke loddrette snorer, 12 på modellen, 24 eller flere på selve søylen og en horisontal inndeling i halvmetre. Figurenes dybde var aldri mer enn 50 cm, målene for øvrig opptil tre ganger naturlig størrelse.

Modelleringen gikk i et forrykende tempo; første tredjedel ble påbegynt i januar 1924 og den siste avsluttet i desember 1925; den faktiske arbeidstid var til sammen knapt ett år. Overføringen til stein tok derimot atskillig mer tid. Da granittblokken etter en møysommelig reise fra Iddefjorden stod reist på

345

345 Monolitten fraktes på to lektere fra Iddefjorden til Bestumkilen 9. september 1926
346 Skuret hvor Monolitten ble hugget fra 1929 til 1943
347 Monolitten reises, august 1928
348 Menneskesøyle med øgler i spiralbånd. 1919. Gips. Høyde 50 cm
349 Menneskesøyle. 1922. Gips. Høyde 45 cm

346

347

348

349

Vigeland har flere ganger talt om søylen i forhold til granitt-
gruppene, men aldri før uttalt seg så klart at jeg helt forstod
ham. Han sa nu: Stengruppene skildrer livet, søylen fanta-
siens verden. Stengruppene kan derfor alle forstå, søylen kan
enhver tolke på sin måte.
Hans Dedekam 1922

«I søylen», sa Vigeland «har jeg oppnådd den likevekt av
analyse og syntese som jeg ønsker. Jeg vil ikke gå lenger i
detaljering av formen. Men jeg er likesålitt fornøyd med
søylen som jeg har vært med noen av mine arbeider når jeg
har vært ferdig med dem.»
Dedekam 1924

Den mest unika delen av Vigeland-parken är kullen med dess
36 monumentala granitskulpturer, fördelade i tre cirklar rundt
om den centrala «Monolitten». Bortsett från en trolig indisk
eller javanesisk inspiration i själva anhopningen av skulpturer
på ett så trångt utrymme, är de enskilda grupperna med sina
ofta bergsliknande formationer av mänskliga figurer över-
raskande.
Bo Wennberg 1975

< 350   351 >

350 Sirkeltrappen med granittgrupper og Monolitten
351 Monolitten, øverste del

Tørtberg, ble det bygd et skur rundt den, hvor gipsmodellen i full høyde fikk plass ved siden av steinen. Tre steinhuggere arbeidet deretter i 14 år, fra 1929 til 1943, med å overføre de 121 figurene til steinen.

Fra de nederste horisontalt liggende og tilsynelatende døde beveger figurene seg diagonalt oppover fra høyre mot venstre i en spirallignende bevegelse. Denne oppadstrebende bevegelsen brytes omtrent midt på søylen av figurer som kjemper for ikke å falle ned igjen, blant disse en tverrstilt mann som klamrer seg til en kvinne, og en eldre mann som kjemper med to yngre. Figurene fortsetter deretter igjen å stige, men nå mer rett opp. Toppartiet omkranses av noen unge kvinner – én ser sørgmodig ned, en annen løfter blikket som i undrende forventning, og aller øverst avsluttes søylen av ganske små barn i en tilnærmet konisk form. Opprinnelig bestod imidlertid toppartiet også av voksne figurer, deriblant en krampaktig anspent mann med løftede armer og knyttede never. Det må ha betydd mye for Vigeland å kunne gi søylen en mildere og mer forsonlig aksent; barna måtte hugges ut av de allerede eksisterende voksne figurene, en umåtelig krevende oppgave for steinhuggerne.

Vigelands MONOLITT er et originalt verk, men har forankring i tradisjoner langt tilbake. Fra forhistorisk tid har mennesker reist veldige minnesteiner til kultisk eller sakral bruk. I Bretagne finnes for eksempel høye steiner, såkalte «menhirer» som muligens var oppstilt for å formidle en forbindelse mellom mennesket og universet. I Egypt ble det reist obelisker til ære for solguden. Søyler med figurutsmykninger kjennes fra antikken, for eksempel de frittstående Trajan- og Hadrian-søylene fra keisertidens Roma med skulpturerte relieffbånd som forteller om keisernes bedrifter, og fra arkitektoniske søyler og halvsøyler i middelalderkirker. Som den velorienterte kunstkjenner Vigeland var, henviste han for øvrig selv etter å ha laget den første skissen i 1919 til følgende kunstverk:

Den delfiske slangesøyle – et bruddstykke i Konstantinopel – Dyrestolper fra Oseberg-skipet – Gloucester Candlestick – Bernwaldleuchter i Hildesheim – Søyle ved Lincoln Cathedral's hovedportal.

Fra moderne tid nevnes bare den svenske billedhuggeren Carl Milles' to Dante-inspirerte kandelabre HIMMEL OG HELVETE. Men han har utvilsomt også kjent til Rodins utkast til ARBEIDETS TÅRN med en indre, skulpturert søyle, og Munchs MENNESKEBERG, opprinnelig tenkt som fondbilde til Universitetets aula i Oslo og først utstilt som skisse i 1909.

352 De druknedes oppstandelse. 1896. Penn. 14 × 22 cm
353 Bølgen. Ca. 1897. Penn. 14 × 22 cm
354 Oppstandelsen. Detalj av relieff. 1900. Gips.
        167 × 352 cm
355 Oppstandelsen, figurstudier. Penn. 21 × 17 cm

Ånd ikke lenger mitt sinn mot jord
så det sykner blant visne blader.
La meg ikke lenger nærsynt telle
sekunder og sandkorn.

Ånd mitt sinn opp fra denne jord
så jeg får se livet som helhet –
gjennom dine egne store øyne
som ser bak evighet.
G. V.

352   353

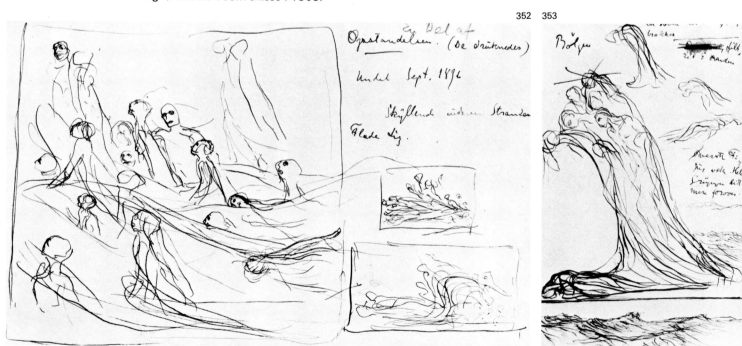

354

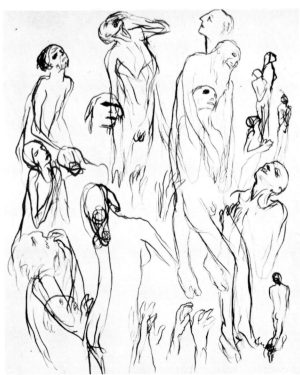

355

De nærmeste forutsetninger er likevel å finne i Vigelands egen kunst. I tegninger til monumenter er figursøylen foregrepet tallrike ganger (ill. 225). Selv har kunstneren antydet en forløper i utskårne knivskaft dekket med dekor, og han har nevnt sammenrullede fotografier av relieffene HELVETE (ill. 68) og OPPSTANDELSEN (ill. 354), som «stod som en søyle av oppadstrebende mennesker». Videre peker han på en felles rytme i HELVETE og søylen:

At sjøen – ikke minst lydmessig – har skapt bevegelsen i nederste parti av «Helvete» og følgelig i «Monolitten» ser alle som vil se.

Henvisningen til havet er betydningsfull. Havet hadde også spilt en vesentlig rolle i utviklingen av Oppstandelsesmotivet. En tegning fra 1896 viser døde som stiger opp av bølgene, som en illustrasjon til et vers i Johannes' Åpenbaring (20,13):

Og havet gav tilbake de døde som var i det, og døden og dødsriket gav tilbake de døde som var i den.

Med bakgrunn i Vigelands egne arbeider og uttalelser synes søylen å kunne tolkes som en syntese av relieffene HELVETE og OPPSTANDELSEN. En indirekte støtte for en slik tolkning gir Vigelands henvisninger til verk av andre kunstnere:

Søylen kunne sies å være i slekt med Rubens' «Oppstandelse» og «Nedstigning i helvete» og «Dommedag» i München.

195

356

357

Monolitten ender i en blomst av barn med sitt guddommelige instinkt og daglige skarpsyn. Hadde jeg ikke mistet så meget av barnet, var jeg ikke blitt narret slik av mennesker, barnet tar aldri feil. Det er geniet. Alle barn er genier eller geniale, efter hvert sløves de av påvirkning fra voksne.
G. V. 1937

Ved en annen anledning sier han til Dedekam:

Kommentere sine verker formådde han ikke. Fremtiden fikk kommentere dem, liksom man til alle tider har kommentert Dante.

Det er neppe noen tilfeldighet at Vigeland trekker frem Dante, hvis «Divina Commedia» beskriver helvete, skjærsilden og paradiset. Hos Dante går vandringen mot paradiset og det evige lys langs en spiralvei rundt et fjell. De fleste av søylens figurer deltar i en oppadrettet bevegelse, noen aktivt, andre mer passivt. Enkelte kjemper for å holde seg oppe og ikke falle ned, andre igjen støtter og løfter. Alltid drives de med strømmen oppover, som i en felles streben mot det transcendentale. Vigeland har plassert seg selv blant de oppstigende; han har fortalt at en av toppfigurene på søylen – en mann som vender ryggen ut og griper seg med venstre hånd til hodet – er tenkt som selvportrett, men uten hans egne ansiktstrekk. Hvor mye av seg selv, sine følelser og tanker han har nedlagt i dette verket, kommer frem i uttalelser som «Søylen det er mitt eget liv» og «Stengruppene er som akkorder, søylen er min religion.»

196

358

Om den nye leirgruppen av mannen og dragen i kamp sa han
han trodde våre forfedre ville likt den. «Jeg tror Sigurd
Fåvnesbane ville synes om den dragen,» sa han. Han dvelte
ved komposisjonens bølgende linjer og sa han trodde han
hadde fått frem noe av Osebergskipets linjer.
Hans Dedekam 1918

Broen og Barneplassen

Mens han fremdeles holdt på med å modellere siste del av MONOLITTEN,
begynte Vigeland i 1925 å lage de første skisser til skulpturene på broen. Året
etter var han i gang med å forme dem i full størrelse, slik at da han stilte ut
bromodellen i sitt atelier på Frogner i 1930, kunne man samtidig se omtrent
halvparten av de tiltenkte 58 skulpturene ferdig i gips. De siste bronseskulp-
turene ble utført i 1933.

Broskulpturene, som står på rekkverkene på hver side av den 100 meter
lange broen, er plassert sammen med bronselykter i henhold til en bestemt
plan; umiddelbart på hver side av lykten står en rolig, statisk figur eller gruppe,
fulgt av en beveget, dynamisk skulptur, deretter kommer igjen et lykteparti
med figurer på hver side. Alle figurene står vendt mot brobanen eller utfolder
seg parallelt med den.

Et særtrekk ved broskulpturene er at enkeltfigurene gjør seg sterkt
gjeldende. På rekkverkene finner vi barn, menn og kvinner i forskjellige aldre.
Måten de står på, holder hender og armer, muskelspillet, en vridning av
hodet, alt er uttrykksbærende og karakteriserende elementer. Et annet typisk
trekk er den sterke fysiske bevegelsen som Vigeland nå innfører både i
enkeltfigurer og grupper.

359

359 Foster. Barneplassen. 1923. Bronse. Høyde 41,5 cm
360 Spebarn. Barneplassen. 1940. Bronse. 42 × 77 × 37 cm
361 Lite barn. Barneplassen. 1940. Bronse. 46 × 37 × 37 cm
362 Spebarn. Barneplassen. 1940. Bronse. 44 × 77 × 37 cm
363 «Sinnataggen». 1901. Penn. 20,4 × 16 cm
364 «Sinnataggen». Broen. 1926–33. Bronse.
      100 × 30 × 30 cm

I denne tredje skulpturenheten i parken finnes ikke det sammenbindende tema av livets syklus som i fontene- og granittskulpturene. De to parallelle rekkene med skulpturer oppfordret heller ikke til det. Ser vi Broen og den sirkelformede Barneplassen som ligger nedenfor ved Frognerdammen i sammenheng, forandrer bildet seg noe. I sentrum av denne lille plassen står en søyle med et fullbårent foster, og i periferien åtte spebarn, alle i bronse. Ennå er de oppslukt av seg selv, mens barna på Broen er trådt inn i et forhold til omgivelsene; SINNATAGGEN er et illustrerende eksempel. På rekkverkene finner vi unge og voksne. Alderdommen er nesten helt utelatt, og er bare representert ved et par eldre, men for øvrig høyst livskraftige menn. Når Vigeland nå skyr alle symboler på forfall og død, er det kanskje, som Arne Brenna har antydet, «fordi han selv begynte å bli eldre og derfor følte seg mindre tiltrukket av kretsløpets siste fase».

Gruppene domineres av tre hovedmotiver: forholdet mellom mor og barn, far og barn og mann og kvinne, det vil si noen få, fundamentale menneskelige relasjoner. En kvinne løper av sted i yr glede med et lite barn som hun holder opp i luften foran seg. En annen kvinne løper også med et barn, en sovende pike i armene, men ser seg skremt tilbake som om noe truet dem. En tredje står bred og tung som en støtte, med armene omkring en ulykkelig pike. Eller hun snur ryggen til barnet, hensunket i seg selv. Men også mannen holder spedbarnet beskyttende i armene, eller utfolder seg i lek med gutten og med piken. En av de mest dynamiske mann-og-barn-gruppene viser en mann som sjonglerer med fire glade småbarn – kanskje et symbolsk uttrykk for glede over livskreftene han kjenner i seg. I et par grupper skildres en gammel mann sammen med et barn. Her er alt fred og fortrolighet. Men sammen med en ung mann utfolder han sine aggressive tilbøyeligheter, løper etter den yngre og vil tukte ham.

360

361

362

< 363

364 >

365 Kvinne løper med pike i armene. Broen. 1926–33.
Bronse. Høyde 2 meter
366 Liten pike. Broen. Bronse
367 Kvinne løper med barn foran seg. Broen. 1926–33.
Bronse. Høyde 2 meter

< 365

366   367 >

< 368

368 Mann løfter pike. Broen. 1926–33. Bronse.
Høyde 2,10 meter
369 Mann sjonglerer med fire genier. Broen.
1926–33. Bronse. 2,10 meter

369 >

370

371

370 Mann løper med gutt på ryggen.
Broen. 1926–33. Bronse. Høyde
1,96 meter
371 Kvinne løper med pike i armene.
Detalj av gruppe på Broen, jfr.
ill. 365
372 Kvinne holder om liten pike,
detalj
373 Kvinne holder om liten pike.
Broen. 1926–33. Bronse. Høyde
1,86 meter

204

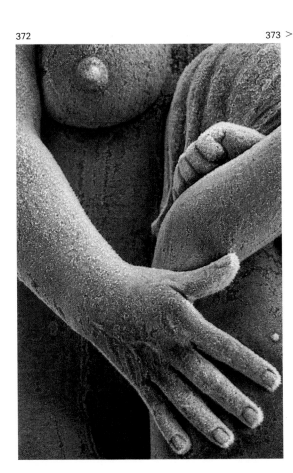

372

373 >

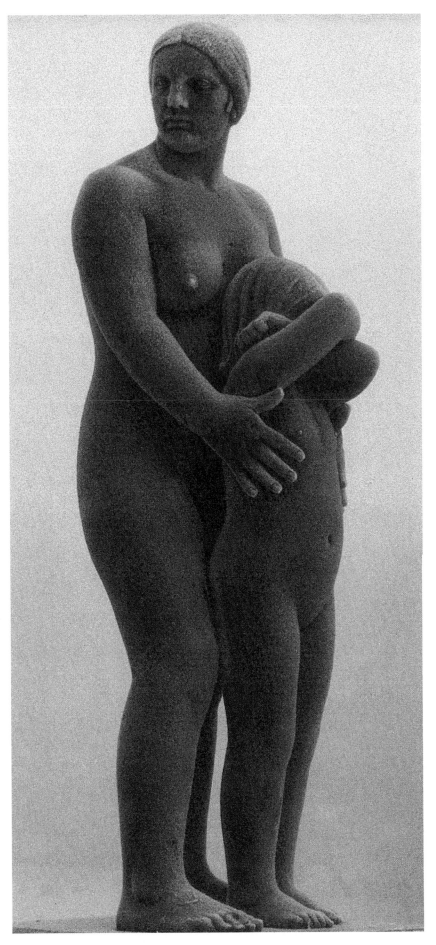

Grovt teoretisk sett er brofigurene avvekslende «statiske» og «dynamiske». De figurer som står ved siden av lyktene, vil synes «statiske» i motsetning til gruppene med sterk bevegelse, som krever stor plass eller meget rom til begge sider. I disse dynamiske grupper finnes sterke statiske elementer, de er alle i balanse. Og i de «statiske» figurer finnes dynamiske elementer i selve formen, den økede bredde, overdrivelsen, for det er ikke bare den sterke bevegelse av helheten som kan kalles «dynamisk», men den økede storhet av enkeltformer.
G. V. 1939

374 Broen en vinterdag
375 Gammel mann med liten gutt på ryggen. Detalj av
     gruppe på Broen
376 Eldre mann tukter ung gutt. Broen. 1926–33. Bronse.
     Høyde 2 meter

378

Mine arbeider har aldri vridd seg, aldri skrudd seg, de er for frontale. Jeg var ikke oppmerksom på dette fra begynnelsen av, det var ingen teori, det var ikke for å ligne de primitive. Mange av mine arbeider, enkeltfigurer og grupper, kan man dele i to til symmetriske halvdeler. Dette er en vesensforskjell fra «det romantiske» som vi kaller «det klassiske»s motsetning – utvendig sett. Men ser vi på følelsen, den menneskelige følelse i romantikken, så skiller ikke denne lag, men følger med i mine frontalt betonte figurer, dvs. går organisk med inn i det klassiske i mitt arbeide.
G. V. 1939

379

< 377

377 Mann løper med kvinne i armene. Broen. 1926–33.
      Bronse. Høyde 2 meter
378 Mann og kvinne. 1901. Penn. 16 × 20,7 cm
379 Mann vipper kvinne over hodet. Broen. 1926–33.
      Bronse. Høyde 2,12 meter

Den emosjonelle ladning i mann-og-kvinne-gruppene spenner igjen over et rikt register, fra kamp og motstand til felles hengivenhet og nærhet. De mest spennende, komposisjonelt sett, er de fremstillingene hvor mannens og kvinnens viljer brytes mot hverandre i grupper fulle av heftighet og energisk utfoldelse. Bortførelsestemaet har utfordret mange kunstnere gjennom tidene, og Vigeland bidrar med et par versjoner på Broen. I begge har mannen løftet kvinnen og bærer henne foran seg – i den ene sitter hun vendt mot ham og gir inntrykk av en viss motstand, skjønt ikke aldeles overbevisende. I den andre er hennes rygg mot mannens bryst. Uten å benytte seg av barokkens skru-virkninger har Vigeland formidlet kraftfull dynamikk innenfor en streng ramme, hvor komposisjonen utfolder seg klart fra én side som i et relieff. Vigeland kan også la kvinnen være den aggressive. I en gruppe har hun sprunget opp på mannen forfra, men han holder hendene på ryggen og tar ikke imot henne, og vakler noe under hennes vekt.

I en utvidelse av brolegemet står to skulpturer vis à vis hverandre; de frem-stiller en ring med henholdsvis én og to figurer. Den ene ringen omfatter en mann og en kvinne; i den andre forsøker en mann, tilsynelatende forgjeves, å kjempe seg ut av den. Tolker vi sirkelen som symbol på det tidløse, det som evig gjentar seg, blir ringen med mannen og kvinnen et bilde på den evige tiltrekning mellom dem, mens mannen som kjemper, synes å ville fornekte denne kraften og frigjøre seg fra den.

209

381

382

380

Brofigurene har en vidt forskjellig karakter fra de øvrige parkskulpturene. Tregruppene er intime og stemningsfulle, granittskulpturen gir inntrykk av jordnær forankring, mens figurene på Broen utstråler en indre og ytre vitalitet som representerer noe nytt. De hverken klynger seg til treet eller ruger tungt på jorden, men tar rommet i besittelse.

For at skulpturene skal kunne hevde seg mot et stort, åpent luftrom har Vigeland lagt an på en klar silhuettvirkning med en hel, enkel og «flytende» kontur. Figurene er mindre massive enn i granittgruppene, men likevel fyldige. Særlig øker volumene etter 1930, og kroppens smalere partier som hals og ankler gis en større bredde. Figurene er forstørret omtrent $\frac{1}{3}$ i forhold til naturlige mål. Tilsynelatende er de sterkt forenklet, men de nesten geometriske massene er samtidig utpreget organiske, selv om legemets muskulatur mer er antydet enn fremhevet.

Det er i broskulpturene at Vigelands klassiske idealer kommer klarest til uttrykk. I kvinnefigurene kan det også forekomme påminnelser om Maillols frodige skikkelser. Det er vel egentlig typisk at Vigeland ikke i større utstrekning tok opp slik formgivning før en neo-klassisistisk bølge igjen brøt inn over den figurative skulpturen i 1920-årene. Vigeland er ikke nyskapende i sin form, og viser gjennomgående avhengighet av stilretninger i samtiden. Hans skulpturer fra 1920- og 1930-årene kan likevel ikke jevnføres med sosialrealismen med dens sosiale og politiske siktepunkt. Selv om Vigelands skulpturer er realistiske nok, forholder han seg alltid til sin egen ramme, som fra begynnelse til slutt dreier seg om almenmenneskelige følelser og situasjoner. Stadig benytter han symbolske fremstillinger for å uttrykke de dypere sjikt i menneskesinnet, slik vi blant annet kan registrere i fire skulpturer i hvert av Broens hjørner.

383

384

380 Løpende mann. Broen. 1926–33. Bronse.
Høyde 1,97 meter
381 Dansende kvinne. Penn. 22 × 14 cm
382 Dansende kvinne. Broen. 1926–33. Bronse. Høyde
2 meter
383 Mann inne i en ring. Broen. 1930–31. Bronse. Høyde
2,42 meter
384 Mann og kvinne inne i ring. Broen. 1930–31. Bronse.
Høyde 2,42 meter

Øgler og mennesker

De fire granittgruppene med øgler og mennesker, som bæres av høye granittpilarer i hvert av Broens hjørner, minner svakt om en tidligere planlagt skulpturserie i forbindelse med Abelhaug-prosjektet. Tre av gruppene viser, som en sekvens, et kampmotiv: En kjortelkledt mann klarer så vidt å holde dyret fra livet (ill. 358), en naken mann anspenner seg til det ytterste, men er i ferd med å tape, og en tredje mann er definitivt overvunnet av dyret. Den fjerde gruppen fremstiller en kvinne med langt skjørt og naken overkropp som omfavnes av en øgle. I motsetning til mennene kjemper hun ikke, og hennes svake forsøk på å skyve øglen bort motsies av smilet hennes. Vigeland bygger tydeligvis på både fortidens øgler og de stadig eksisterende eksemplarer av arten i sine gjengivelser, og han understreker det uhyggelige, ikke minst ved det markerte, skarphugne skjellpanseret. Men om de kan virke realistiske, er øglene bærere av et symbolinnhold, som er beslektet med dragens og slangens.

Dragen har vi møtt tidligere i forbindelse med smijernsgitteret rundt Nordraak-monumentet. Dette fantasidyret hadde oppnådd utbredt popularitet i Norge omkring år 1900, stimulert av den historiske og nasjonale interessen for stavkirkene og deres utsmykning, og av skipsfunnene fra vikingtiden. Disse dyrene strakte seg ut fra husgavler og ble brukt som motiver på all slags brukskunst. Men Vigeland interesserte seg mindre for det nasjonalromantiske og dekorative enn for dyret som symbolsk uttrykksmiddel. Studiet av gotikkens fabeldyr og en sterk interesse for asiatisk kunst med rike innslag av drager og slanger har nok også bidratt til hans utvikling av drage-øgle-motivet.

Den kjortelkledde som kjemper med øglen, bygger direkte på en skisse fra 1898 i forbindelse med domkirken i Trondheim. På en tegning til dette motivet skriver Vigeland: «Munk som kjemper med en djevel». Så langt synes symbolikken enkel: Kampen mellom det gode og det onde. Bibelen legger vekt på dragens negative aspekter, og fra kristen kunst kjennes St. Georgs og St. Michaels kamp med dragen. Likevel er trolig Vigelands bruk av dragen/øglen i hans senere år langt mer kompleks. Dragen og beslektede dyremotiver hører til de eldste og mest universelle i alle tider og kulturkretser, og symbolikken er mangetydig. I Østen har for eksempel dragen en helt annen positiv betydning enn i vest, blant annet som en manifestasjon av det livgivende vann og dermed fruktbarhet; den kan videre representere kaos, det latente, den ubeseirede natur, for å nevne noen aspekter som kan ha

386

385

385 Engel kjemper med drage. 1898. Penn. 16,5 × 21 cm. Påskrevet: «Trondhjem Domkirke»
386 Øgle omfavner kvinne. Broen. 1918. Granitt. Høyde 2,3 meter
387 Pike og øgle. Vigelandsparken. 1938. Bronse. 1,56 × 1 × 1 meter

387

betydning for Vigelands bruk av øgler og drager. C. G. Jung tolker dyresymbolikkens innhold som uttrykk for instinkter i menneskets primitive natur. Sett i lys av slike tolkninger gir Vigelands fremstillinger av øgler og mennesker grunnlag for flere og til dels motstridende tolkninger. Mannens kamp blir muligens et bilde på hans ønske om å beseire naturen og fornekte instinktene. Kvinnen som lar seg omfavne av øglen, kan imidlertid tenkes å representere det jordnære, som aksepterer seksualiteten og det livgivende prinsipp.

Utenfor parkens hovedakse finnes gruppen PIKE OG ØGLE, hvor øglen har kveilet seg rundt en ung pike i knestående stilling. Ganske stille med rolig blikk ser hun utover, bare hendene som holdes samlet foran brystet, antyder en indre bevegelse. Hun synes å representere renhet og uskyld, men også å uttrykke undring, kanskje over de første anelser av hittil ukjente krefter og drifter, en latent energi som er representert i den ennå hvilende øglens skikkelse.

Sammenstillingen av øgler og mennesker kommer for siste gang på vaktstuenes bronsedører ved hovedportalen, hver med seks små relieffer i tilnærmet sirkelform. Her er et ørlite foster, nesten ikke synlig i øglens sammenrullede hale, et større barn og øgle, og dyret sammen med mann og kvinne og mor og barn. Relieffene daterer seg til 1942 og er noe av det siste Vigeland skapte. Igjen er det vanskelig å gi en klar, entydig tolkning. Representerer øglen livets negative krefter, de mørke sider i oss, «arvesynden» som er nedlagt allerede i fosteret, eller er disse urtidsdyrene snarere et bilde på kaotiske impulser – eller muligens på selve livskraften?

213

214

388 Inngangsportalen til
Vigelandsparken.
Smijern og granitt.
1926–34, reist i
1941. Største høyde
9,8 meter

389 To fisker biter hver-
andre i halen. Detalj
fra en av smijerns-
portene ved hoved-
inngangen til Vige-
landsparken

< 388   389 >

Hovedportalen og smijernsportene

Samtidig med at Vigeland forberedte utsmykningen av Broen, begynte han også å planlegge et monumentalt inngangsparti til parken fra Kirkeveien. Hovedkomponenten var her en rekke store porter i smijern. I 1926 forelå et ferdig utkast, som sammen med enkelte ferdigsmidde detaljer ble offentlig utstilt i 1927. Oslo Sparebank foreslo at bankens jubileumsgave til byen på 200 000 kroner skulle benyttes til dette prosjektet, og i 1928 vedtok bystyret å motta gaven og la Vigeland gjennomføre sin plan. Samme år fikk Vigeland oppført en smie i tilknytning til atelieret og ansatte egne smeder. Som den dyktige håndverker han var, kunne han sikkert ha smidd selv, men det ville ha tatt altfor lang tid. Med smien like i nærheten oppnådde han et nært og fruktbart samarbeid med smedene, til gjensidig inspirasjon for kunstner og utøvere. Den vanlige fremgangsmåten var at Vigeland først tegnet komposisjonen på millimeterpapir i størrelse 1:10 og deretter lot en medhjelper overføre tegningen til full størrelse, også på millimeterpapir. Etter at Vigeland igjen hadde rettet og godkjent, laget smedene sine arbeidstegninger ved overføring på kalkeringspapir.

Inngangspartiet til Vigelandsparken består av en segmentformet forplass, ytterst flankert av to vaktstuer. Fra vaktstuene strekker et svakt buet gitter seg mot det sentrale portpartiet; dette består av syv smijernsporter, innfattet av massive granittpilarer. Portenes høyde avtrappes fra den høyeste sentralporten mot to noe lavere på hver side og til slutt en mindre gangport ytterst. Gangportene består bare av én dør; de øvrige har hver to dører, som igjen er inndelt i tre kvadratiske felter over hverandre med en innfelt sirkel. I den

215

øverste og nederste sirkelen finnes stiliserte motiver inspirert av organiske vekster som blad og stengler, mens midtfeltet er forbeholdt fantasidyr i fiskers og dragers skikkelser. Men også dyrene har i all sin villskap en stram dekorativ virkning. Dyremotivet varieres i alle de fem portene, men er like og antitetisk plassert innen dørene i den enkelte port. Noen av fremstillingene kan minne om smijernsdekor på stavkirker, som medaljongen der fire drager biter i en ring; disse har for øvrig stort utslåtte, vifteliknende haler som delvis overskjærer hverandre og danner et kraftig, dekorativt element. I to av dørene er dragene bundet fast til sirkelen med tvunnet tau; både det tredimensjonale dyret og den innviklede tauknuten demonstrerer smedenes nesten utrolige tekniske dyktighet.

Opprinnelig hadde Vigeland tenkt seg tunge, vifteformete toppstykker med lykter, som faktisk også ble smidd. Men i 1931 bestemte han seg suverent til å kassere dem og tegnet nye, som ble utført fra 1934 og reist 1941. Idéen til de tidligste toppstykkene hadde han allerede hatt i forbindelse med portanlegget til Abelhaug-prosjektet. Men da Vigeland fikk godkjent sin utvidede Frogner-plan i 1931, må han ha funnet at de harmonerte dårlig med anleggets strenge, geometriske karakter. I stedet komponerte han høye, vertikale stenger som stiger opp fra en overligger på portene; enkelte av stengene bærer firkantete lykter og er for øvrig rytmisk oppdelt med omsluttende ringer og korte horisontale stenger. De nye toppartiene avspeiler tydelig påvirkning fra funksjonalismen og Art Deco-stilen; de er nok et eksempel på hvordan Vigeland lot seg influere av alment utbredte tendenser i tiden, samtidig som han gav de nye stilelementene sin egen betoning.

Figurporter til Monolitt-platået

Fra 1933 finnes de første tegningene til smijernsporter rundt Monolitt-platået. Fantasidyrmotivene er forlatt, og Vigeland konsentrerer seg om den menneskelige figur. Selv om han på dette tidspunktet var godt over 60 år, vitner de nye komposisjonene om evne til fornyelse. Samtlige komposisjoner synes å ha foreligget fra hans hånd i 1937, mens utførelsen i smijern først ble avsluttet etter hans død.

Rundt platået står åtte vekselvis brede og smale dobbeltporter felt inn i en lav balustrade av granitt. En eller flere figurer fyller hele portfeltet, som er gitt en enkel innramming. Med frapperende sikkerhet «tegner» Vigeland figurene mot luften: menn og kvinner, barn, unge og gamle. Omrisset løper kraftig og klart, og organiske detaljer som hår, benbygning og muskulatur kan ha en tilnærmet ornamental karakter. Selv om figurene utfolder seg i flaten, kan Vigeland oppnå forbløffende romlige virkninger, noe som i særlig grad gjør seg gjeldende i porten hvor tre kvinner går ved siden av hverandre på skrå gjennom billedplanet. I den ene døren ser vi dem forfra, i den andre bakfra. Kvinnene formelig strutter av vitalitet og en smittende livsglede, der de arm i arm beveger seg fremover, omgitt av ranker. Idéen til motivet skal Vigeland ha fått en sommerdag ved kysten da hans unge kone badet sammen med venninner og de hyllet seg inn i tangplanter.

Nok en gang har Vigeland villet fremstille menneskets aldre. Og selv innenfor den strengt lineære form har han villet gi en viss utdypende karakteristikk, som ikke bare knytter seg til livets stadier, men også til tolkninger av det spesifikt mannlige og kvinnelige. I en av portene strekker glade småpiker seg mot sommerfugler i det ene feltet, mens hissige gutter klatrer og brekker grener i det motstående feltet. I en annen port står en ung mann og holder i et tau med galgeliknende løkke. Mens kvinnen synes å

390

De runde midtfelter til portene med de bastede og bundne øgler er glimrende gjort, fulle av fandenskap og innbitt energi. Her er han seg selv, hele hans villskap og utrolige fantasi folder seg ut i disse tette knuter.
Harald Aars 1927

Hvorledes firkantete jernstenger er smidd sammen til den mest uttrykksfulle form med minst mulig påtrengende bruk av materialet, er både imponerende og helt forbløffende. Disse feltene har fått en form som bare er mulig ved en fullstendig sammensmeltning av stor fantasi, en enestående billedskapende evne og et fullkomment kjennskap til materialets virkemidler. Aldri har Vigelands helt igjennom originale uttrykksmåte i smijernskunsten nådd en mer særpreget karakter.
Arne Durban

391

symbolisere vekst og harmoni, fremstår mannen som aggressiv og destruktiv. De gamle, og særlig kvinnene, er gjengitt med en barsk og temmelig fryktinngytende naturalisme til tross for stilisering.

Vigeland tenkte seg for øvrig ti porter i parkens ytre begrensningslinje. Den planlagte veien rundt parken ble imidlertid skrinlagt, og dessuten rakk ikke Vigeland å fullføre tegningene, slik at disse portprosjektene måtte oppgis. Bare GENIEPORTEN, som skulle avslutte anlegget mot vest, ble ferdig smidd. Den består av ganske små barn som stråler ut i radier fra en indre ring og på tvers av konsentriske sirkler. Komposisjonen har felles trekk med Edvard Munchs fondbilde i Oslo Universitets aula, der kunstneren har malt små genier i solstrålenes fortsettelse i et av sidefeltene. Slik blir også smijernet bærer av idéen om universell fruktbarhet og gjenfødelse.

Til enkelte av de ufullførte portene hadde Vigeland tenkt seg bekronende skulpturer i henholdsvis bronse og smijern; til de siste hører lenkede drager (ill. 444) og en mannlig og kvinnelig engel med utspilte vinger som finnes ferdig smidd i Vigeland-museet.

392

390 Kvinne. Detalj av smijernsport på Monolitt-platået. 1933–37.
391 Gutt brekker grener og piker leker med sommerfugler. Smijernsport, Monolitt-platået. 1933–37. Høyde 2,45 meter
392 Kvinne med ranker og mann med tau. Smijernsport, Monolitt-platået. 1933–37. Høyde 2,45 meter

394

393   395

396

397

Vurderinger

Hele parken så vel som en god del av skulpturene har vært gjenstand for massiv motstand, og Vigeland selv er blitt anklaget for gigantomani, hybris og bunnløs materialisme for å nevne noen av skjellsordene. For øvrig skulle det ikke fremme Vigelands anseelse hjemme og ute at han fortsatte å konsentrere seg om mennesket, både den enkeltes følelsesmettede sfære og det kollektivt almengyldige i en tid da kunsten beveget seg bort fra det menneskelige. Den negative kritikken gjorde seg gjeldende allerede da den tidligste parkplanen ble lansert i 1922, og ble særdeles høyrøstet da broskulpturene som de første stod reist i det ennå uferdige anlegget i 1940. Skulpturparken har imidlertid hele tiden hatt sine varme forsvarere og beundrere, og vurderingene kan vel sies å ha blitt mer nyansert med årene, selv om den stadig er gjenstand for kontroversielle oppfatninger.

En ofte gjentatt innvending har rettet seg mot mengden av skulpturer og den tette oppstillingen, særlig på Broen og Sirkeltrappen, som gjør det vanskelig å konsentrere seg om én enkelt skulptur uten å se atskillige andre samtidig. Det store antallet har delvis sin bakgrunn i Vigelands hvileløst skapende evne, men skulpturseriene har nok også sprunget frem av et ønske om å fremstille flest mulig aspekter ved livet; samlet gir de et større utsyn hvor den enkelte figur eller gruppe ikke alene eksisterer i sin egen rett, men også knytter seg til de øvrige.

Den strenge arkitektoniske rammen har likeledes fått en hard medfart av kritikerne, som blant mye annet har fremhevet at den er for stor og pompøs og likevel ikke danner en sluttet helhet. På den annen side kan det hevdes at Vigeland har skapt en original syntese av natur og skulptur, av folkepark og skulpturpark, og at hans plan med anlegget, «at betrakteren skulle gå organisk sammen med det», må sies å være oppfylt. Videre eier den dominerende lengdeaksen, med sterk bevegelsesretning fremover, og oppstigningen gjennom terrassene mot MONOLITTEN, en energisk og dramatisk spenning. Hvilken plass Vigelandsparken kommer til å innta i fremtidens kunsthistorie, er stadig vanskelig å forutsi.

393 Sirkeltrappen med granittgrupper og Monolitten en vinterdag
394 17. mai-tog på Broen i Vigelandsparken
395 Barnemusikkorps i Vigelandsparken
396 Monolitt-rennet
397 Soluret og Livshjulet. Relieffer med zodiakens tegn er hugget inn i granittsokkelen til Soluret. Ca. 1930. Diameter 42 cm. Livshjulet er utført i 1934. Bronse. Diameter 3 meter

219

398 Øgler og mennesker. Seks relieffer på bronsedør
til en av portstuene ved hovedinngangen til
Vigelandsparken. 1942. 2 × 0,95 meter
398 399 Orfeus. 1900. Penn. 20 × 15 cm

Vigeland i arbeid

Mitt mål er å bli bedre, bedre i meg selv, og det er å bli bedre i mitt arbeide. Og veien – midlet – til dette ser eller finner jeg ikke utenom meg, blant mennesker, men inneni meg. Og derfor holder jeg meg for meg selv – ikke i stille meditasjon, men i bevegelse, i arbeide. Jo mere jeg arbeider, desto klarere ser jeg, desto større fantasi får jeg. Mine hender er sene, de kan ikke følge med.

G. V. 1932

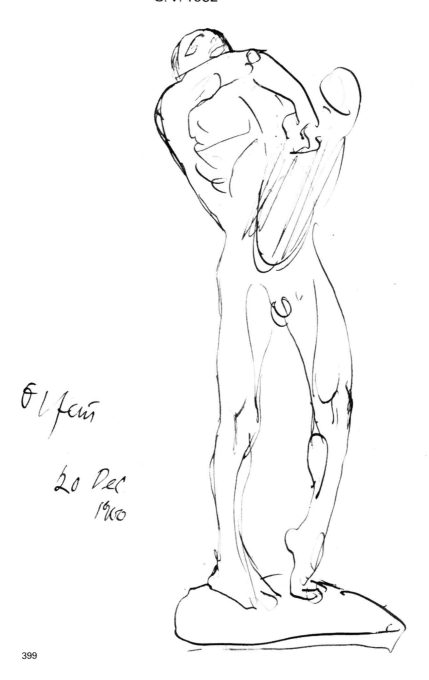

Olfsen

20 Dec
1980

399

Inspirasjon og isolasjon

Slående trekk ved Vigelands kunstneriske virksomhet er hans idérikdom og kolossale produktivitet. «Billedsynet», det han hadde sett og følt, utgjorde et grunnleggende element i skapelsesprosessen – dernest fulgte kampen for å underlegge seg formen. Vigeland har uttalt:

Billedsynet er hovedsaken. Fantasi, følelse og komposisjon må tas med i samme moment, i «unnfangelsesøyeblikket». Kunstverket blir aldri godt om et av disse momenter mangler og om f.eks. refleksjonen m.h.t. oppbygning kommer efterpå.

Fantasien, oppkommet av idéer, anså Vigeland både som forbundet med sitt eget indre, de ubevisste sjiktene i ham selv, og som en mystisk gave, en inngivelse av krefter utenfor ham selv. Enkelte uttalelser tyder på at han betraktet seg som et slags medium, som når han sier: «Jeg er blitt drevet og pisket fremover av veldige krefter utenfor meg.» Selv om Vigeland nødig ville granske idéenes tilblivelse, «for ikke å drepe det spirende liv», har Dedekam behendig klart å bringe samtalen inn på emner som satte Vigeland på glid. En dag de snakket om det ubevisstes rolle i kunsten, sa Vigeland langsomt og stille:

Det er det guddommelige. Det er en gave. Man får det gratis. Man er ikke selv herre over det. Det er ikke underlagt viljen. Fantasien arbeider helt på egen hånd ... Alle virkelige kunstnere er ydmyke. For de vet ikke når gaven kan bli tatt fra dem. Det er det mest tragiske som kan hende en kunstner.

Hva enten Vigeland har sorger eller gleder, går arbeidet sin rolige gang, aldeles upåvirket av hendelser i hans liv. Hans arbeide beveger seg som i et plan for seg selv; hans produksjon foregår som resultat av en naturdrift der ikke beherskes av ham selv.
Hans Dedekam 1922

Jeg erindrer ikke hvordan vi kom til å tale om det ukjente og ubevisste. Vigeland sa det var derfra han fikk alle sine idéer. Det var hellig grunn. Man måtte ikke ved refleksjon granske dette. Man kunne drepe det spirende liv.
Hans Dedekam 1922

Og så nevnte han igjen det som han oftere har vært inne på før: «Jeg er sikker på at der utenom oss finnes sterke krefter som vi ikke rår over. Mens vi går og tenker på andre, ganske likegyldige ting, så springer det frem lys levende og ferdig, og der står det, – noe som vi slett ikke har tenkt på.»
Harald Aars 1922

Vigeland får ofte nye idéer ved å se på sine eldre arbeider. Som han selv sier, hans arbeider yngler. Derfor ønsker han også å ha sine eldre arbeider omkring seg, fordi de gir ham nye idéer og han lærer av dem.
Hans Dedekam 1923

400

400 Vigeland, juli 1903
401 Engel slår to menn med vingene. 1922. Leire. 25 × 22,5 × 10 cm
402 Gammel mann og ung pike. 1922. Leire. 22,7 × 15 × 11 cm
403 Liggende kvinne med barn over seg. 1939. Leire. 15 × 34 × 14 cm
404 Mann med barn på armen griper kvinne i strupen. 1922. Leire. 15 × 19 × 10 cm

401

402

403

404

Ved en annen anledning uttalte han:

Kunstneren selv visste ikke hvorfra disse idéene kom og hadde ikke rede på deres tilblivelsesprosess. Den kunstneriske skapen unndrog seg all analyse og forklaring gjennom refleksjon. Derfor taler også alle store kunstverker til de skiftende generasjoner, som tolker dem hver på sin måte. Det gjelder f.eks. om Shakespeare. Det er sant som Sofokles sa om Aiskhylos at han visste ikke hva han skrev. Ti det ble ham inngitt som en gudenes gave.

Vigeland følte seg forpliktet overfor sitt talent; det gjaldt å ta vare på idéene og ikke somle bort tiden. Stadig mer isolerte han seg og gikk nødig ut blant mennesker. Etter en kveld da han for én gangs skyld hadde vært i selskap, bekjente han for Dedekam at han heller ville ha sittet hjemme og tegnet:

Han ble tom av selskapelighet. Idéer som ville gjestet ham, ville kanskje aldri vende tilbake og banke på igjen hos ham. Han hadde en følelse av ved sådan bortkastet tid å begå «forræderi» mot sine idéer.

De inspirerende krefter var gavmilde mot Vigeland. Til gjengjeld ble han deres trofaste slave, slik han gir uttrykk for i et dikt:

> Jeg er forankret i arbeid
> så jeg kan ei flytte meg.
> Går jeg en dag nedad gaten,
> holder tusen hender fra arbeidet om meg.
> Jeg er fortøyet i atelieret,
> og tjoret er aldri langt;
> det kan ikke rekke om jorden, kloden.

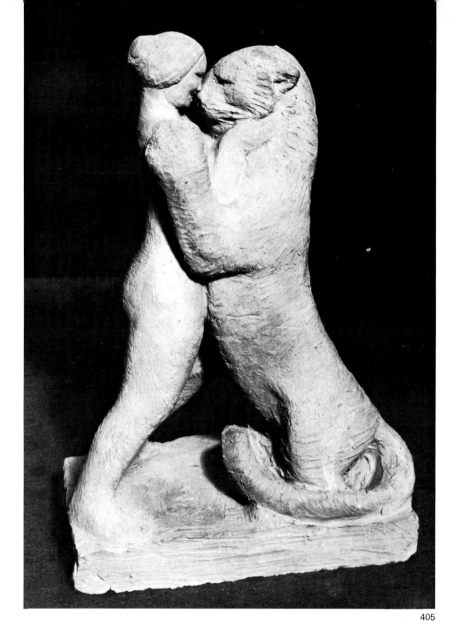

406

407

405

Skisser

Tegninger og plastiske skisser hjalp Vigeland til å fastholde idéene. Særlig fra 1915 og fremover modellerte han mange skisser, ofte direkte og uten å gå veien om tegninger. Han laget utkast til fontener, monumenter, figurer og grupper med mennesker og med mennesker og dyr. Enten dyrene tilhører fantasiens eller virkelighetens verden, har komposisjonene oftest et symbolsk innhold. Til de fantastiske innslagene hører også en allegorisk «serie» med prest og djevel; de kjemper om et menneskes sjel i en ung kvinnes skikkelse, de danser sammen, eller presten preker for noen smådjevler som sitter ved føttene hans. – En del av skissene er forarbeider til større skulpturer, andre ble til uten noe bestemt siktemål. Bare unntagelsesvis er en komposisjon basert på iakttatte opplevelser. Det finnes et par skisser av en gammel kvinne, «Mor Andersen», som stod modell for Vigeland i mange år. En dag fikk hun krampe i benet, la seg over ende og ropte om hjelp, og med burlesk realisme har Vigeland gjengitt scenen i leire. Et par ganger laget han også noen skisser av barn han hadde sett leke ute i gaten.

En egen gruppe utgjør de anatomiske skissene, bevegelses- og muskulaturstudier som kan være utført med henblikk på detaljer i forbindelse med store skulpturer, andre igjen for studiets egen skyld.

408

409

410

405 Kvinne og tiger. Leire.
20,3 × 14,5 × 8,5 cm
406 Kvinne og enhjørning. Leire.
25,5 × 20 × 9 cm
407 Kvinne, hund og satyr. Leire.
22 × 35 × 16 cm
408 Europa og tyren. 1919. Leire.
19 × 22,5 × 11 cm
409 Nidstang som skildret i Vatnsdølasaga.
1923. Leire. 25,8 × 15 × 15 cm
410 Mann og kvinne. 1923. Leire.
21,5 × 10 × 9 cm
411 «Mor Andersen» ligger med krampe i
benet. Ca. 1919. Leire.
17,5 × 14 × 10,5 cm

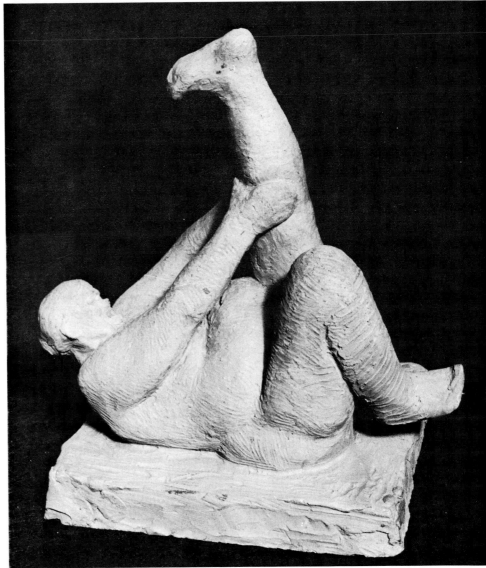

411

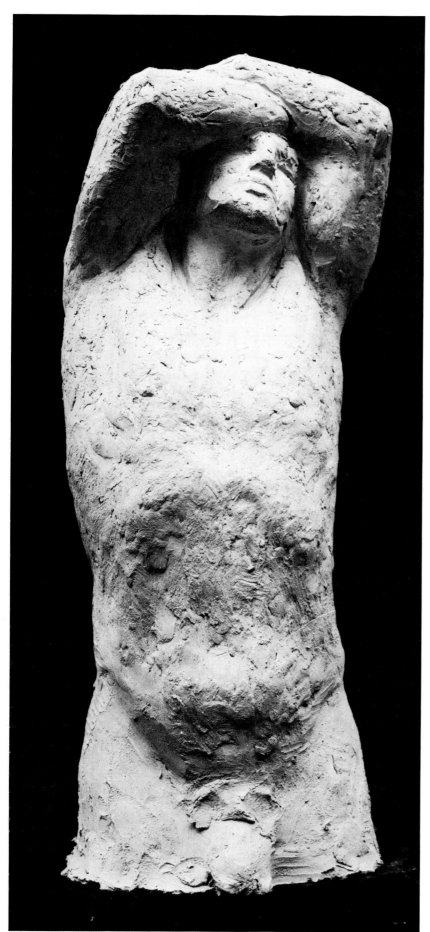

Vigeland gav uttrykk for at han var meget glad i sine muskulaturstudier. Å gå hen og betrakte dem var for ham som å ta penger ut av banken. Sette form i banken og heve renter.
Hans Dedekam 1920

Anatomi hører til de ting man må kunne også for å kunne gjøre en skisse. Han brukte ingen modell til sine skissekomposisjoner.
Hans Dedekam 1922

Å lave skisser holder fantasien beskjeftiget. Jo mere den sysselsettes, dess mere produktiv blir den.
G. V. 1922

Det er en hvile og avveksling fra de store arbeider, da de setter andre krefter i ham i bevegelse. Når han arbeider med de store ting, kommer det sånn merkelig ro over ham, sa han. Da synes det ham som det å lave skisser må være opprivende. Men når han laver skissene, føles det bare som en ferie.
Hans Dedekam 1922

Den ene idé avfødte den annen. Men der var tross motivenes tilsynelatende forskjellighet en sterk sammenheng mellom alle hans arbeider.
Hans Dedekam 1922

I enkelte arbeider oppnår man noe, i andre mister man noe, og så går man til neste verk med nytt håp.
G. V./Dedekam 1922

Bare unntagelsesvis fikk Vigeland idéer fra hva han selv hadde observert, men en dag så han på gaten en liten gutt som omfavnet en pikes ben bakfra, og modellerte en skisse. Han gav uttrykk for at han fant scenen «sjeldent vakker»; de to dannet en verden for seg, et sluttet hele, det var ingen verden utenfor dem.
Hans Dedekam 1922

412 Mannlig torso. Leire. Høyde 34,3 cm
413 Prest og djevel danser. 1922. Leire. 22,5 × 12 × 12,5 cm
414 Engel og djevel kjemper om et menneskes sjel i ung kvinnes skikkelse. 1922. Leire. 27 × 15,5 × 10 cm
415 Prest preker for to smådjevler. Leire. Høyde 34,5 cm
416 Kvinnelig torso, barn på armen. Studie til Monolitten. 1925. Leire. 31,6 × 9,5 × 10 cm
417 Liten gutt omfavner pike bakfra. 1922. Leire. 25 × 8 × 8 cm
418 Barn og hund. 1922. Leire. 24,4 × 12 × 8 cm

413   414   415

416   417   418

Fra skisse til stor skulptur

Arbeidsprosessen fra skisse til stor skulptur gikk direkte, uten mellomskala-modeller. Vigeland ønsket ikke å arbeide med skulpturen i suksessive stadier: «Den vil tape i liv, fordi jeg vil tape i liv,» hevdet han. Da komitéen for Camilla Collett-monumentet bad ham utarbeide et av sine utkast mer utførlig, svarte han:

Av erfaring vet jeg at har jeg utført en større skisse eller mere gjennomarbeidet utkast for annen gang, førenn jeg har utført det endelige arbeide, har også dette gjennomarbeidede forarbeide oppbrukt min lyst, så jeg har gått med liten glede til mitt arbeide... Førstegleden, mitt umiddelbare forhold til figuren, ville være borte.

Denne innstillingen til arbeidet har Vigeland utdypet ved en senere anledning:

Der skal være minst mulig mellom kunstneren og hans verk. Veien mellom følelse og utførelse skal være kortest mulig... Jeg går alltid like på og gjør veien mellom meg selv og verket, mellom følelsen og utførelsen, kortest mulig.

Som regel foretok Vigeland ingen vesentlige forandringer i den endelige utførelsen av en skulptur i forhold til skissens komposisjon. I forbindelse med sine senere skisser hevdet han for øvrig at de var «mikroskopiske», og mente med dette at alle proporsjoner var riktige allerede i det lille formatet. Men i alle detaljer var skissene oftest bare antydende. På forespørsel fra Dedekam om ikke den lille modellen til MONOLITTEN var høyst summarisk i forhold til utførelsen i stor skala, svarte Vigeland at «han arbeidet som på helt ny grunn i full målestokk»:

Alt arbeide der var improvisasjon. Ellers ville han ikke kunne arbeide. Han beveget seg naturligst i stor målestokk. Det voldte ham ingen vanskelighet å holde proporsjonen i den overnaturlige skala, så vel i hver enkelt figur som i samtlige figurer i forhold til hverandre.

419   420

Et skulpturarbeide er så mange «malerier» som der kan tas forskjellige fotografier av det fra forskjellige kanter.
G. V. 1912

Og i dag var han i brilliant vigør, – han sprutet og gnistret igjen, han er aldri så livlig og strålende som når han holder på med de sværeste ting. Han er i sitt element når han bakser med de store lermasser.
Harald Aars 1921

Hovedsaken med alle hans skisser var å gi stemningen, komposisjonen, «skjelettet».... Alle hans skisser var tenkt for utførelse i stor målestokk. Han arbeidet og beveget seg først naturlig og fort i stor målestokk.
Hans Dedekam 1923

Det indre og ytre blir til samtidig, jeg har aldri hatt en idé som jeg har måttet søke form for og heller ikke en billedoppbygning som jeg har søkt idé til, men virkelig sett. Og fra skissen til det ferdige arbeide er ytterst sjelden noe forandret utover hva et stort arbeide krever.
G. V. 1939

421

419–20 Sittende mann omfavner stående kvinne. 1923. Bronse. 25,6 × 10,5 × 9,5 cm
421 Tre gamle kvinner under modellering i 1918
422 Tre gamle kvinner: Gipsmodellen til venstre og den delvis huggede gruppen til høyre. I bakgrunnen sees et punkteringsapparat (måleinstrument for stein-huggerne)
423 Tre gamle kvinner. Vigelandsparken. 1918. Granitt. 1,35 × 1,40 × 1,05 meter
424 Gammel kvinne. Leire. 12,5 × 11 × 10 cm

422

Selv om Vigeland forsøkte ikke å tære på den opprinnelige følelsen og inspirasjonen ved utdypende forarbeider, kunne han likevel fortvile over manglende evne til å realisere sine intensjoner:

Mange ganger, når jeg er ferdig med en ting, tenker jeg, herregud, var det det hele, – hvor uendelig lite jeg synes jeg nådde av det jeg hadde tenkt, – jeg kan bli så rasende, så jeg har mest lyst til å slå det i stykker. Og jeg tenker død og pine, neste gang skal det bli bedre, nå skal du komme litt nærmere, men avstanden blir allikevel så kolossal mellom det jeg har følt og sett, og det som jeg når frem til.

423

424

Medhjelpere

Så snart Vigelands økonomi tillot det, benyttet han hjelpere til ikke bare å bygge det indre «skjelettet» av jern i en større skulptur, men også til å legge på leire til omtrentlig form i henhold til skissen. Dette sparte ham for atskillig arbeid, og han kunne konsentrere seg om den egentlige modellering. Men i motsetning til andre produktive billedhuggere, som for eksempel Auguste Rodin eller Stephan Sinding, lot ikke Vigeland sine assistenter forstørre eller forminske skulpturene. Han ville aldri ta imot elever, og han utelukket kunstnere som medarbeidere ut fra følgende resonnement:

Jo betydeligere kunstnerhjelpen er, desto verre er det i mine øyne. Det kan da ikke unngåes at den betydelige eller den selvstendige hjelper på en eller annen måte setter sitt stempel på arbeidet, et stempel som til tross for hva man selv synes i øyeblikket, ikke ved overarbeider blir visket ut. For stenhuggingens vedkommende forblir f.eks. en gruppe mere mitt arbeide om den minutiøst hugges av en ikke-kunstner; denne siste kunne, hvor gjerne han enn ville, ikke avholde seg fra å legge noe av seg selv inn i det arbeide som han hadde under hender, og det ville da bli en ganske annen og fremmeds gruppe.

Derimot knyttet han stadig flere håndverkere til seg – gipsstøpere, steinhuggere og smeder, de dyktigste han kunne oppspore.

Vigeland var en god, men streng arbeidsgiver, og ytterst krevende med hensyn til den håndverksmessige utførelsen. Han tålte ikke sjuskeri. Hvis på den annen side et arbeid var godt utført, var ifølge smedmester Mikkelsen ingen så takknemlig. «Han lyste opp da.» Hans holdning var utpreget patriarkalsk, og han hadde lite til overs for sosiale reformer, fagforeningsvirksomhet og streiker; Vigelands oppfatning av slike fenomener gir seg til kjenne i en skisse med to arbeidere som står med spett og bryter fra hverandre steinen i pilaren de selv står på. På den annen side synes han å ha vært forståelsesfull og generøs mot dem som var dyktige og arbeidsomme. De hadde hans tillit, og han viste også evne til å ta imot råd og til å samarbeide.

426

425

230

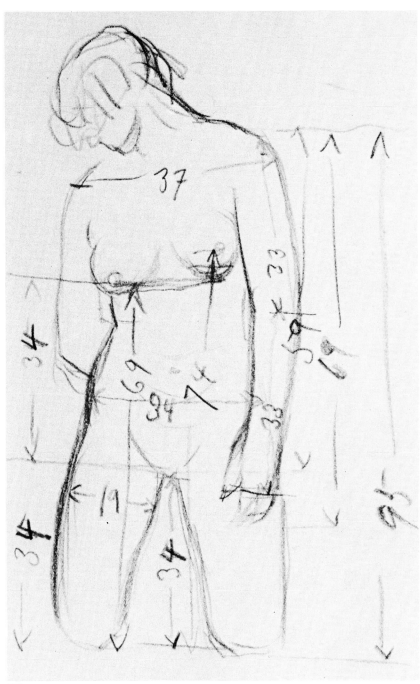

427

Bruk av modell

Vigeland benyttet levende modell i alle år, men han var ganske annerledes avhengig av dem da han var ung enn senere. Ennå i 1901 sa han: «Uten modeller er alt arbeide umulig.» Og han klaget over hvor dyrt det var å holde modell, særlig under de generelt trange kår for skulpturen i Norge:

En norsk billedhugger! Hva inntekter har vel han? Hvor kostbart er ikke hans arbeide ... Modeller daglig, daglig, støpning jevnlig, jevnlig. Og hva blir der så igjen? Hvem vet nøye det? Men jeg vet at der blir lite, ja lite igjen ...

Mitt liv har, kort sagt, vært ikke stort annet enn et liv på lån. På lån stadig. Og har jeg fått en del penger inn, har gjeldsposter slukt dem, og disse mine voldsomme

425 Vigelands assistenter. Fra venstre: Nils Jønson, stein-hugger; Roald Kluge, gipsstøper; Harald Laland, smed; Vilhelm Broe, steinhugger; Harald Hansen, smed; Karl Emil Rasmussen, steinhugger; Alfred Mikkelsen, smed-mester; Finn Ø. Bentzen, smed; Christian Engh, vakt-mester; Karl S. Kjær, steinhugger; Gustav A. Mod, steinhugger; Ivar Broe, steinhugger. De tre sistnevnte steinhuggerne arbeidet med huggingen av Monolitten. Foto tatt ca. 1940 (etter 1936)

426 To arbeidere bryter ned pilar. 1937. Leire.
71 × 13 × 13 cm

427 Kvinne. Modellstudie med mål. Blyant. 28,5 × 22 cm

231

428

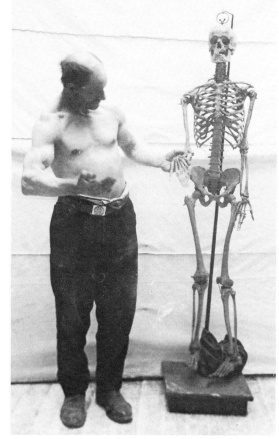

429

modellutgifter. – En maler har ikke disse. Han har billig modell i landskapet, og er han portrettmaler, sier det hele seg selv. Det er ikke meget modell, kostbar modell, en maler behøver, og som sagt, er han ferdig med sitt arbeide, så er det så ulike lettere salgbart enn skulpturarbeide – og så i særdeleshet et av mine!

Vigeland kopierte aldri den enkelte modell direkte i skulptur. Så tidlig som i 1900 forteller han at modellen var et hjelpemiddel

... for å studere formene og bevegelsen, men idet jeg søker i leiren å fremstille den skikkelse som foresvever meg, mitt indre syn – det som det har interesse for meg å gi form i gruppen.

Et notat fra 1917 belyser hans fremgangsmåte nærmere:

Med hensyn til mine arbeider er det så at jeg alltid har ferdig «komposisjonen» lenge før jeg bruker modell, hvis jeg da bruker modell i det hele tatt. Og modellen avskjediger jeg alltid lenge forinnen arbeidet er ferdig.

Etter mange års iherdig arbeid med modell, understøttet av anatomistudier i bøker og plansjeverk, hadde han opparbeidet en usedvanlig rutine, og uttaler i 1921:

232

430

Og når jeg har stengt meg inne for meg selv, så er det fordi det faller meg naturligst sånn, jeg føler ikke noe savn. Når jeg har arbeidet meg gjennom en oppgave og er ferdig med den, så kaster jeg meg over en annen og finner hvile i det.
G. V./Aars 1921

428 Kvinner. Modellstudier. Kull. 61 × 45 cm
429 Mannlig modell og skjelett. Foto fra Vigelands atelier
430 Foto av midtgruppen til fontenen i Vigelandsparken under modellering, påtegnet med penn. 1909

En billedhugger må kjenne det menneskelige legeme så han kan komponere og modellere uavhengig av modell.

Når han også i senere år gjorde bruk av modell, var det «... bare til korrigering, utdyping av detaljer».

Vigeland benyttet helst ikke profesjonelle modeller, visstnok fordi han fryktet at de skulle gå rundt til andre kunstnere og fortelle hva han holdt på med. Når han trengte en mannlig eller kvinnelig modell i en bestemt alder, pleide han å avertere i avisen. Men det fantes unntak. En mannlig danser, Claude Beriot, stod ofte modell både for Vigeland og andre kunstnere. Han kom til Vigeland første gang i 1919 da han bare var 16 år gammel, og fortsatte til henimot slutten av 1930-årene. Når Vigeland stadig benyttet ham, skyldtes det ikke bare hans veltrente kropp, men at han var atletisk og særlig utholdende. Spesielt det siste var svært viktig når det gjaldt utformingen av de mange kompliserte stillinger som MONOLITTENS og LIVSHJULETS figurer inntar. Om MONOLITTEN forteller Beriot i et intervju: «Jeg er hele den nederste delen,» og nevner for øvrig at han har stått modell til flere av figurene på Broen, blant andre MANN KASTER GENIER, foruten til smijernsporter og LIVSHJULET. I samme intervju forteller han om Vigeland:

I ro var han aldri. Jeg har ikke sett Gustav med hendene i fanget. Og prekte gjorde han bestandig. Prekte og røkte Havana Whiffs...

Gustav viste en gavmildhet uten like. Han hjalp mange. Og han hjalp også til at jeg fikk utdanne meg videre som danser her og i utlandet.

Beriot var utpreget slank, nærmest mager, og den manglende overensstemmelsen mellom hans skikkelse og de svære, kraftige figurene han poserte for er påfallende. Portrettlikhet finnes ikke.

Et hjelpemiddel som Vigeland benyttet seg av, var fotografier; allerede tidlig i sin karriere pleide han å la sine skulpturer fotografere... «som oftest uferdige, for bedre, eller rettere, for også på bildet å se etter mulige mangler». Et notat av Aars, skrevet etter et besøk hos Vigeland i 1921, tyder på at Vigeland også kunne ha andre hensikter enn bare å korrigere seg selv:

På bordet veldige hauger med fotografier av gruppene i alle stadier, – hans eget studiemateriale, som han stadig tar frem og øser av.

Masseproduksjon?

Vigelands produksjon kan virke nærmest abnorm, og slik fortonet den seg da også for mange allerede i hans egen samtid. Advarsler mot de stadige utvidelser av fonteneanlegget manglet ikke. C. W. Schnitler gav utvilsomt uttrykk for en utbredt oppfatning, da han argumenterte mot Tørtberg-planen i 1922:

... I mine øyne er der noe dypt tragisk ved denne overutviklede produktivitet, som ikke kjenner mål eller måte. Jeg begynner å få inntrykk av at det kan gå ut over de enkelte skulpturverkers kvalitet, som dog tross alle drømmer er og blir hovedsaken for en billedhugger... jeg vil ikke være med å anbefale dette «fonteneanlegg», der som helhetsverk bærer ut i det monstrøse.

Men Vigelands kolossale produktivitet var langt fra noe nytt fenomen, den var påfallende helt fra begynnelsen. Allerede i 1894, i forbindelse med den første separatutstillingen, skrev Jens Thiis:

Det er en produktivitet som må synes ufattelig for den som ikke har sett hvor lett og sikkert Vigeland arbeider, og kjenner hans rastløse og utrettelige arbeidskraft.

Etter hvert som Vigelands tekniske kyndighet vokste og hendene ble et stadig lydigere redskap for hans tanke, utførte han selv de største skulpturer utrolig raskt. Eksempelvis kan nevnes at Camilla Collett-statuen ble modellert i løpet av $2\frac{1}{2}$ måned, fontenens seks bærende giganter fra april til oktober 1909, samtidig med at han også utførte andre skulpturer: Ti av de store modellene til granittgruppene ble til i året 1918 og Monolittens kompliserte komposisjon med 121 figurer i løpet av snaue 12 måneder. Aars skriver i 1922:

Idéene stormet på, de tok form i leirskisser og vokste frem i full størrelse med en fart og intensitet som ingen kan gjøre seg idé om som ikke selv har sett det.

Selv fremholdt Vigeland at hans arbeidskraft ikke var noe å prise ham for:

Det var ham en naturnødvendighet å utføre sine idéer. Det falt ham likeså naturlig og lett som det å ånde. Det var en naturlig selvutfoldelse, en naturlig funksjon som å sove og spise. Det skulle ingen selvovervinnelse til, og han følte aldri tretthet under sitt arbeide.

Han opparbeidet en forbløffende hurtighet og teknikk. Dedekam noterer:

Når han arbeider, utfører han ingen overflødige bevegelser. Han går rett på. Det ser derfor ut som han nesten ikke var beskjeftiget med noe.

Ikke alltid gikk det like lett. Det hendte at han omarbeidet skulpturer og foretok «rettelser» i gips, slik Aars forteller skjedde med modellen til en av granittgruppene, PIKER I KRETS (ill. 337); Vigeland hadde funnet at figurene var for små i forhold til de øvrige gruppene de skulle stå sammen med:

Så lot han Ferdinandsen (gipsstøperen) sage gruppen over på to steder, midt på leggene og over midjene. Og så var det da med en liten skål med gips i hånden å gå over hver eneste figur, legge på alle dimensjoner og få frem de nye proporsjoner. Ingen som ikke er fortrolig med behandlingen av gips kan gjøre seg noen idé om for et uendelig slitsomt og pirkete arbeide dette er. Og under all denne betevise pålegning og lapping skal overblikket og helheten bevares. Jeg kan godt forstå at han en tid virkelig tenkte på heller å legge hele gruppen opp på ny i leire.

Andre skulpturer foretrakk han å omarbeide totalt, for eksempel utførte Vigeland UNG GUTT OG PIKE – SKREMT fire ganger i stor modell, hvorav tre til og med ble hugget i granitt. Han sparte hverken seg selv eller andre dersom han mente å kunne oppnå et bedre resultat.

Et fullkomment kunstverk er ikke skapt og vil aldri bli skapt av mennesker. Det er naturstridig, likeså sikkert som en uttømmende eller absolutt forståelse av et verk er naturstridig; hver av disse fullkommenheter eller guddommeligheter ville gjøre ende på kunsten.

M.h.t. mitt arbeide så tenker jeg ikke på om det blir forståelig eller ei. Heller ikke på hvorvidt det gavner andre eller ei. Jeg kan ikke annet enn arbeide, og så får det virke som det vil ...

G. V./A. Butenschøn 1918

Kjære fru Butenschøn. Da jeg ikke kan tenke meg annet enn at Tagore – såfremt han kommer hit til Kristiania – først og fremst søker Dem, tillater jeg meg å be Dem overbringe ham min ærbødige hilsen, hvis De synes det er passende. Jeg pleier just ikke være tilbøyelig til å sende hilsener omkring, men her er det en annen sak – selv om jeg er ham en ganske ukjent person.

Deres Gustav Vigeland Kr.a. 6. aug. 1920

Jeg som aldri har brydd meg om å eie noe fordi det bandt, jeg er i sannhet blitt forankret, bundet, stenene har holdt meg fast til et eneste sted. Jeg har stilt alt jeg har kunnet for å binde meg uten å ville det.

G. V. 1937–38

431

431 Den indiske dikter Tagore på besøk i Vigelands atelier, august 1926
432 Pilestredet 8, hvor Vigeland hadde atelier i 4. etasje fra midten av 1890-årene til sommeren 1902
433 Mor og barn grovhugget i marmor i Carrara

Atelierene

Vigelands tidligste skulpturer ble til i Bergsliens og Skeibroks atelierer. Fra 1892 arbeidet han for seg selv, men hadde ikke anledning til å leie annet enn rom i vanlige leiegårder. Vanskelighetene med å skape skulptur under slike forhold skildrer Vigeland i et brev fra 1897:

Jeg savner et stort rom. Et rom, hvor jeg kan tumle med tingene, hamre, banke, hugge i marmor. Årsaken til at jeg ennu ikke har utført et eneste av mine arbeider i marmor, ligger ikke bare i at jeg hovedsakelig foretrekker bronsen – det ligger for en stor del i at mitt atelier kun er et værelse, hvorunder der bor folk som forstyrres ved den minste verkstedlyd. – Og et atelier må jeg ha, et fritt arbeidsrom nede ved jorden. . . . de ting som jeg ikke har utført her, har jeg, som De vet, utført på et ennu mindre rom, et smalt værelse i Løkkeveien – hvor jeg måtte sette arbeidene på bordet og selv sette meg på en stol. Og det går ikke i lengden. Tenke seg at her i dette værelse har jeg utført to relieffer, begge Helvetene, Piken osv., her i dette rom hvor, når jeg slår en spiker i veggen, kommer leieboerne omkring farende . . .

De praktiske forhold for billedhuggere i Norge var i det hele svært vanskelige, både hva angår materialer og arbeidshjelp. I et brev fra 1923 redegjorde Vigeland for de vanskeligheter han måtte leve med:

I sydlige land er hjelpemidler å finne straks utenfor døren; jeg derimot har måttet gå til andre land efter hjelp. Jeg taler ikke om at jeg som andre må sende mine arbeider til Italien, for å få dem punktert i marmor. Marmor er nu engang ikke å få andre steder enn der, og Italien vil ikke selge råblokker, de vil som rimelig er også ha hugningen, som der er eldgammel tradisjon. Men har jeg skullet skjære en figur i tre, har jeg måttet til København; her i Kristiania fantes ikke treblokker store og gode nok, og heller ingen billedskjærer fant jeg som var øvet i å skjære store figurer . . .

Men de største vanskeligheter har vært gipsstøpningen. I snart 20 år har jeg måttet få en kunstgipser opp fra København for å utføre støpearbeidet, og derved er mitt arbeide i høy grad blitt fordyret og vanskeliggjort. Man vil lettere tenke seg enn jeg kan si det, hva det betyr ikke stadig å ha en kunststøper for hånden. Mangen gang har det hemmet meg slik at jeg har ønsket meg vekk fra Norge. Ingen europeisk billedhugger ville kunne oppholde seg i Kristiania for å arbeide, han ville snart bli stanset av mangel på kunstgipser såfremt han ikke støpte selv eller fikk en mann fra utlandet til å gjøre det. Mangen gang har jeg villet begynne på et nytt arbeide, men har måttet oppgi det for jeg ville jo ikke kunne få det støpt. Leire er ømtålig, vet De . . . Dels av hensyn til dette vanskelige forhold og dels av hensyn til meg selv, som mente at mine forkjølelsessykdommer meget skrev seg fra den våte leire, skaffet jeg meg fra København et slags kunstleire, et patentstoff som kunne holde seg uten å fuktes og ikke fryse når det ikke ble lagt i ovnen i atelieret eller når jeg måtte holde meg borte fra arbeidet på grunn av sykdom, ofte i månedsvis. Men denne kunstleire var tung å arbeide i og enn tyngre å begynne på igjen uten å ødelegge for meget. Nok om det. Forstod folk hvor sterkt disse gipsstøpningsvanskeligheter i årenes løp har hemmet meg i mitt arbeide, forstod man meget. Det manuelle slit med å utføre skulpturarbeider især her hjemme har de fleste ingen anelser om . . .

Det er ikke utenkelig at Vigeland ville ha slått seg ned i Italia om økonomien hadde tillatt det; i notisbøker fra tiden i Firenze finnes riss til atelier og bolig. Foruten de praktiske fordeler han der ville hatt, har han nok også lengtet etter et varmere klima, ikke minst når han arbeidet om vinteren ved domkirken i Trondheim. Eneste varmetilførsel i rommet han stod i, kom gjennom en luke i gulvet fra et kontor i etasjen under, og når fingrene ble stivfrosne, stakk han hendene ned gjennom dette hullet. De fuktige leirefigurene kunne være stivfrosne når Vigeland kom om morgenen, og klutene som lå utenpå dem, måtte brekkes løs.

I 1902, da Vigeland skulle utføre Nordraak-monumentet, overlot Oslo kommune ham et gissent, delvis falleferdig atelier i Sorgenfribakken på Hammersborg. Selv med utbedring av nytt gulv og tak i 1904, kunne likevel sneen fyke inn. Her fantes uventede vekster, og Vigeland forteller:

432

433

434

Soppen grodde oppetter veggene som kaker, og enkelte av disse soppblomster vokste ut av sprekken i veggen, store svamper med stilk på, svære stilker, svære svamper, prektige i farvene, vanvittige, ikke bare for farven var så gal, men også fordi de grodde slik rett ut av veggen og inn til meg der jeg var. De var sterke disse svamper, jeg kunne sette små figurer på dem.

Etter at kontrakten om den store fontenen var brakt i havn i 1907, sørget komitéen for å oppføre et nytt atelier ved siden av det gamle. Men også dette, og uterommet mellom atelierene, vokste Vigeland seg ut av i løpet av neste 10-årsperiode. En liten skog av bronsetrær reiste seg ute i haven. Gipsmodellene måtte lagres inne. Granittgruppene skulle modelleres, støpes i gips og hugges; bare å få fraktet granittblokkene, som veide mellom 8 og 10 tonn, opp bakken på Hammersborg og gjennom den trange passasjen til gårdsrommet var i seg selv et problematisk og risikofylt foretagende. Da han i alle fall snart måtte flytte på grunn av ny regulering og bebyggelse, ble han tvunget til å tenke på fremtiden.

435

Nittiårene utigjennom – unntagen når jeg var på stipendiereise – sov jeg på ateliergulvet, i det siste på en madrass som jeg stakk bak en figur om dagen.
G. V. 1917

Det er ufattelig at ikke Vigelands helbred ble knekket under de hårde vintre han tilbrakte her ... Døren førte inn til en passasje som gikk tvers igjennom fløyen. Atelieret lå på høyre hånd, og til venstre for passasjen var rom for leire og kull. På veggen mot disse rom blomstret soppen saftig. Jeg bøyet meg ned for å flake av hele kaken, men ble hindret av Vigeland. «For Guds skyld ta den ikke bort, den er så vakker i farven.» Som koloristisk effekt var den heller ikke borte, bunntonen var fet, en fyldig kremgul tone med bølger nedover i grått, men her og der satte det inn med praktfulle flekker av iltert smaragd og frisk sinober, som ble utjevnet i de fineste overganger fra mosegrønt til purpur. Denne sopprose, som vel kunne være en 75 cm høy og ikke langt fra 1 m bred, stod i mange år efter at den nye bygning var ferdig. – Ingen ringeklokke, man måtte banke på. Gjennom et lite, knapt synlig hull i døren kunne Vigeland se om han ønsket å åpne eller ikke.
Harald Aars 1926

436

De store granittblokker måtte transporteres opp bakken og forbi tre skarpe hjørner gjennom den trangeste passasje til det snevre gårdsrom. 8–10 hester klarte ikke lasset og falt, vogn og hjul knustes en gang under stenblokken, som veltet av og boret seg i jorden med sine godt 10 tonn, og ble liggende i månedsvis utenfor atelieret i Fredensborgveien, samlende oppløp, målt av forbigående, uten at en eneste vognmann i Kristiania ville påta seg å føre blokken videre oppover.
G. V./Bonnevie 1923

Skulle jeg lukke opp hver gang det banket på atelierdøren og ta imot dagdriverne eller andre som ikke på noen som helst måte vil støtte meg i mitt arbeide men kun stjele min tid, kunne jeg likeså godt selv forlate atelieret. Eller når noen kommer og ber meg ta ned av veggene hva der står og pakke ned i kasser mine andre arbeider og så sende dem av sted, kan jeg jo ikke annet enn bli rørt over så meget interesse. I tidens løp har jeg fra mange kanter fått forespørsel om jeg ikke vil tømme atelieret... Å utstille mindre ting, byster, skisser osv. ville ikke gi noe tilfredsstillende bilde av min produksjon... De par ganger jeg har sendt arbeider ut, har jeg til dels fått dem knust tilbake eller jeg har fått dem tilbake lenge etter utstillingens slutt til tross for mange «rykkerbrev». Enkelte arbeider har jeg aldri fått tilbake. Slikt gir en ikke videre lyst til fortsettelser.
G. V./Hans Dedekam 1919

Vigeland sa det var ham selv uforklarlig hvordan han kunne ha utført sine mange arbeider under så ugunstige forhold. Det var som det ikke var ham selv, men andre hemmelighetsfulle overjordiske krefter som hadde gjort det.
G. V./Dedekam 1920

Da Vigeland skulle modellere gruppen med piken som sitter i rensdyrets horn, sendte han en mann til Finnmark for å kjøpe to levende rensdyr han ønsket å bruke som modell – to fordi han syntes det ville bli trist for ett dyr å være alene i byen. Rensdyrene hadde han gående i haven på Hammersborg. Aars forteller at Vigeland elsket dette arbeide... Han viste meg med inderlig fryd alle detaljene, hvordan hovens underside var et vidunderlig ornament, hvordan tommelstoen på alle fire ben står ut for seg og føler seg fint og varsomt for når foten settes ned eller tjener som bremse på holket føre, og han viste meg hårlaget, hvordan kronene sitter, – de lubne hårdusker som bøyer seg inn på hver side av den tykke halestubb, hudfoldene i den kraftige, tilbaketrukne hals osv. Rensdyrene ble gående over vinteren. Jeg vil ha dem så lenge til jeg kan dem utenat, så jeg siden kan modellere rensdyr så meget jeg vil uten å ha dem for meg. På samme måten som med det menneskelige legeme...
Harald Aars 1920

437

438

434 Det gamle atelieret på Hammersborg
435 Vigeland utenfor det nye atelieret på Hammersborg, bygd 1908. Foto ca. 1920
436 Granittblokk fraktes til Vigelands atelier på Hammersborg
437 Pike sitter i reinsdyrs horn. 1920. Bronse. 2,08 × 1,83 × 1 meter. Gruppen står i parken til Fritzøehus, Larvik
438 Reinsdyr i atelierhaven på Hammersborg, 1920

439

Kontrakten med Oslo kommune

Problemet som Vigeland stod stilt overfor i 1918, var å skaffe et egnet atelier for seg og sine medarbeidere, et atelier som også burde være stort nok til å gi rom for hans tidligere produksjon. Tanken på en kombinasjon av atelier og fremtidig museum tok form. Museumstanken var for øvrig ikke av ny dato. Allerede i 1895 skrev Vigeland til Larpent:

Gid de arbeider De har av meg, ikke må spres for vidt, men samles, så nogenlunde, for de henger jo så nøye sammen, alle.

Denne forestillingen om at hans verk utgjorde en helhet, var ikke blitt mindre med årene. Tanken på et én-manns museum kan dessuten ha fått næring fra flere kanter. I sin ungdom hadde han beundret Thorvaldsen-museet i København og Gustave Moreau-museet i Paris. I 1916 besluttet den franske stat, som Rodin hadde testamentert alle sine arbeider, at det praktfulle Hôtel Biron i Paris skulle bli et Rodin-museum. Vigeland hadde derfor flere forbilder da han skisserte en plan om å forære den norske stat hele sitt verk mot å få et atelier så lenge han levde, og som kunne bli museum etter hans død. Da dette ble kjent for byarkitekt Aars, mente han at Vigeland heller burde rette sin forespørsel til Oslo kommune, og arbeidet selv aktivt for å vinne tilslutning hos myndighetene for planen. Den 2. januar 1919 skrev Vigeland følgende brev:

440

Jeg erklærer herved at jeg er villig til å skjenke Kristiania kommune originalmodeller, studier og skisser til alle mine arbeider som jeg har utført og kommer til å utføre, samt alle arbeider i marmor eller annen sten, bronse, tre osv. som befinner seg i og utenfor atelieret ved min død – mot at det blir reist en passende bygning hvor jeg kan utføre fonteneskulpturene, og hvor samtlige arbeider som en hel og udelelig samling kan få stå for fremtiden. Ærbødigst Gustav Vigeland.

Den 15. februar 1921 ble kontrakten undertegnet. Den inneholdt for øvrig visse restriksjoner med hensyn til spredning av hans skulpturer. Selv hadde han gjennom årene solgt så lite som mulig, og han var heller ikke interessert i at kommunen skulle avhende hans skulpturer i fremtiden. Til gjengjeld for det meste av sitt livsverk fikk han bedre arbeidsmuligheter enn kanskje noen kunstner har hatt. Tidspunktet for kommunens inngåelse av kontrakten var

441

442

439 Vigeland-museet. Vigelands atelier og bolig fra
1923/24. Arkitekt: Lorentz Ree. Fasaden måler 70
meter. Vindusrekken over inngangspartiet tilhører
Vigelands leilighet. Hans gravplass er i et rom i tårnet.
– Museum fra 1947

440 Vestibylen i Vigeland-museet

441 Vigeland i en av salene i den nye atelier/museums-
bygningen den 24. november 1923

442 Pike og øgle under modellering i 1934, den lille skissen
til høyre. I bakgrunnen tre av gruppene til Broen i
Vigelandsparken

443

444

beleilig; Oslo kommune hadde nylig overtatt kinodriften og bestemt at overskuddet skulle gå til kulturelle formål. Det forteller noe om Vigelands posisjon i samtiden at de første tildelinger gikk til hans atelier og fremtidige museum. Den avsatte summen var opprinnelig 500 000 kroner fordelt over to år, men innen hele bygningen stod ferdig, var dette beløpet mer enn firedoblet.

Kommunen avstod tomt like sør for Frognerparken. Arkitekt Lorentz Ree ble valgt som utførende arkitekt. Han skapte en palasslignende bygning med fire fløyer omkring et stort åpent gårdsrom. Stilen er streng, med hovedvekt på lange, horisontale linjer; østfløyen brytes av et bredt, svakt fremskutt midtparti med tre rundbuede inngangsdører og øverst et sentralt plassert firkantet tårn.

Vigelands ønske om håndbanket tegl som bygningsmateriale ble oppfylt. Høsten 1923 begynte han å arbeide i de nye atelierene, og året etter kunne han flytte inn i leiligheten som ble innrettet for ham i østfløyens tredje etasje. Dermed var nok et ønske tilgodesett – å få bo i umiddelbar nærhet av atelieret. Her levde han strengt regelmessig, gikk ned i atelieret om morgenen, fikk formiddagsmaten brakt ned til seg i en kurv, og gikk trappene opp igjen ved 5-tiden om ettermiddagen eller når dagslyset svant. Om kvelden foretrakk han å sitte i det rommelige biblioteket, hvor han tegnet, leste eller skar tresnitt.

Dagene gikk sin rolige gang. En del avbrytelser måtte han, om enn motvillig, finne seg i. Allerede på Hammersborg hadde han følt seg plaget av forbindelser som måtte pleies:

En ting som har tatt tid fra meg, er de stadige besøk. Folk betrakter atelieret mere som museum enn som verksted, tror jeg ... En kunstner lukker i regelen folk inn i sitt atelier enten for å selge eller for å bli hjulpet i selve arbeidet.

... Jeg foretrekker heller å bli uvenner med folk enn å miste tid. Jeg har da ikke rett til å forkorte min arbeidstid eller rent ut sagt forkorte mitt liv til fordel for mere eller mindre «interesserte». Jeg kan da ikke gå hen og myrde meg for folks interesserthets eller

Hans arbeidskraft var intet å prise ham for. Det var ham en naturnødvendighet å utføre sine idéer. Det falt ham likeså naturlig og lett som det å ånde. Det var en naturlig selvutfoldelse, en naturlig funksjon som å sove og spise. Det skulle ingen selvovervinnelse til, og han følte aldri tretthet under sitt arbeide.
Hans Dedekam 1923

445

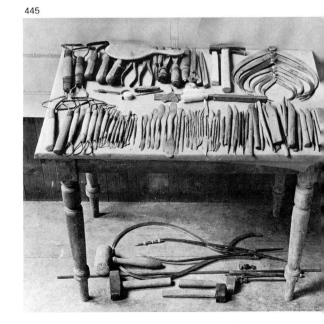

446

nysgjerrighets skyld. Og dessuten er det hele for meg et arbeide, et eneste, og det er kanskje likeså vanskelig for meg å vise det frem under utførelsen som det f.eks. er for en dikter å la publikum først av alt få se sitt arbeide på et mer eller mindre tidlig stadium.

På Frogner ble situasjonen enda verre med hensyn til besøkende, og han mottok en stadig strøm av henvendelser fra inn- og utland om å få slippe inn. Til en viss grad følte Vigeland seg forpliktet til å stille seg imøtekommende, men glad var han ikke:

Slike besøk hører fan til. Nu må vi begynne i morgen tidlig å rydde, flytte vekk og ordne. Både Ferdinandsen og Blom blir fullt opptatt med dette negative arbeide. Og hva får jeg så for det hele? Ingenting. Bare tidsspille. Og furting for ikke jeg også har lagt mitt arbeide til side og møtt opp. Det gjør jeg aldri.

To ganger åpnet han dørene for publikum. Første gang, i juni 1930 da utsmykningsplanen for Broen i Frognerparken ble vist, kom ca. 75 000 mennesker i løpet av fire uker. For øvrig hadde han for mange år siden sluttet å sende skulptur til utstillinger hjemme og ute. Bare de to endelige utstillingene opptok ham — skulpturparken og det fremtidige museum.

447

Bare jeg har vært utenfor atelieret en liten stund for å gå og lufte meg litt, så føler jeg meg fremmed når jeg kommer inn igjen, jeg er kommet på avstand, og dagen er ødelagt for meg, det er som det går noe i stykker inni meg.
G. V./Aars 1922

En dag jeg gikk ut på gaten, hadde alle kvinner dradd skjørtene opp til knærne. Jeg syntes jeg var kommet ut i et galehus, en galeby, og trodde knapt mine øyne. Men det kom av at moten hadde skiftet siden jeg sist var ute. Neste gang var skjørtene sluppet ned igjen.
G. V. 1934

Når jeg har spist, så setter jeg meg til å tegne, og da savner jeg ingen ting, — forsåvidt er jeg et lykkelig menneske, og natten går, så stille og godt, og jeg gleder meg om morgenen til å komme hit igjen og få arbeide på sakene mine.
G. V. 1921

Arbeidsdagen slutt

Krigen og okkupasjonen i 1940 fikk ingen umiddelbar innvirkning på Vigelands arbeid. Frykten for bombeangrep førte riktignok til at skulpturene, som han var så avhengig av å ha rundt seg, ble stuet sammen i kjelleren og omgitt av beskyttende sandsekker. Nylig hadde han fylt 71 år. Men hverken alder, krig eller personlige konflikter hindret ham i å skape nye verker. Sommeren 1940 modellerte han de åtte spedbarna til Barneplassen i skulpturparken. Fire grupper fra 1941–42 til rekkverkene på to mindre broer i parken virker derimot atskillig stivere. Men hans levende symbol- og billedskapende fantasi slår igjen ut i de tolv små relieffene av mennesker og øgler til bronsedørene på vaktstuene ved parkens hovedportal; de er alle utført i januar–februar 1942.

Samme sommer fikk Vigeland det første varsel om at slutten nærmet seg. Et slaganfall tvang ham til å holde sengen i flere uker. Om høsten fant han litt atspredelse i å snakke med Hans Lødrup, som samlet stoff til å skrive en bok om ham. Vigeland gav uttrykk for at han følte hardt den åndelige avsperring som krigen førte med seg: «Vi har jo ikke fri bøker lenger. Hva skulle vi i Norge ha gjort uten bøkene fra utlandet,» refererer Lødrup. Verre var det imidlertid at brensel ikke lenger kunne skaffes til å varme opp de store iskalde atelierene. Også i leiligheten var det kaldt, men her ble det ordnet med oppvarming. Vigeland fikk brakt kavalett og leire opp i biblioteket, og i november begynte han å modellere på en frise med relieffer til sitt eget gravkammer i tårnet. For siste gang gjentok han sine velkjente kretsløpsmotiver – de små barna, kjærlighet- og kampscener, alderdommen. Vigeland rakk aldri å fullføre frisen; av de 18 feltene i gravkammeret står 10 tomme. Den 18. januar 1943 ble Vigeland syk igjen. Lødrup forteller:

Han hadde fått sin frokost på sengen og stod opp til vanlig tid og arbeidet på sine relieffer. Klokken 5 spiste han middag sammen med husholdersken i biblioteket som han pleide. Efter middagen satt de og pratet inntil Vigeland plutselig ble blek og fikk krampaktige smerter i brystet og åndenød. Det ble nå sendt bud efter lege, som stilte diagnosen hjerteinfeksjon og straks bestilte sykevogn og kjørte ham til Lovisenberg sykehus.

Han så en stund ut til å komme seg bra, men 10. mars ble han igjen dårligere, og 12. mars døde han under et behandlingsforsøk.

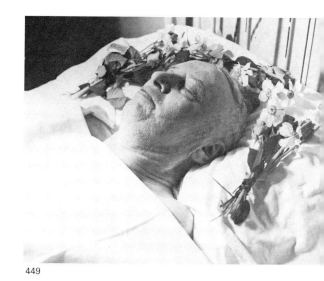

449

448

448 Vigelands gravkammer
449 Den 12. mars 1943 døde Vigeland på Lovisenberg sykehus
450 Vigeland ved havet på Breime

Av ytre var han heller lav enn høy, og han ble på sine eldre dager temmelig korpulent. Men han bevarte alltid sine små føtter og sine fine og uttrykksfulle hender. Han hadde et vakkert hode og et tungt ansikt, hvis trekk i moden alder mest av alt bar bud om lidenskap, alvor og myndighet ... Men under samtale åpnet dette strenge, lukkede ansikt seg, de tunge trekkene løstes opp i liv og bevegelse og ble vakkert. Det dominertes helt av hans forunderlige blikk, som tentes som et blinkfyr og kunne lyse mildt som et barns og lyne som en vred Zeus.'
H. P. Lødrup

I ungdommen var jeg nokså ofte ute og gikk med Gustav Vigeland. Det begynte på Skeibroks atelier og holdt på lenge efter, men alt den gang var Vigeland en stor begynnelse. Han var god å være sammen med. Han var halvt sjøgutt og helt kamerat og støttet meg. Så efter flere reiser og utenlandsopphold kom Hammersborgtiden, men da var han alt den store kunstner med Abel og allverden ellers. Jeg hadde inntrykk av at han ikke hadde tid til annet enn å arbeide og skape. Overalt i atelieret vrimlet det av figurer og hoder og skikkelser. Men han ville gjerne prate litt. Han var i grunnen en ensom mann. Jeg husker bare to ganger han ble med meg ut i byen i den tiden. ... Kjære Vigeland, du var både geniet og et ikke altfor lykkelig menneske. Du var god å være sammen med. – Han leste meget og hadde overblikk ...
Knut Hamsun 1943

450

Vigeland hadde bedt om å bli begravet i all stillhet, men henstillingen ble ikke respektert av de nye makthaverne i Oslo kommune. Derimot fikk han oppfylt sitt ønske om at presten ikke skulle holde noen tale, bare lese ritualet, og til slutt ble Kingos salme sunget, denne salmen som stod prentet i ham fra barndommen:

> Far, verden, far vel!
> Jeg vil ikke lenger være din træl.
> de byrder du veltet mig mangfold paa,
> dem kaster jeg av mig og vil dem forsmaa.
> Jeg river mig løs; thi jeg kjedes nu ved
> forfængelighed.

Kanskje mente han det samme som han noterte i 1896:
«Kunsten er kort, men livet er evig.»

243

Kilder og noter

Notene i hovedteksten er angitt med sidetall/linjenummer (også overskrifter er tellet med).
Noter til margtekstene er angitt separat under sidenummer.
Forkortelser: GV = Gustav Vigeland   V-m = Vigeland-museet.   ibid. (forkortet for ibidem) = samme sted.
op.cit. = i det tidligere siterte verk. Hvor ikke annet opplyses, finnes gjenstander og brev (original eller kopi) i Vigeland-museet.

Fremstillingen bygger for en vesentlig del på flere utrykte kilder:
Gustav Vigelands notisbøker. I Vigeland-museet finnes 256 notisbøker fra 1889 til 1942 som i notene er angitt med årstall og nummer. *Gustav Vigelands «Erindringer».* Sommeren 1918 skrev Vigeland sine erindringer fra barn- og tidlige ungdomsår. Han forteller om slekten, miljøet i Mandal, Sør-Audnedal og Kristiania, meget om andre mennesker, relativt lite om seg selv. Han minnes med en tidvis «fotografisk» hukommelse, ned til ganske små detaljer. Fremstillingen går dessverre ikke lenger frem enn til januar 1891. Erindringene er stort sett objektive og registrerende: «Det er bare kjensgjerninger altsammen jeg har notert og jeg har unnlatt å komme med refleksjoner og slikt,» skriver Vigeland i 1937 (notisbok nr. 2). Det håndskrevne manuskriptet og en avskrift (279 sider) finnes i Vigeland-museets arkiv. I notene angis «Erindringer» og sidetallet i avskriften.

Både før, under og etter at Vigeland skrev en fortløpende beretning om sine erindringer, gjorde han atskillige spredte notater. Disse er ennå ikke systematisert. Sitater betegnes «Notater til Erindringer».
Brev fra Gustav Vigeland. Brev fra Vigeland til en rekke forskjellige personer finnes i flere offentlige og private samlinger, og særlig er «Håndskriftsamlingen» på Universitetsbiblioteket i Oslo viktig i denne sammenheng. En del originalbrev er gjennom årene overlatt Vigeland-museet, som dessuten har fotokopier av de fleste brev i offentlige, og i den grad man kjenner dem, også i private samlinger. Vigeland skrev ofte utkast til og kopier av sine brev, som likeledes finnes i museets brevarkiv.
Brev til Gustav Vigeland. Først etter 1900 begynte Vigeland å ta vare på mottatte brev. Brev fra Sophus Larpent, som Vigeland førte en utstrakt korrespondanse med, finnes ikke i original, men i Larpents egne avskrifter på Universitetsbiblioteket i Oslo og i Vigeland-museet.
Sophus Larpents dagboksopptegnelser. Fra 1890-årene og noen år fremover på 1900-tallet: Universitetsbiblioteket i Oslo, Ms. fol. 1821 «Vigelandiana», i notene forkortet til Larpents opptegnelser med angitt dato.
Hans Dedekams dagboksopptegnelser. Gjennom 20 år refererte Dedekam samtaler med Vigeland. I 1923 begynte han å katalogisere Vigelands skulpturer, og både i forbindelse med dette arbeide og med henblikk på å skrive en bok om kunstneren, samlet han også opplysninger om data og verkenes tilblivelse. Den planlagte monografien ble aldri påbegynt, og etter Dedekams død i 1928 ble notatene overlatt Vigeland,

som har foretatt enkelte rettelser og tilføyelser. Notatene kan derfor ansees å være godkjent av Vigeland. Man bør imidlertid være klar over at Vigeland kjente til Dedekams referater og hvilken bruk de var tilsiktet, og derfor nok til en viss grad «redigerte» sine synspunkter.

Opptegnelsene er gjort gjennom følgende tidsrom: Januar 1907, februar 1908, april–juni 1916, juni–august 1918, oktober 1919, deretter mer fortløpende frem til 1927, med kortere og lengre opphold. De håndskrevne notater og avskrift finnes i Vigeland-museet. I notene angis: Dedekam, dato og sidehenvisning i det avskrevne manuskript.
Harald Aars' dagboksopptegnelser. Byarkitekt Aars kom først i forbindelse med Vigeland i 1907, og i 1908 tegnet han Vigelands nye atelier på Hammersborg. Det utviklet seg et personlig vennskap mellom dem som imidlertid brast da Aars motarbeidet fonteneanleggets plassering på Tørtberg. I likhet med Dedekam hadde Aars til hensikt å skrive bok om Vigeland. Opptegnelsene begynner i 1920, og frem til sommeren 1922 refererer han en rekke samtaler med Vigeland. Etter bruddet fortsetter Aars å kretse om kunstneren og mennesket Gustav Vigeland, og på avstand følger han skulpturparkens utvikling til han legger ned pennen i 1940.

Opptegnelsene ble trykket i forkortet utgave ved Carl Just, Oslo 1951. Aars' originalmanuskripter, håndskrevet og i avskrift, ble overlatt Vigeland-museet av Aars' etterlatte i 1966. I notene angis Aars' data og sidetall i den maskinskrevne avskrift.

Hans Dedekam. 1923. Granitt. H: 46 cm. Kunstindustrimuseet i Oslo. Portrettet er hugget i en avkuttet blokk fra Monolitten 1935–38

22 marg *Jeg husker første gang...* Brev fra GV til Gelly Marcus 29.12.1908

Han var oppdradd... Dedekam 25.12.1921, s. 38

Jeg husker da jeg var liten gutt... Aars 8.6.1921, s. 55

Med skolen gikk det dårlig... Erindringer s. 60

23/1 *Jeg satt i sengen...* Erindringer s. 10

23/6 *Lå jeg i sengen...* ibid. s. 15

23/18 *Hver søndag...* ibid. s. 71

24/11 *Det frimerket jeg likte best...* ibid. s. 62

24/15 *Og så kunne jeg stå der...* Notater til Erindringer

24/25 *Michelangelos bevegelser var som fars...* ibid.

24/29 *Theodor og deretter jeg...* ibid.

25/5 *Kan når han vil...* Notisbok 1918, nr. 2

25/7 *Denne monotone dur...* Erindringer s. 77

25/15 *Tegnelæreren...* GV pleide å besøke Gunnar Steen når han var i Mandal. I V-m finnes en bok (Stor-Oslo, 1935) med dedikasjonen: «Til min kjære lærer Steen for oppmuntrende ord til meg på skolen, ord som jeg i alle disse år mangfoldige ganger har tenkt på og som ingen riktig kan måle den styrkende betydning for meg.»

25/17 *Forøvrig ble han husket...* Morten T. Bessesen: «Vigeland laget den.», Aftenposten 13.5.1943

25/22 *sopet som en lime...* Erindringer s. 17

25/24 *Når jeg lå...* Brev til Dedekam 3.5.1918. I 1931 sørget GV for å få tinglyst at treet skulle være fredet i 35 år; jfr. brev til GV fra K. Schmidt, Mandal, 30.12.1931

25/27 *Gikk der på den røde barbund...* Brev til Dedekam 3.5.1918

25 marg *Jeg spurte...* Dedekam 19.6.1922, s. 120

Bak Mandals middelskole... Notisbok 1912–13, nr. 2

Før var jeg kun... Notisbok 1912, nr. 4

26/1 *Vinden over Furulunden...* som 25/27

26/9 *Jeg glemte det liksom...* Erindringer s. 21

26/13 *En slik kveld...* ibid. s. 47

26/22 *Jeg orket ikke å være i Mandal...* ibid. s. 90

26/25 *Var jeg redd for...* Notisbok 1918, nr. 2

26/28 *Om kvelden leste jeg for bestefar...* Erindringer s. 99

26 marg *Nu tenker jeg på den rad...* Notisbok 1915, nr. 1

27/8 *Torsten Christensen Fladmoe (1831–1886) hadde tidligere også utført noen skulpturer, jfr. Norsk kunstnerleksikon, Oslo 1982*

27/23 *Første etage i vårt hus...* Erindringer s. 136

28/18 *laget melodier...* Notisbok 1922, nr. 3: «Jeg lavet mens jeg spillet citar 1887 og 1888 melodi til Welhavens dikt «Vaarnatten stille og sval» Wergelands Gyldenlak og Welhaven «Elven gaar aldrig saa sterk og strid...»

28/22 *tegneøvelser etter skulptur av Bertel Thorvaldsen...* «Tolv Blade Figurer til Tegne-Øvelser efter Thorvaldsen, med poetiske Forklaringer af Professor A. Oehlenschläger» København u.å.

28 marg *Når der i den kristne tid...* Brev til Th. Bonnevie 26.2.1933

Før jeg var 20 år... Brevutkast til Andrea Butenschøn, udatert, Vigeland-brev nr. 529

Jeg kunne gresk og romersk mytologi... Notisbok 1939, nr. 2

29/10 *Og så kunne han komme farende...* Skrevet av GV på et manuskript av Moss Johnsen om GV, V-m

29/20 *Mor var tålmodig...* Notater til Erindringer

29/29 *Jeg fikk lite se i dem...* Erindringer s. 195

30/1 *beordret distriktslegen...* Notater til Erindringer

30/7 *Hun tømte kofferten...* Brev til advokat Næser 23.11.1920. Fontenearkivet kassett 2, mappe 3, V-m

FRA TRESKJÆRER TIL BILLEDHUGGER

31 *Overgangstid...* Notisbok 1895, nr. 9

32/15 *Rottene brydde seg ikke om meg...* Erindringer s. 208

32/19 *Jeg gikk omkring som en søvngjenger...* ibid.

32/21 *men straks jeg hadde tatt dem opp...* ibid.

32/25 *Jeg hadde en tysk oversettelse...* ibid. s. 209

32/41 *Atelieret lå dypt under gangen...* ibid. s. 210

32 marg *Jeg kommer til å tenke på...* Brev til Elin Danielson 20.8.1895

33/12 *Jeg er blitt så vant til...* Morgenbladet 2.12.1894, den første av tre artikler om GV; de øvrige 7.12. og 8.12. 1894

33 marg *Jeg gikk omkring i gatene...* Notisbok 1896, nr. 9

Om dagene satt jeg mest opp på kirkegårdene... Brev til Elin Danielson 20.8.1895

34/18 *Og det generte meg ikke lite...* Erindringer s. 212

34/44 *Alle andre elever...* Brev til Andrea Butenschøn ca. 1918, Vigeland-brev nr. 529

34 marg *med forventning så man...* Brev til Andrea Butenschøn 5.11.1917

35/3 *I klassen var det enighet om...* Erindringer s. 235

35/15 *Alt gammelt ble latterliggjort...* Utkast til brev til Gabriel Kielland, Vigeland-brev nr. 170–77

36/14 *Og han ville også at jeg i bakgrunnen...* Erindringer s. 237

36/25 *Det gjaldt bestillinger...* For arkitekt Bucher utførte GV også en fasadeskulptur til Drammensveien 66, oppstilt 1891. Denne bygningen er revet, men en skisse og en gipsavstøpning av skulpturen finnes i V-m

37/4 *Idet vi innstiller ham...* Innstillingen finnes i Riksarkivet, KUD kontor D 1866–97, 42A–61

37/ 22 *Når solen skinnet...* Notater til Erindringer

38/10 *Jeg har aldri sett maken til modellering...* Brev til Lorentz Dietrichson 6.1.1891

38/19 *Kain og hans slekt på flukt...* Dedekam noterer 17.1.1922, s. 67: «Forbannet har Vigeland en tid selv kalt Kain, men oppgav navnet på grunn av det franske bilde i Luxembourg av samme navn.» (F. P. Cormon: Cain, ill. i Bo Wennberg: French and Scandinavian Sculpture in the Nineteenth Century» Stockholm 1978, s. 181)

38/52 *Du kastet deg over dine oppgaver...* Brev til GV fra Ludvig Brandstrup 6.9.1913

38 marg *Straks i begynnelsen...* Verdens Gang 29.10.1894

40/5 *Bodde i Nansensgate...* Notater til Erindringer

40/18 *Vigeland har selv fortalt...* Dedekam 6.9.1923, s. 225

40 marg *Hva jeg lengtet etter...* Notater til Erindringer

41/30 *et apokalyptisk dødsritt...* Legrand: Frontispice pour le Vice suprême, premier roman de l'Ethopée de la Décadence latine, av Josephin Peladan: katalog «Salon de la Rose + Croix, Paris 1893, ill. s. 92

41 marg *Det gamle testamente...* Sigbjørn Obstfelder: «Gustav Vigeland», Verdens Gang 29.12.1898. Trykkmanuskript ca. 1893–94, Universitetsbiblioteket i Oslo, Ms. 8° 1584, renskrevet 1898 og med enkelte forandringer. Artikkelen er trykket opp i Samlede skrifter, Oslo 1950, s. 273–78

43/2 *det tradisjonsrike Pietá-motiv...* Blant andre mulige forbilder skal også nevnes Stephan Sindings «Enken» fra 1891, en ung kvinne som støtter hodet til en liggende død mann (i Statens Museum for Kunst i København). I notater til Erindringer skriver GV at han besøkte Sindings atelier i 1891 og så «Enken» i leire.

43/30 *Jeg kan ikke modellere...* Notisbok 1893, nr. 4

43 marg *Dyp kummer...* Verdens Gang 9.11.1894

44/5 *Her er nok meget interessant å se...* Brev til Larpent 31.5.1893

44/10 *Hvor jeg snur meg...* Notisbok 1893, nr. 1

44/17 *Det er underlig så mine...* Notisbok 1893, nr. 4

44/26 *Sophus Larpent* (1838–1911) levde som rentier av en forholdsvis beskjeden formue. Han samlet kunst så langt hans midler tillot, skrev flittig om kunstspørsmål i avisene og tok seg av unge kunstnere. Særlig hjalp han Stephan Sinding og deretter GV, som han «oppdaget» i 1892 – hans tidligste kjøp var skissen til Forbannet. De to møttes første gang 20.11.1892, og etter dette møtet ble GVs kunst et hovedanliggende i Larpents liv. I Notater til Erindringer skriver GV at «skulpturer lå ham i motsetning til alle de andre – nærmest. Han var min mest trofaste støtte. I brev til Dedekam 19.1.1919 skriver GV: «Jeg tilstår at jeg titt har savnet ham. Så megen uegennytte har jeg ikke sett samlet hos et menneske.»

44/41 *Vil han bli en sann kunstner...* Morgenbladet 8.12.1894

44/43 *Hva Vigelands form angår...* Verdens Gang 9.11.1894

45 marg *Nu i dette øyeblikk...* Notisbok 1893, nr. 4

46 marg *Relieffet fremstiller...* Norske Intelligenssedler 16.8.1894
Det er i dette store relieff... S. Obstfelder op.cit. s. 276

47/4 *Jeg var ung...* Notisbok 1937, nr. 4

47/14 *jeg var aldeles blottet for penger...* Brev til «Kunstforeningens Bestyrelse», Trondheim 16.10.1897. Kunstforeningen kjøpte Helvete II i gips

47/20 *Tydelig nok må Helvetesporten...* Pål Hougen har fremsatt en hypotese om at GV snarere enn hos Rodin kan ha lånt formale motiver til Helvete fra den belgiske billedhugger Jef Lambeaux's relieff «De menneskelige lidenskaper» (Upublisert manuskript til forelesning for magistergraden, 1900, s. 18, i V-m). Larpent noterer imidlertid 11.7.1900 i forbindelse med en illustrasjon i Revue des Arts Décoratifs: «Først nu lærer Vigeland dette store relieff å kjenne.»

48/22 *Jeg så ikke...* Som 47/14

48/29 *kom Henrik Ibsen...* Larpent noterer 20.12.1895 at han møtte Ibsen mens han betraktet relieffet og følgende replikkveksling: «Jeg: Et meget eiendommelig verk.» Ibsen: «Ja, meget eiendommelig. Det var ikke mer å få ut av den tause mann.»

48 marg *Denne kunst har...* Sigbjørn Obstfelder ca. 1894, manuskript i Universitetsbiblioteket i Oslo, Ms. 8° 1584
Man arbeider... Notisbok 1896, nr. 17

MODNINGSÅR

49 *Jeg arbeider...* ibid.

50/3 *Jeg blir nok ikke...* Brevutkast av GV, kopiert av Larpent 5.2.1895 i opptegnelsene om GV

50/25 *Da hans utlegninger...* Larpent: «Ein Unbekannter», Aftenposten 30.6.1896. Przybyszewski svarer: «Vigelands Kunst» ibid. 10.7.1896. Replikk av Larpent: «Przybyszewski – Vigeland» ibid. 11.7.1896. Ole Michael Selberg har skrevet om polemikken i artikkelen «Stanislaw Przybyszewski og 1890-årenes norske kunst og litteratur», Samtiden 1970, s. 110f

50/29 *Jeg minnes ikke...* Brev til Larpent 28.7.1896

50/32 *Jo, for Przybyszewski...* Brev til Larpent 8.7.1896

50/38 *Et slemt hull...* som 50/29

50/42 *Men artikkelen...* som 50/32

50 marg *I Berlin...* Notisbok 1935, nr. 1

51/6 *Nei, nei...* Notisbok 1895, nr. 1

51/13 *Og den eneste kvinne...* Anna Nilssen: Opptegnelser fra 1928–30, manuskript i V-m, s. 2

51/20 *Det var herlige dager...* Jens Thiis: «Edvard Munch og hans samtid» Oslo 1933, s. 221

51/25 *Det samme skjedde med...* GV skriver til Larpent 16.3.1895: «Bystene, den av Munch og den av fru Przybyszewska har jeg knust».

52/7 *Harry Graf Kessler...* (1868–1937), kunstinteressert forlegger, samler og mesen fra Weimar, kjøpte statuettgruppen «Dans» fra 1893. Jfr. Dedekam 3.1.1922, s. 52

52/10 *Jag såg några...* Brev til Elin Danielson, Berlin 22.3.1895, sitert i Salme Sarajas-Korte: «Vid symbolismens källor. Den tidiga symbolismen i Finland 1890–1895». Jakobstad 1891, s. 311

52/22 *Reisen har jeg...* Brev til Larpent 25.5.1895

52 marg *En slik fasade...* Brev til Larpent 8.5.1896

53/1 *Vennskapet med...* Elin Danielson (1861–1919) var en finsk malerinne som bodde meget i Italia hvor hun i 1898 giftet seg med den italienske maleren Rafaello Gambogi. Professor Maj-Brit Wadell har nylig gjort forfatteren oppmerksom på de 8 brev fra GV til ED (1895–97), som finnes i Kungl. Biblioteket, Stockholm, håndskriftsamlingen Ep. D.8. Fotokopi i V-m

53/4 *Under det hele...* Notisbok 1895, nr. 5

53/17 *Jeg vil drive omkring...* Notisbok 1896, nr. 29

53/28 *Den Neapelturen...* Brev til Larpent 14.7.1896

53 marg *Hvorfor all den «kunst»...* Notisbok 1896, nr. 7
La Vittoria... Notisbok 1896, nr. 26
Hva man så enn sier... Brev til Ingeborg Obstfelder 11.2.1905
Vigeland sa... Dedekam 23.12.1922, s. 156

54/1 *De antikke bronser...* Som 53/28

54/11 *Den egyptiske kunst...* Notisbok 1896, nr. 15

54/20 *Med satyrene...* Notisbok 1896, nr. 17

54/30 *Bernini...* Notisbok 1896, nr. 21

54/33 *For hver dag...* Som 53/28

54 marg *Symbolistene...* Notisbok 1896, nr. 21

55/3 *Et så veldig gemytt...* Notisbok 1896, nr. 20

55/9 *det var meg umulig...* Brev til L. Dietrichson 3.6.1898

55/17 *Gid der nå noen...* Brev til Larpent, udatert, ca. 1896

55/21 *Gid jeg ikke...* Brev til Larpent, udatert, ca. 1896

55/30 *Det er altså i natt...* Notisbok 1896, nr. 26

55 marg *Ingen kvinner...* Notisbok 1896, nr. 16
Jeg synes... Brev til Larpent 8.7.1896

57/3 *portretter til brødet...* Brev til GV 5.8.1896

57/9 *Det faller meg...* Notisbok 1896, nr. 24

57/16 *kjemisk ren for form...* Bergen Aftenblad 2.2.1897

57/25 *Dette blir altså...* Brev til Larpent 7.10.1897

57/31 *Vigeland kjente godt til Meuniers figurer...* Av et brev GV fra Meunier datert 5.9.1897 fremgår det at GV har skrevet til den belgiske billedhuggeren og spurt om hvor han kunne bestille fotografier etter hans arbeider. Den 7.9.1897 noterer Larpent at GV begynte med Arbeideren i naturlig størrelse. Den endelige figur fra 1900.

57/43 *jeg holder ikke ut...* Brev til Larpent 31.3.1896

58/10 *Jo mer jeg sysler med gotikken...* Notisbok 1898, nr. 3

58/14 *figurer til korbuen...* Den tyske keiser Wilhelm II hadde forært kr. 76 000 til restaurering av korbuen, men da han så at de fleste skulpturene var polykromert og ikke grå, ble han så forarget at hans gave måtte brukes til annet arbeid. Jfr. Gerhard Fischer: Domkirken i Trondheim, Oslo 1965, B II, s. 458 f

59/8   *Selv om mine figurer...* Brev til Th. Bonnevie 24.5.1923

59/17   *Vi har gått...* Brev til A. Hoflund 10.6.1899

62 marg   *Kjærligheten...* Morgenbladet 13.12.1899

65 marg   *Somme tider...* Notisbok 1897, nr. 1

68/5   *Kun en sjelden gang...* Aftenposten 7.12.1899, signert H.D. – er sannsynligvis Hans Dedekam

68/40   *Hvor mange gudebilder...* Notisbok 1897, nr. 1

69 marg   *Gjentatte ganger...* Som s. 41, marg

70/8   *Når lykken går meg imot...* Notisbok 1897, nr. 4, «Søndag 1. august»

70/20   *Man blir ond...* Notisbok 1900, nr. 4

70/24   *Der lever kanskje ikke...* Aars 22.11.1921, s. 19

70/26   *Det er bare som et silkepapir...* Anna Nilssen «Opptegnelser fra 1928–30», manuskript i V-m, s. 2

70/30   *psykoanalytikeren...* Richard C. Simons, M.D., professor ved universitetet i Colorado, i samtale med forfatteren august 1981. Hans manuskript «Creativity, mourning, and the dread of paternity in the art of Gustav Vigeland» finnes i V-m; forøvrig holdt som foredrag ved møte i Denver Psychoanalytic Society, 24.5.1982

70/35   *Jeg drømte inatt...* Notisbok 1896, nr. 16

70 marg   *Det grodde om meg...* Notisbok 1927

71/21   *Jeg bor...* Brev til Ingeborg Obstfelder 19.12.1900

71 marg   *Jeg...har forandret meg...* Brev til Larpent 1.12.1900

72/8   *Gotikken virker...* Brev til Larpent 4.6.1901

72/13   *Det er noe menneskelig...* Brev til Larpent 11.9.1901

72/16   *For en rikdom av ideer...* Brev til Larpent 18.9.1901

72/21   *intet kan...* Brev til Larpent 27.12.1900

72/29   *den deiligste av alle statuer...* Brev til Larpent 7.2.1901

72/39   *de er det største av all kunst...* Brev til Larpent 18.6.1901

72/44   *Nei, det er blott Fidias...* Brev til Larpent 26.6.1901

72/48   *ikke Michelangelo engang...* ibid.

72 marg   *For der er ikke...* Brev til Larpent 11.9.1901

          For følelse er der... Brev til Larpent 6.5.1901

          Naturligvis er... Brev til Larpent 3.2.1901

73/3   *der var som et jordskjelv...* Dedekam 27.9.1923, s. 243

73/5   *sorg og lidelse...* ibid. s. 241

73/29   *Alltid dette snakk...* Brev til Larpent 30.3.1896

73/38   *Billedhuggerkunsten tett før Rodin...* Brev til Andrea Butenschøn 18.11.1917

73/43   *hans figurer er ute av balanse...* ibid.

73/51   *Hvilken rett har kritikerne...* Paul Gsell: «Auguste Rodin. L'Art. Entretiens réunis par Paul Gsell.» Paris 1911, s. 114

73 marg   *Nobelkomitéen innbød...* De fire var foruten GV arkitekt Henrik Bull, malerne Eilif Peterssen og Gerhard Munthe

75 marg   *Sterkere enn noensinne...* Brev til Larpent 2.1.1901

77 marg   *Når Vigeland er i utlandet...* Dedekam 1921, s. 46

          Noe som var morsomt... Brev til Larpent 22.9.1901

79 marg   *Det, vi som lever nå...* Brev til Larpent 17.5.1901

81/41   *Jeg føler meg som en forbryter...* Brev til Larpent 21.1.1902

PORTRETTER OG MONUMENTER

85   *Vil man nekte det oversanselige...* Notisbok 1902, nr. 1

86/4   *Jeg er egentlig ikke...* Brev til Th. Bonnevie 24.5.1923

86 marg   *Den gemene illusjon...* Brev til Franz Roh 20.2.1913

          Vigeland er inne på... Dedekam 4.9.1923, s. 222

87/6   *Det er ingen av våre yngre kunstnere...* Verdens Gang 9.11.1894

88/1   *Han modellerte meg...* Gunnar Heiberg i artikkel datert Paris 1903, trykket i «Salt og Sukker», Oslo 1924, s. 4

88 marg   *Vigeland påpekte...* Dedekam 4.8.1923, s. 185

89 marg   *De kan trøste Dem...* Brev til Larpent 23.2.1901

          Bjørnson sitter ypperlig... Brev til Larpent 20.2.1901

          Dette at... Brev til Larpent 11.3.1901

          Dette at øyenbehandlingen... Brev til Larpent 13.3.1901

90/1   *Søndag var første dagen...* Brev til Larpent 20.2.1901

90/22   *marmor som endelig materiale...* GV skrev i brev til Larpent 11.3.1901: «Jeg synes absolutt og ubetinget at bysten bør hugges i marmor. Bjørnsons store hvite hode må i hvit sten. Under arbeidet tenkte jeg titt på det. ... For meg blir det besværligere, dyrere, selvfølgelig. Men jeg vil heller det. La Lazzerini i Carrara finne ut en helt feilfri blokk og punktere den så. Siden ville jeg gå den efter, hugge den ferdig, når jeg kommer hjem.»

90/35   *Han overfalt straks Vigeland...* Gunnar Heiberg: «Salt og Sukker», Oslo 1924, s. 45 f. Erindringene er først nedskrevet i 1911, og det er uvisst om de refererer seg til året 1901, –02 eller –03.

90/51   *I alt finnes det...* 1) desember 1901. Bronse i Trondhjems kunstforening. 2) Portrettstudie. Beskadiget. 3) Januar 1903. 4) Påbegynt mars 1903, avsluttet i august s.å. 2 replikker i marmor: Nasjonalgalleriet, ikke datert, og Nationaltheatret, hugget 1922. Bronse Ibsen-huset, Grimstad.

90/57   *håret løfter seg...* Manuskript til tale holdt i anledning GVs 100-års jubileum 11.3.1969, s. 3, V-m. – Til Dedekam uttalte GV om portrettet (notert 10.8.1923): «Det var den som brøt veien for meg. Da den ble utstilt, gav malernes motstand seg. Jeg fikk bestilling på Nordraak.»

92/18   *for den dype oppfatning...* Brev fra Aasta Hansteen 9.9.1903

92/28   *De er det eneste...* Dedekam 9.2.1922, s. 60

92 marg   *Kråka...* Notat i Garborg: «Knudahei-brev», Kra. 1904. Andre bemerkninger av GV i samme bok peker mot en datering i 1920-årene

          Vigeland snakket også... Som 70/26, s. 10

93/9   *Det som det gjelder...* Aars 6.1.1922, s. 70

94 marg   *Modelleringen av statuen...* Dedekam 24.10.1922, s. 135

96/13   *Med et smil...* Dedekam 19.1.1922, s. 67

96/22   *er ham selv...* På en tegning til denne gruppen har GV skrevet «Selvportrett fra gutteårene» (V-m, in. BBB 145)

96/23   *Han har plassert seg selv...* Dedekam 26.9.1923, s. 239

96/29   *Hendene som løfter...* Dedekam 2.1.1923, s. 163

96 marg   *Det er et forsøk...* Dedekam 31.12.1921, s. 42

          Det er det eneste motiv...

          Grieg ville bare ha... Udatert notat, brevsamlingen nr. 211

98/9   *karikaturportrett...* Dedekam 6.9.1923, s. 224

98/12   *de har vært tolket...* Klas Fåhræus: «...järnstaket i taggig vikingastil, varmed konstnären sannolikt velat anspela på det hjärtlösa oförstående varmed det i förtid bortgångne kompositören till «Ja, vi elsken» av sin samtid bemöttes.» (*Nya konstkritiska essayer*, Stockholm 1929, s. 145.) – H.P. Lødrup: «Jernarbeidenes sammenheng med monumentet må idémessig søkes i forbindelse mellom Nordraaks nasjonale musikk og den gammel-norske drageornamentikk, som her er anvendt i rent dekorativt øyemed.» («Gustav Vigeland.» Oslo 1944, s. 175)

98/18   *Det er et stort misforhold...* Brev til Dedekam 28.4.1915

100/8   *som absolutt står høyest...* Juryens dom av 23.10.1902, gjengitt i Aftenposten 24.10.1902

100/19　*laget han monumentet...* Arne Brenna: «Billedhuggeren Ingebrigt Vik» Bergen 1967, s. 38 f. Skulpturen ble senere støpt i bronse og i 1968 plassert i Matematikkbygget, Universitetet på Blindern, Oslo

100/31　*solgte han konkurranseutkastet...* Innkjøpt av Hjalmar S. Josephson og forært Nationalmuseum, Stockholm, og av direktør Hagemann som overlot skulpturen til Polyteknisk Læreanstalt i København. – Rykter om at Ernest Thiel ville kjøpe monumentet og reise det i Stockholm, kan også ha innvirket på komitéens beslutning. Thiel hadde imidlertid ingen slike planer, men hans pekuniære støtte i denne tiden var betydningsfull på flere måter. Således skriver GV i 1935, Notisbok nr. 1: «Det var bankdirektør Thiel som satte meg istand til å utføre Abelmonumentet i endelig målestokk.»

100/34　*Ernest Thiel...* 1859–1947, kjøpte i årene frem til 1908 flere store grupper og mindre skulpturer av GV. I Thielska Galleriet på Djurgården i Stockholm, Thiels tidligere private hjem som han pga. vanskelig økonomi overdrog til den svenske stat i 1924, finnes den eneste større samling av GVs skulpturer utenfor Oslo. Om ET, jfr. Ragna Stang: «Mecenen Ernest Thiel og Gustav Vigeland» i *Gustav Vigeland. Livets ansikter*, Oslo 1975, s. 76; Brita Linde: «Ernest Thiel, och hans konstgalleri», Stockholm 1969 (doktoravhandling).

102/6　*Man må tro på seg selv...* Larpents opptegnelser 5.2.1895, kopi av et brevutkast fra GV til Gabriel Kielland

102/15　*Og du vet...* Brev til Gunnar Heiberg 4.7.1903

102 marg　*Abel er noe annet...* Brev til Bjørnstjerne Bjørnson 27.3.1903
　　Det er ikke den mening... Brev til Thiel 1.1.1905
　　Det er klart at... Brev til Larpent 6.9.1907

104/5　*Og jeg har felt...* 2.6.1903

104/11　*Wexelsen til å sitte modell...* GV skriver til statsråden 25.2.1903: «Jeg ville meget gjerne modellere en byste av Dem, og det ville glede meg umåtelig, om De ville sitte... M.h.t. tiden for modelleringen av bysten føyer jeg meg helt – enten det så er tidlig eller sent på dagen, blott ikke ved lampelys.» Ifølge Inga Syvertsens protokoll ble portrettet påbegynt 26.2. og avsluttet 12.3.1903, og Wexelsen hadde sittet modell i tilsammen 14 3/4 time.

106/24　*Folk vil ha fatt i...* Brev til Bjørnstjerne Bjørnson 9.2.1905

106/38　*katedralen i Howden...* Dedekam 19.1.1922, s. 68: «På korets sydside nær tverrskibet var der en vannspy med en figur stående på en annens rygg. Denne vannspy var det som gav det første støt hos ham til Abelstatuen. Den var opprinnelig tenkt stående på én figur. Den annen kom senere til.» Selv om GVs hukommelse ikke alltid er like presis, kan det synes som han ved denne anledning har ønsket å villede Dedekam.

106/40　*Som det har vært påpekt...* Margit Weingarten: «Gustav Vigeland's Abel Monument», Master of Arts Thesis, University of Washington 1976, s. 58. Kopi i V-m. Vigeland bodde fra 16.–30. november 1900 i 15, Quai St. Michel og deretter like i nærheten, i 13, Quai des Grands Augustins

106/43　*skulpturen kjente han...* GV forteller i Erindringer (s. 88) at faren etter en reise til Sandefjord bad hadde med seg hjem til barna et steroskop «med mange bilder, slotter og kirker fra Frankrike m.m., jeg husker St. Michel, fontenen på Place St. Michel. Det var stadig like nytt å se i det steroskop. Alt var så livaktig, det var som tingene selv var der, det var som vi selv var der.»

106/50　*Det er Abel...* Dedekam 19.1.1922, s. 68

109/9　*Kan man tale om...* Brev til Thiel 13.2.1905

109/21　*Den statue, vi har...* ibid.

109/46　*Det monument, jeg tenkte å utføre...* Brev til V. Krag 29.6.1903

109 marg　*Angst!...*

110/26　*det mest karakteristiske...* Kopi eller ikke avsendt brev til P. Hansen, Kristiansand, 12.5.1907

112/10　*Beethoven...* J. A. Schmoll gen. Eisenwerth: «Zur Geschichte des Beethoven-Denkmals» Zum 70. Geburtstag von Joseph Müller-Blaau. Saarbrücker Studien zur Musikwissenschaft Bd. 1, Kassel 1966, s. 242–277.

112/28　*Det å skape kunstnerisk...* Dedekam 29.12.1922, s. 152

112/30　*Den som når alt kommer til alt...* Dedekam 7.1.1923, s. 164

113/19　*drepte min glede...* Udatert brev til Gerhard Munthe, ant. mars 1904

113/31　*skulpturert sokkel...* Tone Wikborg: «Kvinder der vaagner» Gustav Vigelands fremstillinger av Aasta Hansteen og Camilla Collett. I *Andre linjer*, Oslo 1982, s. 119–31, med begge de nevnte tegninger illustrert.

113/40　*for outrert genremessig...* 23.9.1906, avskrift i V-m

113/46　*Viks utkast...* Gerhard Munthe til Komitéen for Camilla Collett-Monumentet 15.9.1906, avskrift i V-m

114 marg　*For et selvstendig...* Notisbok 1909–10
　　hun var en eiendommelig... «Camilla Colletts livs historie», Chra. 1911, s. 41

117/6　*Skulle jeg nu...* Brev fra GV til Camilla Collett-Monumentkomitéens formann fru Hildur Schirmer 23.12.1907

117/27　*Skal dette være min mor...* Brev til Gelly Marcus 31.10.1908

117/56　*Jeg vegeterer...* Brev fra Camilla Collett til sønnen Alf Collett februar 1894, Universitetsbiblioteket i Oslo, brevsamling nr. 5

118 marg　*Petter Dass...* Brev til S. Lagerløw 6.10.1906

120/15　*Jeg må få lov...* 22.7.1914

120/24　*det overnaturlige, apotheosen...* udatert brevutkast fra GV til konsul Mohr, V-m nr. 120

121/4　*gudebilder...* se s. 68

123 marg　*Han fremhevet...* Dedekam 4.6.1922, s. 109

124/14　*I går...* Brev til Ernest Thiel 5.10.1906

124/25　*plasserte han Ibsen...* Foruten etruskiske gravmæler, kan GV ha vært influert av lignende monumenter i forrige århundre: Napoleons oppvåkning av Francois Rude (1845–47), reist i parken i Fixin nær Dijon; keiseren sees idet han reiser seg ut av sitt likklede oppe på en svær katafalk, og gravmonument for maleren Theodore Géricault av Antoine Etex (1841), Cimetière du Père Lachaise, Paris, der Géricault ligger halvt oppreist på en sarkofaglignende sokkel.

124/42　*Ibsens hode...* 1.7.1906

124/50　*den høyst romantiske idé...* Ønske om å plassere monumenter ute i naturen fjernt fra steder mange mennesker ferdes, kan vi bl.a. finne hos Rodin som var inne på tanken å reise *Borgerne fra Calais* på en øy (Rainer Maria Rilke: «August Rodin», Leipzig 1917, s. 64). Et annet eksempel er Carl Milles' Sten Sture-monument som i 1903 ble foreslått reist på Tunåsen utenfor Uppsala; endelig plassering ble Kronåsen i 1925.

125/17　*oppgaven engasjerte ham sterkt...* Jfr. Arne Brenna: «En uteblitt triumf. Gustav Vigelands rytterstatue av Theodore Roosevelt.» *Kunst og Kultur*, Oslo 1974, nr. 3–4, s. 263–74.

126/29　*Jeg synes et stilfuldt enkelt tårn...* Udatert brev, Munchmuseet

126 marg　*Angående travbevegelsen...* Brevutkast datert 4.1.1911

127/10　*Det er jo...* Brev til Larpent 6.12.1901

129   *Jeg har ikke videre respekt...* Brev fra GV til A. Butenschøn 5.11.1917

131/9   *En tittel...* Brev til Theodor Vigeland 11.4.1904

131/16   *Det har vært hevdet...* Pål Hougen: «Adorasjonen. Et motiv i Gustav Vigelands kunst». Magisteravhandling 1957, manuskript i V-m

132/4   *Mine figurer blir sværere...* 8.8.1905

132/8   *Enhver kunstner...* Udatert brevutkast til Henrik Bergh, V-m nr. 552

132/17   *Da jeg var ung...* Notisbok 1935, nr. 4. Diktet kan være en avskrift fra 1912/13, likesom flere andre dikt i samme notisbok hvor dette er uttrykkelig opplyst.

132/42   *Verst er det...* Brev til Ernest Thiel 19.3.1910

132 marg   *Jeg er ennu ikke...* Brev til Vilhelm Krag 29.6.1903

133 marg   *For det er da...* Brev til Larpent 6.5.1901

         Av andre... Dedekam 23.5.1922, s. 99

134/4   *Mine skuldre...* Notisbok 1912, nr. 3

134/23   *Kjell von Krogh...* i samtale med forfatteren juli 1981

134/28   *Egentlig burde jeg ikke...* Notisbok 1911, nr. 2

134 marg   *Et luftdrag...* Notisbok 1912, nr. 3

         Jeg gruer... ibid.

         Jeg går på tvers... ibid.

         Det er trettende... Brev til Inga Syvertsen 14.7.1912

         Nu synes jeg... ibid. 23.7.1912

135/10   *Man har i øyeblikket...* Dedekam 29.12.1922, s. 160

135/23   *En syntese og et videre perspektiv...* En fortegnelse over Vigelands oppstillingsplaner for tregruppene finnes i Tone Wikborg: «Gustav Vigelands fontene». Magisteravhandling 1968, bind II, s. 35 f; manuskript i V-m. GV skriver i notisbok nr. 2, 1934: «...ingen spinkel idétråd er mine skulpturer tredd på. Det er ingen bok man kan lese.» Denne karakteristikken passer særlig godt på perioden 1900–1906 da en overveldende motivrikdom i hundrevis av tegninger vitner om en kunstner som gir spontant uttrykk for de syner som gjennomstrømmer ham. Han skaper ikke ut fra refleksjon og system. Systemet er sekundært. – Idéen om kretsløpet later til å være overført til relieffserien noe senere. I notisbok nr. 1 fra 1914 skriver han utenfor relieffene på en flyktig tegning av bassengkarmen: «Ufødte, små, voksne, eldre mennesker, gamle, døde.»

135 marg   *som fangen...* Notisbok 1912–13, nr. 2

         Hvor jeg ser... Notisbok 1913, nr. 2

         Leonardos ord... Dedekam 16.1.1922, s. 64

136/1   *Selv om sykdom...* Ragna Stang har også tolket de mange depressive utsagn fra 1911–13 som utslag av en personlig og kunstnerisk krise. Hun hevder imidlertid at denne krisen ikke bare var av midlertidig karakter, men preger ham i årene fremover. I boken «Gustav Vigeland. En kunstner og hans verk», Oslo 1965, refererer hun følgende utsagn som hun daterer til 1922 (s. 179): «Aldri har jeg vært mer utilfreds med meg enn nu, enn idag.» Dateringen er imidlertid gal, idet den forekommer i en notisbok fra 1912 (nr. 4) og er av GV datert «17. aug. 1912». Om GVs krise skriver hun forøvrig (s. 178): «Og det er et merkelig faktum at den nettopp faller sammen med at en kolossal produksjon setter inn.» Det synes imidlertid klart at de mange pessimistiske utsagn faller før GV begynner det enorme arbeidet med steinskulpturene. Når GV også i 1919 viser tegn til depresjon, henger dette etter all sannsynlighet sammen med sykdom tidlig dette året.

136/4   *Takk for idag...* Notisbok 1913, nr. 3

136/17   *...bare sporadiske innslag av klebersten og marmor...* GV var fortrolig med kleber fra tiden ved domkirken i Trondheim, (vannspyere, et par av korbuefigurene). Videre benyttet han kleber til et portrettrelieff av Sigbjørn Obstfelder (1902, uferdig i V-m), til Nordraak-monumentet og til tre ufullførte portretter av Bjørnson, Ibsen og Nansen (1910–11). Lærte å hugge i marmor hos Bergslien og Skeibrok, benyttet marmor i «Gravengel» (1900), bestilling fra familien Fabritius til deres gravsted på Vår Frelsers gravlund, Oslo, og til noen få portretter.

136 marg   *Han mente...* Dedekam 19.1.1922, s. 68

         I de første arbeider... Udatert brevutkast, V-m nr. 552

137/5   *Vigeland lot seg engasjere...* Bl.a. holdt GV tidsskriftene «Orientalisches Archiv» fra 1910–13, og «Ostasiatische Zeitschrift» fra 1913–15. Bestiller «Das Ægyptische Museum, Berlin» og katalog over museet i Kairo iflg. brev fra J. W. Cappelens bokhandel 9.4.1912.

137/14   *Kubismens eneste innsats...* Dedekam 27.1.1922, s. 71

137/19   *mest opptatt av det geometriske...* Dedekam 21.4.1922, s. 82. At GV senere ønsket å prioritere innholdet viser følgende uttalelse (Dedekam 30.4.1922, s. 87): «Årsaken til at V. gjorde denne forandring med gutt og pike var, at han fant, at der hang for meget igjen av det geometriske som opprinnelig hadde sysselsatt ham med denne komposisjon, og at det geometriske i dens anordning var for påtrengende, spaltet oppmerksomheten, som skulle konsentreres om hovedidéen. Gutten virket også tidligere for sen i bevegelsen. Han er nu raskere.»

137 marg   *Den kunst...* Brev til Juncker 30.4.1903

138/30   *Alt jeg har sett...* Udatert brevutkast til Klas Fåhræus, V-m nr. 1062

140/8   *Skjæringen kunne gå...* Aars 23.4.1921, s. 49

141 marg   *Vigeland er idékunstner...* Dagbladet 22.10.1932

142 marg   *En streng vinter...* «Gustav Vigeland om sine olde- og besteforeldre», Aftenposten 8.4.1939

143 marg   *For Vigelands fantasi...* Morgenbladet 18.10.1932

144/13   *Så får vi...* Anna Nilssens opptegnelser s. 4, V-m

147 marg   *Kvinnen...* Notisbok 1901, nr. 11

         Hun var... Aars 14.1.1928, s. 136

148/5   *Hun har fortalt...* i samtale med forfatteren

148/45   *Han er lykkelig...* Aars 11.2.1922, s. 76

149/1   *at han forestilte seg...* Dedekam 29.12.1922, s. 169

149/12   *Atskillige møbler...* Ønsket om å skape et personlig preget hjemmemiljø, basert på egen design av tekstiler, møbler og andre bruksgjenstander, kan ha vært påvirket av den svenske maleren Carl Larssons hjem i Sundborn og av Gerhard Munthes og Erik Werenskiolds innredning av sine hus på Lysaker. Jfr. Tone Skedsmo: «Hos kunstnere, polarforskere og mesener. Lysakerhjem rundt århundreskiftet.» Kunst og Kultur nr. 3, 1982, s. 131 f.

149 marg   *Det verdifulleste...* Dedekam 24.12.1921, s. 37

         Han mener... Aars 29.6.1921, s. 58

150 marg   *Gid jeg var...* Notisbok 1926, nr. 1

151/4   *et brev fra 1900...* 30.12. til Larpent

151/5   *Hans følelser...* Intervju med Inga Syvertsen i Fædrelandsvennen 18.6.1959

151/7   *Dessverre hersker...* Intervju med Ingerid Vigeland i Kvinner og Klær 1962, nr. 31, s. 18

151/18   *...han var i høyeste grad ensidig...* Brev fra Aars til Hans P. Lødrup, 13.6.1943, avskrift i V-m.

151 marg *Det personlige bud...* Brev fra Bjørnstjerne Bjørnson 23.7.1903
Det blir... ibid. 12.12.1904
De brenner Dem opp... Notisbok 1932, nr. 2
De ulykker... Dedekam 24.12.1921, s. 38
Vigelands paniske redsel... Aars 28.10.1927, s. 132
I Vigelands underbevissthet... Dedekam 31.5.1922, s. 105
Han likte ikke... Skrevet på foto datert 6.8.1917, Irene Olstads eie

153/5 *Det usammenhengende...* Hans P. Lødrup: «Gustav Vigeland», Oslo 1944, s. 237f

153/10 *Jeg er jo...* Aars 21.4.1921, s. 47

153/17 *Han brukte gjerne...* Aars i minneartikkel i Ord och Bild, sitert i Lødrup op.cit. s. 249

153/20 *Når Vigeland taler...* Dedekam 29.12.1922, s. 160

153/25 *Den åndskraft...* Lødrup, op.cit. s. 249

153/30 *Jeg har aldri...* som 153/17

153/35 *Jeg er ond...* Notisbok 1893, nr. 4

153/37 *Gud vil meg...* Notisbok 1933, nr. 3

153/41 *Hva han tapte...* Dedekam 27.9.1923, s. 242

153/43 *Jeg tror nemlig ikke...* Brev til Theodor Vigeland 11.4.1904

153 marg *I går kom Vigeland...* Eugenia Kielland: «Nini Roll Anker i liv og arbeid». Oslo 1948, s. 63f

VIGELANDSPARKEN

155 *Det er et sterkt ord...* Brev til Andrea Butenschøn 22.1.1918

156/17 *kommunen snarere ønsket en større fontene...* Kristiania Brændevinssamlag hadde i 1891 begynt å avsette midler til et fond til fontene på Eidsvolds plass; idéen har muligens en sammenheng med Stortingets arkitekt Langlets tegninger til en liten fontene i rampen foran Stortingsbygningens vestfasade (jfr. Aftenposten 10.10.1911). Man ønsket imidlertid en større fontene, og hensikten var at det skulle utskrives konkurranse når fondet hadde nådd 100 000 kroner, noe som ennå ikke var tilfelle i 1900.

156/28 *En rar fontene...* Brev til Larpent 6.4.1901

157/5 *Staden med fontenen...* 8.5.1901

157/11 *det er min akt...* Brev til Larpent 27.7.1901

157/16 *Fastere overbevist...* Brev til Larpent 23.8.1901

157/19 *Urnene kan jeg...* ibid.

157 marg *Med dette verk...* Svenska Dagbladet 17.10.1906

158/1 *nymfer helt nedpå fortauet...* Brev til Larpent 18.12.1900

158/28 *Disse figurer...* Brev til Larpent 5.1.1901

158/30 *to urner i 1902...* Begge ødelagt, men fotografier finnes i V-m

160/20 *Larpent som så tegningene...* Brev fra GV til Dedekam 15.1.1907

160/59 *de bebudede nisjefigurene...* Grunner til at de ikke kom med kan være at tiden var knapp og at fontenen allerede ville bli så vidt kostbar at det kunne være taktisk uklokt å føye til ytterligere en skulpturrekke. Det foreligger imidlertid en rekke tegninger til disse nisjefigurene, og ca. 20 ble også modellert; blant dem er noen av GVs velkjente skulpturer som Aasta Hansteen med paraplyen (1905), Kvinne med bena overkors (1907) og Sinnataggen (1911). Nisjefigurene nevnes for siste gang i en notisbok fra 1913, men flere av de påtenkte figurer og grupper kommer igjen blant skulpturene på broen i Vigelandsparken.

161/4 *smått, pirket...* Verdens Gang 5.1.1907, den andre av tre artikler under tittelen «Eidsvolds Plads» (de øvrige 22.12.1906 og 13.1.1907)

161/14 *Gustav Vigeland er...* Verdens Gang 12.11.1906

161/45 *Dedekam og Anker tok initiativ...* De utgav heftet «Vigelands Fontæne» som ble sendt en rekke av landets ledende menn og kvinner med forespørsel om de ville støtte fontenesaken. Listen over dem som ble innbyder-kollegiets medlemmer viser et tverrsnitt av tidens politiske, kommersielle og kulturelle liv. Et gunstig trekk var at fontenesaken aldri ble politisert. En arbeidskomité på 5 medlemmer ble nedsatt og kalt «Komitéen for Vigelands Fontæne». Komitéen tilbød kommunen den foreløpig innsamlede sum kr. 110 000 under forutsetning av at Brændevinsfondet ble bevilget og at kommunen ville garantere for et beløp inntil kr. 100 000. Fondet forutsatte konkurranse, og kommunen fant før de kunne godta tilbudet å måtte henvende seg til en rekke instanser med forespørsel om konkurransekravet kunne avvises. Bortsett fra noen få billedhuggeres protest, var det stor og alminnelig enighet om at tilbudet måtte aksepteres. De videre forhandlinger ble ikke ført direkte mellom Vigeland og kommunen, men mellom kommunen og Komitéen for Vigelands fontene; mellom Fontenekomitéen, som den også ble kalt, og GV ble det inngått kontrakt den 26.2.1908. – Fontenekomitéens arkiv finnes i V-m.

161 marg *I Stockholm...* Notisbok 1930, nr. 1

162 marg *Jag tror...* Brev til GV 28.4.1911
I mitt første... Notisbok 1915, nr. 3
Om fonteneanleggets vekst... Dedekam 6.12.1922, s. 149

163/12 *En ny innsamlingskomité for granittgruppene...* 1917; i 1918 ble den slått sammen med den tidligere, og felleskomitéen kalt «Komitéen for Vigelands fontene».

164/16 *Da Kristiania kommune...* se s. 238

165/4 *Han oppnådde til slutt...* Viseordfører Bergh foreslo i finansutvalget den 7.8.1922 at man skulle henstille til GV å finne en annen plass innen Frognerområdet, men flertallet gikk imot forslaget. I bystyrets møte den 21.9.1922 ble imidlertid Berghs forslag vedtatt.

165/11 *Den strenge aksebetone plan...* Det barokk-klassisistiske preg ble senere i 1920-årene ytterligere forsterket ved aksens forlengelse og en betydelig utvidelse av parkområdet med store åpne plener på begge sider av aksen, gjennomskåret av rette alleer. Planen synes klart inspirert av franske og italienske barokkhaver og parkanlegg, og Erik Mørstad har fremhevet verdensutstillingen i Paris i 1925, hvis monumentale anlegg Vigeland kjente til gjennom tidsskrifter (Gustav Vigelands smijernsarbeider: Fra verksted til park. 1978, manuskript i V-m, s. 53)

165/26 *Selv om det ikke ble nevnt...* H. Bergh, viseordfører og medlem av Fontenekomitéen, uttalte den 22.9.1922 i et intervju i Morgenbladet: «Når Vigeland skal overta arrangementet av det som er vestenfor broen, er det rimelig at han også kommer til å greie med broen og inngangen til det hele anlegg.»

165 marg *Hur man än...* «Paris i Oslo», i *Gustav Vigeland. Livets ansikter* s. 53

168/5 *et større kvadratisk basseng...* Første daterte tegning er fra 14.2.1930, in. BBE 66

168/31 *Mircea Eliade...* London og N.Y. 1958, s. 279f

168/39 *Englebarn...* Notisbok 1905, nr. 1

168/44 *Deres forgjengere i kunsten...* Hos Vigeland får de aldri den direkte erotiske betydningen som i «Kjærlighetshaven» av Rubens eller Tizians «Venusfesten». Derimot opptrer GVs «genier» i forbindelse med kunstnere som inspirerende vesener, slik Poussin bruker dem i sine dikterbilder (f.eks. «Anakreons inspirasjon», Niedersachsische Landesgalerie, Hannover og «Dikterens inspirasjon», Louvre og «Parnasset» i Prado)

168/58   *et bilde av puberteten*... R. Stang har sammenlignet motivet med Munchs bilde «Pubertet» og gjenfinner samme stemning i Vigelands skulptur. (Gustav Vigeland. En kunstner og hans verk. Oslo 1965, s. 130.) På en tegning med en figur som svever ned mellom grener har GV skrevet «Eros» (Notisbok 1901, nr. 8)

170/6   *panne mot panne*... Motivet finnes i en av de første urnetegningene fra 7.1.1901, men går også meget lenger tilbake i GVs kunst: allerede i en tegning fra okt. 1894 (in CMK10) sitter en mann og en kvinne på huk mot hverandre med den typiske panneberøringen i en helt symmetrisk komposisjon. På samme tegning finnes mindre varianter med knelende og stående figurer. Motivet hører til GVs mest originale, og han tar det opp igjen både i en mindre steinskulptur og i en av de store granittgruppene i Vigelandsparken, ill. 243

170/16   *Hun synes lukket inne*... R. Stang har også satt de to gruppene, den drømmende kvinnen og spedbarnet, i relasjon til hverandre: «Kvinnen drømmer vel ganske enkelt om barnet som sitter inne i Livstreet...» (op.cit., s. 133). P. Hougen gir en lignende tolkning: «Det ligger nær å anta at representanten for denne nye generasjon er gjenstand for kvinnens drømmer. Den drømmende kvinnens plass får dermed sin forklaring: hun representerer moren.» (op.cit. s. 63). — Et nærmere studium av GVs tegninger synes imidlertid å indikere en langt mer flertydig sammenheng. I flere fremstilles en kvinne som sitter i lignende stillinger, men med et lite barn ved siden av seg som hun overser, bl.a. fra 24.12.1901 med påskrift: «Barnet vender seg mot henne, uten at hun ser det. Den lille nesten gråtende.» — Sammenstillingen av kvinne og dyr har GVs kunst en erotisk implikasjon. Bare i ytre forstand synes kvinnen i denne gruppen å representere «moren». Mer sannsynlig er kvinnens tanker hos «mannen», og at hun befinner seg i en direkte konflikt med morsrollen. GV har forøvrig i en fortegnelse over karmgruppene skrevet utenfor tregruppe nr. 15 «Mann jager genien»: «Barnefiende som Kv. på dyret» (notisbok 1912–13, nr. 2)

172/2   *barnet forlatt og alene*... Også i tegninger til det styrtende paret har GV et lite barn nederst ved foten av treet.

172/19   *den gamle utmagrede kvinnen og barnet*... Til den gamle kvinnen kan GV ha hatt et forbilde i Rodins «Celle qui fut la belle Heaulimière» og til selve gruppen et dobbeltportrett «Le Baiser de l'Aieul» av Jean Dampt; fotografier av begge skulpturer finnes i GVs arkiv.

172/30   *døden i skjelettets skikkelse*... Skjelettet i sen-middelalderens dødsdans-fremstillinger og i barokkens «memento mori»-motiver fikk ny aktualitet for symbolismens bildende kunstnere, som f.eks. Arnold Böcklin, Félicien Rops, James Ensor og Edvard Munch, hvis arbeider GV var fortrolig med. Skjelett i tre finnes fremstilt av Rudolphe Bresdin i raderingen «Comédie de la mort» fra 1854. Motivet finnes også tidligere hos GV i en tegning fra 1896 der skjelettet sitter med opptrukne knær og trekker en flyktende kvinne i håret (in DE58)

174/19   *Figurstilen*... For stilanalyse jfr. A. Brenna og S. Tschudi-Madsen: «Vigelands fontenereliefer», Oslo 1953

178 marg   *Vigeland sa*... Dedekam 19.5.1926, s. 288

180/2   *En sommeraften*... Muntlig opplysning av Inga Syvertsen til forf.

180/21   *Labyrintsymbolikken*... jfr. J.C. Cooper: «An illustrated encyclopaedia of traditional symbols», London 1978

181 marg   *Han fortalte*... Aars 31.3.1922, s. 43

186 marg   *At jeg har gjort*... Brevutkast, V-m nr. 552, udatert

187/21   *en spesiell utfordring*... «Om gruppen «Kjempende menn» sa han at det i hele hans liv hadde vært hans ønske å lave en kampgruppe. Allerede i 16-års alderen drømte han om det. Det var dengang den antike gruppe av «Bryterne» som gav ham den første idé hertil.» Dedekam 23.12.1922, s. 155

188/15   *som kunne stå seg*... Dedekam noterer 23.12.1924 at «de eldste stengruppene har en mindre fin overflatebehandling enn de senere. Til de første er kun benyttet stikkmeisel; til de senere dessuten riffelhammer og prikkhammer, hvormed overflaten bearbeides. Hammeren finknuser kornene i granitten og gjør overflaten glatt. Tilslutt bearbeides overflaten med carborundum. Jo glattere stenens overflate er, dess mere motstandsdyktig er den.»

189 marg   *Hans yndlingssted*... Dedekam 27.1.1922, s. 73
          Vigeland pekte på... Dedekam 26.10.1920, s. 28
          Igår hadde han... Dedekam 23.9.1923, s. 230

190/11   *Vigeland foreslo*... Aftenposten 30.11.1920. GV om det samme i brev til Dedekam 19.8.1920, hvor han også berører evt. plassering i akse fonteneanlegget – Abelhaugen – og «Rådhusavenyen»

190/32   *Forstørrelsen fra skissen*... Dedekam 4.11.1924, s. 260

190/39   *etter en møysommelig reise*... Blokken ble skutt ut i Hov steinbrudd, Iddefjorden, den 4.4.1922. Sjøtransporten til Oslo startet 8.9.1926, ankomst Bestumkilen 10.9.1926. Transporten fra Bestumkilen til Tørtberg foregikk fra slutten av september 1926 til 12. februar 1927. Steinen stod reist den 15.8.1928. Huggingen ble påbegynt 29.7.1929 og avsluttet i juli 1942. – Mål og vekt: Bruddsteinen ca. 470 tonn. Etter «tukting» ca. 260 tonn. Opprinnelig høyde ca. 18 m, ferdig hugget 16,75 m. Figurdelen 13,62 m, sokkelpartiet 3,13 m. Søylens øvre diam. 1,78 m, nederst 2,65 m.

193 marg   *Vigeland har flere ganger*... Dedekam 23.1.1923, s. 69
          I søylen... Dedekam 29.12. s. 266
          Den mest unika... op.cit. s. 51

194/12   *Opprinnelig besto*... Det er uvisst når GV foretok forandringer, en muligens i 1933 da han skriver i notisbok nr. 3: «Kom til Oslo 7. sept. med «Tromsøsund», arbeidet på Monolitten til 11. sept. 1933.»

194/29   *Den delfiske slangesøyle*... Notisbok 1919, nr. 4

194 marg   *Ånd ikke lenger*... løst ark, udatert

195/3   *Selv har kunstneren*... Dedekam 2.4.1924, s. 254 og 27.10.1924, s. 258

195/4   *sammenrullede fotografier*... Notisblokk 1922, nr. 4

195/7   *At sjøen*... Randbemerkning i boken «Den norske treskjærerkunst» av L. Dietrichson, s. 13, i GVs bibliotek

195/13   *Og havet gav tilbake de døde*... Billedhuggeren Gunnar Utsond (1864–1950) brukte dette bibelske motivet i en ca 4 meter høy gruppe som ble utstilt i Kristiania i slutten av desember 1896. Skulpturen eksisterer ikke lenger og kjennes bare gjennom fotografi. Den besto av 6 figurer som stiger opp av bølgende sjø. GVs tegninger er datert september 1896. Vi kjenner ikke til noen kontakt mellom de to billedhuggere. En mulighet er at de begge, uavhengig av hverandre, kan ha vært inspirert av den engelske maleren og billedhuggeren Frederick Leighton som hadde benyttet motivet i et maleri. – Forøvrig laget også Utsond, antagelig i begynnelsen av 1920-årene, en søyleskisse dekket med oppadstigende figurer: «Frihetshymnen», et forslag til Eidsvollsmonument.

195/15 *synes søylen å kunne tolkes...* Av forsøk på tolkninger kan nevnes Dedekam i «Notat om søylens idé» (V-m): «Den er en visjon hvori kunstneren ser menneskene og livet dra sitt blikk forbi, mennesker i alle aldre fra barn til oldinger. Som i livet er det ene menneskes skjebne lenket til det annets som ledd i en kjede. Halvt ubevisst som i blinde driver menneskene med livets strøm, der bærer oppad og fremad, selvom med tilbakeslag. Her er grupper med foreldre og barn, med kamp, med mann og kvinne favnende hinanden, med døde og med barn og unge fulle av håp og tro på livet. Har kunstneren overlatt til enhver fritt å tyde de enkelte figurer og grupper, har han iallfall ikke unnlatt i søylen å uttrykke sitt syn på livet. Ved den fullstendige overflytning av menneskeskildringen til fantasiens verden har han des klarere kunnet uttrykke sitt grunnsyn på livet i sin totalitet, et syn som er dypt pessimistisk, preget av lidelse og smerte.» Arne Brenna skriver i «Veileder for Gustav Vigelands skulpturanlegg i Oslo», Oslo 1962, s. 36: «Søylen er blitt kalt et fruktbarhetssymbol på grunn av sin fallos-lignende form. Men det er sannsynlig at løsningen ligger i en helt annen retning...søylens figurer streber vekk fra jorden og søker seg opp i høyere sfærer. Betydningen av denne bevegelse oppover har alltid vært den samme: den er et uttrykk for menneskets lengsel etter en mer guddommelig tilværelse. – ... Søylen kan være et symbol på menneskeslektens streben oppover midt i en jordbunden tilværelse, men de døde figurene nederst blir da gåtefulle, og det er vel riktigst å oppfatte motivet som en situasjon etter døden. Søylen blir da en stor *oppstandelsesvisjon*.» – Bo Wennberg, op.cit. s. 54: «kolonnen, som förenar de döda från gångna generationer med de levande, uppåtsträvande, och, som på det yttersta krönet bär människans hopp, det nyfödda barnet med dess omätliga möjligheter.»

195/19 *Søylen kunne sies...* Dedekam 7.5.1922, s. 91
196/2 *Kommentere sine verker...* Dedekam 17.1.1922, s. 64
196/13 *selvportrett...* Dedekam 26.9.1923, s. 240
196/15 *Søylen det er...* Dedekam 27.12.1921, s. 42
196 marg *Monolitten ender...* Notisbok 1937, nr. 1
197 marg *Om den nye...* Dedekam 25.6.1918, s. 7
198/12 *fordi han selv...* «Veileder for skulpturanlegget», s. 53
198/23 *uttrykk for glede...* A. Brenna har fremsatt en annen tolkning: «Mannen gjør motstand mot den fruktbarheten geniene er uttrykk for» og påpeker likhet med tregruppen «Mann jager genier». (ibid. s. 54) Forskjellen er imidlertid slående; i tregruppen er geniene forskremte og grætende, mens de i brogruppen smiler fornøyd, og det synes derfor ikke relevant å sidestille de to fremstillingene.
206 marg *Grovt teoretisk...* Notisbok 1939, nr. 1
209 marg *Mine arbeider...* Notisbok 1939, nr. 1
215/14 *Den vanlige fremgangsmåten...* Jfr. Erik Mørstad: «Gustav Vigelands smijernsarbeider. Fra verksted til park», Oslo 1978, manuskript i V-m
216/14 *til å kassere dem...* dvs. i forbindelse med parkplanen; alle finnes i V-m

216/26 *Fra 1933...* Notisbok nr. 4
216/42 *Idéen til motivet...* Ingerid Vigeland i samtale med forf.
217 marg *De runde midtfelter...* Aars 16.10.1927, s. 127
Hvorledes... Arne Durban: «Gustav Vigeland», Oslo u.å., s. 112
219/26 *at betrakteren...* Notisbok III, 1910–20, nr. 7

VIGELAND I ARBEID

221 *Mitt mål...* Notisbok 1932, nr. 2
222/6 *Billedsynet er...* Dedekam 24.12.1921, s. 36
222/12 *Jeg er blitt drevet...* Aars 5.12.1921, s. 67
222/14 *for ikke å drepe...* Dedekam 23.12.1922, s. 156
222/18 *Det er det guddommelige...* Dedekam 29.12.1922, s. 159
222 marg *Hva enten...* Dedekam 19.1.1922, s. 69
Jeg erindrer ikke... Dedekam 23.12.1922, s. 156
Og så nevnte han... Aars 22.4.1922, s. 77
Vigeland får ofte... Dedekam 31.8.1923, s. 216
223/2 *Kunstneren selv...* Dedekam 27.9.1923, s. 243
223/12 *Han ble tom...* Dedekam 2.8.1923, s. 183
223/17 *Jeg er forankret...* Notisbok 1912–13, nr. 2
226 marg *Vigeland gav uttrykk for...* Dedekam 14.4.1920, s. 26b
Anatomi... Dedekam 19.5.1922, s. 97
Å lave skisser... ibid.
Det er en hvile... ibid., s. 96
Den ene idé... Dedekam 19.6.1922, s. 121
I enkelte arbeider... Dedekam 6.10.1922, s. 134
Bare unntagelsesvis... Dedekam 23.5.1922, s. 98
228/4 *den vil tape...* Brev til Larpent 5.1.1901
228/7 *Av erfaring...* 23.12.1907, kopi i V-m
228/13 *Det skal være...* Dedekam 21.1.1923, s. 68f
228/22 *arbeidet som helt på ny grund...* Dedekam 4.11.1924, s. 261
228 marg *Et skulpturarbeide...* Notisbok 1912, nr. 3
Og i dag... Aars 1.10.1921, s. 61
Hovedsaken... Dedekam 22.8.1923, s. 209
Det indre og ytre... Notisbok 1939, nr. 1
229/4 *Mange ganger...* Aars 17.2.1921, s. 35
230/10 *Jo betydeligere...* Brev til Aars 9.4.1920
230/23 *Han lyste opp...* Intervju i Aftenposten 13.3.1943, aftennr.
231/3 *Uten modeller...* Brev til Larpent 2.5.1901
231/6 *En norsk billedhugger...* ibid.
232/7 *for å studere...* Larpents opptegnelser 9.9.1900
232/11 *Med hensyn til...* Notisblokk 1917
233/1 *En billedhugger...* Dedekam 24.12.1921, s. 36
233/15 *Jeg er hele den nederste delen...* Arbeiderbladet 28.4.1950
233/27 *som oftest uferdige...* Brev til Larpent 15.7.1901
233/31 *På bordet lå...* Aars 14.10.1921, s. 62
233/39 *I mine øyne...* Dagbladet 29.12.1922
233/47 *Det er en produktivitet...* Verdens Gang 9.11.1894
233 marg *Og når jeg...* Aars 5.12.1921, s. 67
234/9 *Idéene stormet på...* Aars 6.12.1922, s. 92
234/12 *Det var ham...* Dedekam 2.8.1923, s. 183
234/17 *Når han arbeider...* Dedekam 17.1.1922, s. 67
234/23 *Så lot han...* Aars 22.4.1922, s. 78
234/31 *Ung gutt og pike – Skremt...* Først utført i «mellomstørrelse» i 1914; punktert s.å. i Savonière-kalkstein.
1) Stor modell ferdig modellert julen 1914 ble feilhugget i granitt, overlatt Johan Anker og nå i Rotnerås park, Värmland.

2) ny modell 1918, finnes bare i fotografi.

3) I 1922 bearbeidelse av modellen fra 1918. Granitt i V-m.

4) Modell i gips i 1934 bygger delvis på de to foregående; granitt i Vigelandsparken.
Jfr. A. Brenna: «Form og komposisjon i nordisk granittskulptur 1909–1926», Oslo 1953, s. 200–204; ill.

234 marg *Et fullkomment kunstverk...* Brev til Andrea Butenschøn 22.1.1918

Jeg som aldri... Notisbok 1937–38, nr. 4: «1. juledag 1937»

235/6 *Jeg savner...* Brev til Larpent 7.10.1897

235/19 *I sydlige lande...* Brev til Th. Bonnevie 24.5.1923

236/1 *Soppen grodde...* Brev til Andrea Butenschøn 23.12.1917

236 marg *Nittiårene...* Som 236/1

Det er ufattelig... Aars 1.1.1926, s. 112

De store granittblokker... Som 235/19

237 marg *Skulle jeg...* Brev til Dedekam 19.1.1919

Vigeland sa... Dedekam 13.4.1920, s. 23

Da Vigeland skulle... Aars 14.10.1920, s. 1

238/7 *Gid de arbeider...* Brev til Larpent 25.6.1895

238/21 *Jeg erklærer...* Brev til Komitéen for Vigelands Fontene

240/5 *men innen hele bygningen...* Sydfløyen ble først bygd i årene 1928–30. Her hadde GV sine siste atelierer med 5 1/2 meter høye vinduer som gav et glimrende sidelys

240/24 *En ting som...* Brev til Aars 18.3.1920

240 marg *Hans arbeidskraft...* Dedekam 2.8.1923, s. 183

241/9 *Slike besøk...* Notisbok 1934, nr. 3 (Notat i forbindelse med et besøk av norske og engelske politikere, datert 19.10.34)

241 marg *Bare jeg har...* Aars 4.10.1922, s. 88

En dag jeg... Notisbok 1934, nr. 3

Når jeg har spist... Aars 3.2.1921, s. 27

242/17 *Vi har jo ikke...* H. P. Lødrups notater 1942–43, V-m

242/27 *Han hadde fått...* H. P. Lødrup: «Gustav Vigeland», Oslo 1944, s. 172

242/34 *døde han...* Lødrup op.cit. s. 173: «Det ble påvist ødemer i bena. Urinsekresjonen minket til tross for behandling, og da det inntraff anuri, forsøktes kateterisering. Under denne behandling fikk GV et sjokk og døde.» – Brev om det samme fra GVs lege dr. V. Fürst til Lødrup blant Lødrups papirer i V-m

243/13 *Kunsten er kort...* Notisbok 1896, nr. 7

243 marg *Av ytre var han...* Lødrup op.cit. s. 246

I ungdommen... Aftenposten 13.3.1943

37 figurer i stjerneform.
Relieff. 1939. Leire.
20 × 20 cm

254

Litteratur

MONOGRAFIER

Aikio, Matti: Gustav Vigeland, Oslo 1920, 71 s.

Brenna, Arne: Vigelandsbroen, Oslo 1942, 63 s.
Brenna, Arne: Gustav Vigelands portrettbyster. Magisteravhandling i manuskript, Universitetsbiblioteket i Oslo og Vigeland-museet, Oslo 1951, 177 s.
Brenna, Arne og Tschudi-Madsen, Stephan: Vigelands fontenerelieffer: en kronologisk og stilistisk undersøkelse, Oslo 1953, 86 s.

Dedekam, Hans: Dagbokopptegnelser. Manuskript i Vigeland-museet, 309 s.
Durban, Arne: Gustav Vigeland, Oslo 1945, 136 s.
Durban, Arne: Vigelandportretter, Oslo 1977, 224 s.

Hale, Nathan Cabot: Embrace of Life. The sculpture of Gustav Vigeland. Photographs by David Finn, New York 1969, 363 s.
Hougen, Pål: Adorasjonen; et motiv i Gustav Vigelands kunst. Magisteravhandling i manuskript, Universitetsbiblioteket i Oslo og Vigeland-museet, Oslo 1958, Vol 1–3, 102, 46 og 64 s.

Larpent, Sophus Edmé: Vigelandiana. 1892–1903. Håndskrevet manuskript. Universitetsbiblioteket i Oslo, Ms. 192.
Lødrup, Hans P.: Gustav Vigeland, Oslo 1944, 262 s.

Mørstad, Erik: Gustav Vigelands smijernsarbeider. Fra verksted til park. Manuskript i Vigeland-museet, Oslo 1978. 83 s.

Nakao, Koremasa: Gustav Vigeland. Tokyo 1982, 180 s.

Przybyszewski, Stanislaw: Auf den Wegen der Seele. Berlin 1897, 61 s.

Stang, Ragna, red.: 25 nordmenn sett av Gustav Vigeland, Oslo 1949.
Stang, Ragna: Gustav Vigeland. En kunstner og hans verk, Oslo 1965, 189 s. Engelsk og tysk utgave. Jubileumsutgave 1969, også engelsk og tysk utgave.
Stang, Ragna: Gustav Vigeland. Skulpturparken på Frogner, Oslo 1966, 20 s. Engelsk, tysk og fransk utgave.

Weingarten, Margit: Gustav Vigeland's Abel Monument. Avhandling for Masters degree, University of Washington, 1976. Manuskript i Vigeland-museet, 225 s.
Wikborg, Tone: Gustav Vigelands fontene. Magisteravhandling. Manuskript i Universitetsbiblioteket i Oslo og Vigeland-museet, Oslo 1968, Vol 1–2 208, 57 s.
Wikborg, Tone: Fra Vigelandfontenens historie, Oslo 1969, 58 s. (Vigeland-museets skrifter nr. 6).
Wikborg, Tone: Slekten. Utgitt av Frognerparkens Venner, Oslo 1978, 16 s.

Aamot, Kristoffer og Schach, Niels F.: Vigeland, Oslo 1947, 40 s.
Aars, Harald: Dagbok om Gustav Vigeland. Del I: 1920–24, del II: 1925–1940. Manuskript i Vigeland-museet. 274 s. Utdrag publisert ved Carl Just, Oslo 1951, 199 s.

DIVERSE ARTIKLER

Aubert, Andreas: Kristiania kommunestyre og Vigelands fontæne.

Vigelands Fontæne. Kristiania 1906, s. 27–30.

Bergstøl, Tore: Gustav Vigelands morsslekt. *Norsk slektshistorisk tidsskrift* 1967/68, nr. 21, s. 87–92.
Biniyon, Lawrence: Gustav Vigeland. *The Studio.* London, March 1924, s. 128–31.
Brenna, Arne: Fra form til tanke. *Tegninger og utkast til musikermonumenter.* Vigeland-museet 1952, s. 24–30.
Brenna, Arne: En uteblitt triumf. Gustav Vigelands rytterstatue av Theodore Roosevelt. *Kunst og Kultur,* Oslo 1974, nr. 3–4, s. 263–74.
Brochmann, Odd: Fontenen og Frognerparken. *Gustav Vigeland. Kunst og Kulturs serie.* Oslo 1949, s. 53–64.
Bull, Francis: Fra Vigelands store raptus som portrettskulptør. *Gustav Vigeland. Kunst og Kulturs serie.* Oslo 1949, s. 19–34.

Clements: E.: The Fountain of Vigeland, Oslo. *The Studio* 1950 nr. 2, s. 8–9.

Dahl, Arne Kjell: Historien om Vigelands monolitt. *St. Hallvard,* Oslo 1952, nr. 2, s. 108–19.
Dedekam, Hans: Trondhjems domkirkes kunstneriske utsmykning i våre dager. *Kunst og Kultur* 1913/14, s. 5–11.
Dedekam, Hans: Fontænelabyrinten. *Vigelands Fontæne,* Kristiania 1917, s. 30–41.
Dedekam, Hans: Vigelands fontæne. *Ord och Bild.* Stockholm 1918, nr. 18, s. 401–21.
Dresdener, Albert: Gustav Vigeland zu seinem 60. Geburtstag. *Deutsch-Nordisches Jahrbuch.* Jena 1929, s. 127–40.

Fåhræus, Klas: Gustav Vigeland. *Nya konstkritiska essayer.* Stockholm 1929, s. 137–50.

Gerner, Cecilie: Gustav Vigeland, creator of the sculptural park in Oslo. *American-Scandinavian revue* 31, 1943, s. 313–25.
Gilmour, Pat: Vigeland's sculpture park. *Art and Artists.* London 1969, nr. 8, s. 20–23.
Gran, Henning: Erik Werenskiolds syn på Gustav Vigeland. *Byggekunst,* Oslo 1955, s. 219–24.
Groth, Henrik: Gustav Vigeland. En skisse. *Bjørnsonforbundet,* Oslo 1923, s. 51–60.

Hedberg, Tor: Gustav Vigeland. *Ett decennium.* Vol. 2. Stockholm 1912, s. 93–99. Samme sted: Abelmonumentet i Kristiania, s. 100–02.
Hedberg, Tor: «Vigelandsfontänen. *Konst och literatur.* Stockholm 1939, s. 131–34. Samme sted: Monoliten, s. 148–50.
Heiberg, Gunnar: Staden med Fontænen. *Salt og sukker.* Oslo 1951, s. 161–64.
Heiberg, Gunnar: Vigeland. *Hugg og stikk.* Oslo 1951, s. 161–64.
Hennum, Gerd: Hjemme hos fru Ingerid til Breime. *Kvinner og klær.* Oslo 1967, nr. 31, s. 18–19.
Hennum, Gerd: Gustav Vigeland som brukskunstner. *Bonytt,* 1969, nr. 5, s. 34–35.
Hodin, J. P.: A monument to mankind. *The Norseman,* London 1947, nr. 6, s. 423–25.
Hougen, Pål: Gustav Vigeland og den guddommelige inngivelse. *Oslo kommunes kunstsamlingers årbok* 1952–59, s. 52–78.
Hygen, Johan B.: Vigeland, livet og evigheten. *Kirke og Kultur,* Oslo 1946, nr. 2, s. 81–95.

Johannesen, Ole Rønning: Fra tanke til form. Omkring Gustav

Vigelands Beethoven-monument. *Tegninger og utkast til musiker-monumenter.* Vigeland-museet 1952 s. 9–23, og *Oslo kommunes kunstsamlingers årbok* 1946–51, s. 26–34.

Langaard, Johan: Vigeland-museet. *Gustav Vigeland. Kunst og Kulturs serie.* Oslo 1949, s. 77–84.
Lexow, Einar: Et nyt arbeide av Gustav Vigeland. *Kunst og Kultur* 1911/12, s. 230–33 (Kvinnetorso).
Luihn, Otto: Monolitten og andre monolitter. *Magasinet for alle,* Oslo 1941, nr. 44, s. 55–72.

Michelet, Johan Fredrik: Gustav Vigelands portrett-byster. *Ord och Bild,* 1950, s. 117–22.

Nilssen, Jappe: Vigelands fontæne og Abelhaugen. *St. Hallvard,* Oslo 1916, nr. 2, s. 167–69.
Nissen, Ingjald: Psykologiske motiver i Gustav Vigelands kunst. *Kunst og Kultur,* 1951, s. 163–70.
Nissen, Ingjald: A psychological interpretation of Gustav Vigeland's group sculptures. *International Record of Medicine,* Washington 1953, nr. 8, s. 319–23.
Nissen, Ingjald: Meningen i noen av Gustav Vigelands verker. *Farmand,* Oslo, 22.12.1956, s. 131–35.
Nygaard-Nilssen, Arne: Gustav Vigeland. *Art vivant* 1930, nr. 6, s. 996–1002.

Obstfelder, Sigbjørn: Gustav Vigeland. *Samlede skrifter,* Oslo 1950, Vol. 3, s. 273–83.

Rasmussen, Wilhelm: Arkitekterne og Abelhaugen. *St. Hallvard,* Oslo 1916, s. 160–66.
Roger, Noélle: Le sculpteur norvégien Gustav Vigeland. *Artistes d'aujourdhui,* 13, 1938, s. 1–4.
Romdahl, Axel: I Vigelands ateljer. *Gustav Vigeland. Kunst og Kulturs serie,* Oslo 1949, s. 1–4.

Schiøll, Nicolai: Produksjonsgeniet. *Gustav Vigeland. Kunst og Kulturs serie,* Oslo 1949, s. 65–76.
Simons, Richard C.: Creativity, mourning, and the dread of paternity in the art of Gustav Vigeland. Foredrag i Denver Psychoanalytic Society 24. mai 1982 (U.S.A.) Manuskript i Vigeland-museet.
Stang, Ragna: Litt omkring problemet Gustav Vigeland og Gustav Vigelands problemer. *Oslo kommunes kunstsamlingers årbok* 1946–51, s. 35–49.
Stang, Ragna: Gustav Vigelands ungdomsarbeider. *Gustav Vigeland. Kunst og Kulturs serie,* Oslo 1949, s. 5–8.
Stang, Ragna: Mecenen Ernest Thiel og Gustav Vigeland/The art supporter Ernest Thiel and Gustav Vigeland. *Livets ansikter/The Condition of Man.* Oslo 1975, s. 76–80 (Vigeland-museets skrifter nr. 7).
Steen, Ellisiv: to portrettstatuer. *Gustav Vigeland. Kunst og Kulturs serie,* Oslo 1949, s. 35–52 (Henrik Wergeland og Camilla Collett).

Thiis, Jens: Gustav Vigeland: Mor og barn. *Kunstmuseet. Årsskrift,* 1. årgang, København 1914, s. 142–47.
Thiis, Jens: Gustav Vigeland. To foredrag holdt i Universitetets festsal 1902. *Samlede avhandlinger om nordisk kunst.* Kristiania 1920, s. 51–72.
Tschudi-Madsen, Stephan: Uedle metaller i edlere form. *Norden-fjeldske kunstindustrimuseums årbok.* Trondheim 1957, s. 55–72.

Vetland, Jens: Sin barndom bar han alltid med seg. Notater i forbindelse med 100-årsjubileet for Gustav Vigelands fødsel. *Mandal Bymuseum Årbok* 1968–69, s. 5–9.

Wasiutyński, Jeremi: Drømmen om det vidunderlige fjell. *Farmand,* Oslo 1957, nr. 13, s. 27–31.
Wennberg, Bo: Paris i Oslo – Gustav Vigeland. *Livets ansikter/The Condition of Man.* Oslo 1975, s. 46–54 (Vigeland-museets skrifter nr. 7) og *French and Scandinavian Sculpture in the Nineteenth Century,* Stockholm 1978, s. 181–97.
Wikborg, Tone: Gustav Vigeland et son art. *La Revue Française* nr. 239, Paris 1971, s. 23–24.
Wikborg, Tone: Gustav Vigeland's Woodcuts. *Print Review,* Pratt Graphics Center and Kennedy Galleries, Inc. 3, New York 1975, s. 27–35.
Wikborg, Tone: Gustav Vigeland og Danmark/Gustav Vigeland and Denmark. *Livets ansikter/The Condition of Man.* Oslo 1975, s. 22–27 (Vigeland-museets skrifter nr. 7). Samme sted: Vigelands tegninger og tresnitt/Vigeland's drawings and woodcuts s. 90–100.
Wikborg, Tone: Gustav Vigeland et Rodin. Musée Rodin, Paris 1981, s. 7–22.
Wikborg, Tone: «Kvinder der vaagner». Gustav Vigelands fremstillinger av Aasta Hansteen og Camilla Collett. *Andre linjer,* artikkelsamling redigert av Kari Vogt og Anne-Lisa Amadou, Oslo 1982, s. 119–131.

Aars, Harald: Fra Eidsvolds plads til Abelhaugen. *Vigelands Fontæne.* Kristiania 1917, s. 18–22.

ARTIKLER I SAMLING

Vigelands Fontæne. Kristiania 1906. Red.: Gunnar Heiberg. Med bidrag av Andreas Aubert, Andrea Butenschøn, Hans Dedekam, Albert Dreyfus, Gunnar Heiberg, Jens Thiis.

Vigelands Fontæne. Kristiania 1917. Red. Carl W. Schnitler. Med bidrag av Nini Roll Anker, Andrea Butenschøn, Hans Dedekam, Klas Fåhræus, E. B. Havell, Olaf Nordhagen, Magnus Poulsson, Jens Thiis, Harald Aars.

Gustav Vigeland. *Kunst og Kulturs serie.* Oslo 1949. Artikler av Odd Brochmann, Francis Bull, Johan Langaard, Axel Romdahl, Nic. Schiøll, Ragna Stang, Ellisiv Steen.

KUNSTHISTORISKE VERKER

Brenna, Arne: Form og komposisjon i nordisk granittskulptur 1906–1926: Carl Milles, Kai Nielsen, Gustav Vigeland. Doktoravhandling. Oslo 1953. English Summary (Vigeland-museets skrifter nr. 4).
Fischer, Gerhard: Domkirken i Trondheim, Oslo 1965. Vol. 2, s. 455–58.
Hamilton, George Heard: Painting and Sculpture in Europe 1880–1940. Pelican History of art. London 1967, s. 94.
Laurin, Carl G.: Konsthistoria. Stockholm 1916, s. 990–92. Dansk utgave København 1919, s. 934–38.
Lexow, Einar: Norges kunst. Oslo 1942, s. 330–38.
Maier-Graefe, Julius: Entwicklungsgeschichte der modernen Kunst. Stuttgart 1904, Vol. 3, s. 305–06.
Maryon, Herbert: Modern sculpture. London 1933, s. 138–44.

Nygaard-Nilssen, Arne: Skulpturen i det 19. og 20. aarhundrede. *Norsk kunsthistorie*. Oslo 1925–27, Vol. 2, s. 336–48, 360–74.
Parmann, Øystein: Norsk skulptur. Oslo 1969, s. 17–27, 37–44.
Revold, Reidar: Norges billedkunst i det nittende og tyvende århundre. Oslo, 1953, vol. 2, s. 360–90.
Selz, Jean: Modern Sculpture. Origin and Evolution. New York 1963, s. 160–61.
Thiis, Jens: Norske malere og billedhuggere. Bergen 1904–07. Vol. 3, s. 37–71.
Vidalenc, G.: L'Art Norvégien Contemporain. Paris 1921, s. 46–65.
Wikborg, Tone: Norsk skulptur i en brytningstid. *Norges kunsthistorie* vol. 5, Oslo 1981, s. 346–65.
Østby, Leif: Norges kunsthistorie. Oslo 1966, s. 201–03.

BREV

Stang, Ragna Thiis, redaksjon: Om kunst og kunstnere. Oslo 1955. Brev fra Gustav Vigeland til Sophus Larpent fra reiser i Frankrike og England 1900–01.

KATALOGER

Utstillinger
Fortegnelse over Billedhugger Gustav Vigelands Separat Udstilling i Christiania Kunstforening Okt.–Nov. 1894.

Katalog over Gustav Vigeland's Separatutstilling. December 1899. Wangs Kunstudstillingslokale (Dioramaet). Carl Johans Gade 41. Kristiania.

Tegninger og utkast til musikermonumenter. Vigeland-museets utstilling våren 1952. Artikler av Ole Rønning Johannesen og Arne Brenna (se «Diverse artikler»).

En fontene blir til. Fra Vigeland-fontenens historie. Tegninger, skulpturer, fotografier. Utstilling i Vigeland-museet 11.4.–15.8.1969. Ved Tone Wikborg.

Beethoven-portretter. Utstilling høsten 1970 i Vigeland-museet. Artikler av Frithjof Bringager jr.: «Det dionysiske evangelium» – kunstneren som profet og martyr, s. 7–11, og
Tone Wikborg: Ludwig van Beethoven – samtidsportretter og senere monumenter, s. 1–6.

Gustav Vigeland.
Livets ansikter/The Condition of Man. Utstilling i Nationalmuseum, Stockholm; Amos Andersons Konstmuseum, Helsinki; Nordjyllands Kunstmuseum, Aalborg, 1976. Med artikler av Ragna Stang, Bo Wennberg og Tone Wikborg (se «Diverse artikler»). Katalogen trykket i Oslo 1975; (Vigeland-museets skrifter nr. 7).

Gustav Vigeland 1869–1943. Muzeum Narodowe w Warszawie, Warszawa jan./febr. 1977 og Muzeum Norodowe w Poznaniu, Poznan mars/apr. 1977. Katalog ved Tone Wikborg.

Gustav Vigeland. Fundacáo Calouste Gulbenkian, Lisboa okt./nov. 1977, og Palacio de Cristal (Parque del Retiro), Madrid, jan./febr.

1978. Forord i den spanske katalog av Joaquin de la Puente: Vigeland, aqui et ahora. Katalog og introduksjon ved Tone Wikborg.

Gustav Vigeland – Ungdomsarbeider. Bergen Billedgalleri og Mandal Kunstforening sommeren 1977, arrangert i samarbeid med Riksgalleriet. Katalog og innledning ved Tone Wikborg (norsk og engelsk tekst).

Gustav Vigeland in Emmeloord, Holland. Stadskantoor juni/juli 1980. Katalog ved Tone Wikborg.

Gustav Vigeland og Henrik Ibsen. Utstilling av skulptur og tegninger i Vigeland-museet 1978. Katalog og innledende artikkel av Tone Wikborg.

Gustav Vigeland. Musée Rodin, Paris, febr./mars 1981. Innledning ved Monique Laurent. Artikkel og katalog ved Tone Wikborg.

Museer og Vigelandsparken
Veileder for samlingene. Vigeland-museet 1951. Ved Pål Hougen. Norsk og engelsk utgave.

Katalog over utstilte arbeider. Vigeland-museet 1970. Ved Tone Wikborg. Norsk og engelsk utgave.

Nasjonalgalleriet i Oslo. Katalog over skulptur og kunstindustri. Oslo 1952, s. 161–78. Ved Anna Stina Hals.

Veileder for Gustav Vigelands skulpturanlegg i Oslo. Oslo 1949. Av Arne Brenna. Norsk og engelsk utgave.

Veileder for Vigelandsparken. Oslo kommunes kunstsamlinger A-4, 1973. Ved Tone Wikborg. Norsk og engelsk utgave.

BIBLIOGRAFIER

Hjortsæter, Ellen: Gustav Vigeland i norsk presse. En kunsthistorisk bibliografi. Oslo 1978. 90 s. Manuskript i Vigeland-museet.
Strømsheim, Randi: Gustav Vigeland. En bibliografi. Oslo 1969. 25 s. (Norske bøker og artikler i bøker, tidsskrifter og ukeblad.) Manuskript i Vigeland-museet.

Menn og kvinner i ring, rekker av barn beveger seg inn mot ringen. Relieff. 1939. Leire. 20 × 20 cm

Navneregister

Registeret omfatter bare hovedtekst og margtekst.

Billedliste

Alle arbeider er av Gustav Vigeland hvor ikke annet opplyses. Skulpturenes datering refererer seg til originalmodellen i leire eller gips. Målene angir høyde × bredde × dybde. Hvor ikke annet opplyses, er eier av gjenstand og foto Vigeland-museet. Illustrasjonsnummer. Tittel. År. Materiale. Mål. Samling utenom Vigeland-museet. Inventarnummer = in.

1 Monolitten – øverste del. Granitt. Foto Røstad
2 Forblåst furu. Tresnitt. 19,5 × 38,5 cm in. T 206
3 Sirkeltrappen, Vigelandsparken. Foto Knut Bry
4 Tre gående kvinner. Detalj av smijernsport. Vigelandsparken. Foto Kittilsen
5 Selvportrett. 1922. Bronse. 45 × 18 × 20,5 cm. Foto Jo Grim Gullvåg
6 Kule med mennesker. 1922. Gips. Høyde 28 cm
7 Knivskaft med dyrehode. Ca. 1887. Tre. Foto Kojan/Krogvold, Statens filmsentral
8 Knivskaft med menneskeansikt. Ca. 1887. Tre. Foto Kojan/Krogvold, Statens filmsentral
9 Torso. 1909. Marmor. 113 × 72 × 59 cm. I bakgrunnen: Genie-porten i smijern. Ca. 1941. 360 × 360 cm. Foto Arne Flaaten
10 Ung mann og kvinne. 1906. Marmor. 191 × 58 × 52 cm. Foto Kim Hart
11 Mann med kvinne i fanget. 1905. Bronse. 132 × 81 × 78 cm. Foto J. G. Gullvåg
12 Mann med kvinne i fanget. 1915. Granitt. 102 × 101 × 99 cm
13 Knelende mann omfavner stående kvinne. 1908. Bronse. 168 × 76 × 70 cm. Foto Paul Brand
14 Kvinne hopper opp på mann. Ca. 1930. Bronse. Broen, Vigelandsparken. Høyde 1.95 meter. Foto Kim Hart
15 Ung pike. Detalj av gruppen «Skremt». Ca. 1914. Hvit kalkstein. 67 × 58 × 36 cm. Foto Paul Brand
16 Barn. Udatert. Penn og blyant. 13,9 × 27,7 cm. in. BBC 81
17 Gustav Vigeland, ca. 2 år
18 Vigelands mor Anna, malt av Emanuel Vigeland. Emanuel Vigelands museum. Foto Maj-Brit Waddel
19 Foreldrene med den eldste broren Theodor, og Gustav i midten
20 Barndomshjemmet i Mandal
21 Mjunebrokka, morfarens gård på Vigeland i Sør-Audnedal; det opprinnelige huset før ombyggingen i 1912
22 Gammel mann og gutt. 1901. Penn. 20,8 × 15,3 cm. in. CMB 47b
23 Kirken i Mandal. Foto J. G. Gullvåg
24 Kristus preker for de fordømte. Udatert. Penn. 15 × 20,9 cm. in. DD 250
25 Sjøsanden i Mandal. Foto J. G. Gullvåg
26 Furu på knausen bak hjemmet i Mandal. Foto J. G. Gullvåg
27 Gutt sitter i tre. Gruppe på fontenen i Vigelandsparken. 1913. Bronse. Høyde 2 m. Foto Kojan/Krogvold, Statens filmsentral
28 Mandal, ca. 1840. Litografisk trykk etter tegning av Samuel Andersen. 40 × 64 cm. Riksantikvaren
29 Selvportrett fra gutteårene. Tegning. Eier ukjent
30 «Redsel». 1895. Penn. 10,5 × 17,5 cm. Tegning. in. DE 106
31 Gutt støtter beruset mann. 1895. Blyant. 12,5 × 7,5 cm. Notisbok 1895, nr. 10
32 Dragehode på sengestolpe fra Gokstad-funnet. Universitetets oldsaksamling
33 Skulpturmuseet. 1881. Xylografi etter tegning av Adolf Schirmer. Nå midtpartiet av Nasjonalgalleriet. Nasjonalgalleriet
34 Gammel mann. 1893. Leire. 23,4 × 24,2 × 16,4 cm. Nasjonalgalleriet. in. 491. Foto Væring
35 Studietegning av hender. 1890. Blyant. 12 × 19 cm. Skissebok 1890, nr. 1
36 Potetkjeller. 1890. Blyant. 12 × 19 cm. Skissebok 1890, nr, 1
37 «På jakt etter lykken». 1889. Penn. 12 × 19 cm. Skissebok 1889, nr. 3
38 «Orfeus». Ca. 1894. Penn. 17 × 21 cm. in. DB 284
39 Job. 1889. Penn. 23 × 15 cm. in. D 12

40 Kjelleren i Osterhausgate 26 hvor Vigeland bodde i et værelse han delte med to snekkersvender. A-Foto
41 Billedhuggeren Brynjulf Bergslien. Oslo Bymuseum
42 Fra Bergsliens atelier. Foto Væring
43 Patrokles trekker pilen ut av Eurypylos' lår. Relieff. 1889. Gips. 43 × 57 cm. in. 909
44 Professor Lorentz Dietrichson. 1904. Bronse. 44 × 35,5 × 22 cm. Universitetet i Oslo
45 David. 1890. Gips. 84 × 35 × 29,5 cm. in. 1640
46 Hagar og Ismael. 1889. Gips. Høyde 77 cm. in. 1637
47 Engler og skjold. Fasadeskulptur, Riddervoldsgate 2, Oslo. 1890. Foto J. G. Gullvåg
48 En gjenganger. Relieff. 1889. Gips. 48,5 × 34 cm. in. 910
49 Gustav Vigeland, ca. 1890
50 Sodoma. Relieff. 1890. Gips. 40 × 44,7 cm. Nasjonalgalleriet, in. 468. Foto Væring
51 Gustav Vigeland. Portrettbyste utført av Ludvig Brandstrup. 1891. Bronse. 44 × 30 × 14 cm. Bronse i Nationalmuseum, Stockholm, gips i V-m
52 Forbannet. 1891. Gips. 174 × 127 × 98 cm. in. 1637. Foto Koremasa Nakao, Japan
53 Sovende kvinne. 1892. Gips. 28,5 × 37 × 17,7 cm. in. 647. Foto Væring
54 Ung pike. 1892. Gips. Høyde 162 cm. in. 1863
55 «Redsel». 1892. Bronse. 29,5 × 10 × 9,7 cm. Nasjonalgalleriet, in. 474. Foto Væring
56 Gud skaper dyrene. Relieff. 1893. Bronse. 50,7 × 59 cm. Nasjonalgalleriet, in. 481. Foto Væring
57 Helhesten. Relieff. 1893. Bronse. 19 × 43,5 cm. Nasjonalgalleriet, in. 484. Foto Væring
58 Død og liv. 1893. Brent leire. 41 × 35,3 × 23 cm. Nasjonalgalleriet, in. 478. Foto Væring
59 Gammel kvinne ser sin mann dø. 1893. Bronse. 24,5 × 59,6 × 22,7 cm. Nasjonalgalleriet, in. 480. Foto Væring
60 Dans. 1893. Bronse. 32,5 × 30 × 17,8 cm. Foto Væring. in. 862
61 Trøst. Relieff. 1893. Bronse. 25,5 × 36 × 19 cm. Foto Væring. in. 928
62 Kvinne ber for drankerne. Relieff. 1893. Bronse. 24,2 × 38 cm. Nasjonalgalleriet, in. 490. Foto Væring
63 Auguste Rodin: Kysset. 1886. Marmor. Foto Bruno Jarret. Musée Rodin, Paris
64 Mann og kvinne. 1893. Leire. 27,4 × 10 × 11,8 cm. Nasjonalgalleriet, in. 478. Foto Væring
65 Dommedag. Relieff. 1894. Bronse. 122,3 × 52,5 cm. Nasjonalgalleriet, in. 495. Foto Væring
66 Helvete. 1893–94. Penn. 21,3 × 34 cm. Nasjonalgalleriet, in. B 7974. Foto Væring
67 En tviler. 1894. Bronse. 25,8 × 38,2 × 23,3 cm. Nasjonalgalleriet, in. 497. Foto Væring
68 Helvete II. Relieff. 1897. Bronse. 171 × 380 cm. Nasjonalgalleriet, in. 509. Foto Væring
69 Auguste Rodin: Helvedesporten, detalj. Musée Rodin, Paris. Foto Bruno Jarret
70 Styrtende figurer. 1895. Penn og lavering. 16,5 × 21 cm. in. DD 3
71 Kvinnelig kentaur. 1900. Penn og lavering. 19,3 × 15,5 cm. in. DB 64
72 Stanislaw Przybyszewski. Maske. 1894. Bronse. 21 × 15 × 10 cm. in 737
73 Kjærligheten og døden. 1895. Penn. 21 × 16,5 cm. in. DE 57
74 De nedbøyde II. 1898. Bronse. 26,7 × 54 × 33 cm. in. 856. Foto Væring

75 Dansende kvinne og menn. 1895. Penn. 17 × 21,4 cm. in. CME 15

76 Palazzo Vecchio, Firenze. Foto Aschehoug billedarkiv (Inno- centi)

77 Michelangelo: Seieren. Foto Alinari

78 Elin Danielson-Gambogi: Selvportrett. Olje. 96,5 × 64,5 cm. Konstmuseet i Ateneum, Helsinki

79 Gustav Vigeland i uniform

80 Tegning etter Donatellos statue av Jeremias på Kampanilen i Firenze. Blyant. 12 × 19 cm. Notisbok 1896, nr. 16

81 Veggmaleri, Villa dei Misteri i Pompeii. Aschehougs billedarkiv

82 Mann og kvinne. 1896. Penn og lavering. 15,5 × 21 cm. in. CMK 82

83 Emanuel Vigeland. 1895. Gips. 67 × 26 × 25 cm. in. 604

84 Kvinnestatuett fra Egypt. Museo Egizio, Torino. Foto fra Vigelands arkiv

85 Kvinne og menn. 1896. Penn. 15,3 × 21 cm. in. CME 24

86 Tiggerne. 1908. Gips. Høyde 1,97 m. in. 1858. Foto Koremasa Nakao, Japan

87 Arbeideren. 1893. Bronse. 35,9 × 17,2 × 15,3 cm. Nasjonal- galleriet, in. 475. Foto Væring

88 Tiggerne. 1899. Bronse. 71,3 × 41,5 × 46 cm. Nasjonalgalle- riet, in. 518. Foto Væring

89 Kristus på korset, Jomfru Maria og Johannes. 1899–1902. Gips. Figurene ble senere skåret i tre og bemalt, og i 1910 plassert på korbuen i domkirken i Trondheim

90 Vigeland mellom venner i Trondheim, ca. 1899; kunsthistorike- ren Jens Thiis, som på denne tiden var konservator ved Nordenfjeldske Kunstindustrimuseum til venstre, og arkitekt Gabriel Kielland

91 Engel. 1902. Gipsmodell til korbuen, domkirken i Trondheim

92 Engel kveler basilisk. 1898. Gipsmodell til gesimsgruppe, domkirken i Trondheim

93 Noas ark. 1902. Gipsmodell til relieff på døpefonten, domkirken i Trondheim

94 Eremitten. 1898. Bronse. 66 × 21 × 21 cm. Nasjonalgalleriet, in. 515. Foto Væring

95 Gutt. Fonteneskulptur, Hamar. 1899. Bronse

96 Georges Minne: Knelende yngling. Ca. 1896. Museum of Modern Art, New York

97 Mann står bak kvinne. 1899. Bronse. 66,5 × 17 × 15 cm. in. 839. Foto Teigen

98 Knelende mann og kvinne. 1899. Bronse. 50 × 42 × 29 cm. in. 841. Foto Teigen

99–100 Mann sitter med kvinne i fanget. 1897. Bronse. 47 × 31 × 24 cm. in. 849. Foto Teigen

101 Orfeus og Eurydike. 1899. Bronse. 67 × 29 × 24 cm. in. Foto Teigen

102 Mann og kvinne. 1897. Penn og lavering. 13,5 × 21,5 cm. in. CMK 212

103 Natten. 1898. Bronse. 35 × 66 × 32 cm. Nasjonalgalleriet, in. 513. Foto Væring

104 Kysset. 1898. Bronse. 68 × 21 × 21 cm. in. 836. Foto Teigen

105–106 Gammel mann og kvinne. 1898. Bronse. 60 × 45 × 35 cm. in. 869. Foto Teigen

107 Mann og liten gutt. 1899. Bronse. 60 × 35 × 39 cm. in. 865. Foto Teigen

108 Mann, kvinne og barn. 1899. Bronse. 52 × 55 × 30 cm. in. 864. Foto Teigen

109 Mann, kvinne og nyfødt barn. 1903. Bronse. 47 × 68 × 44,7 cm. in. 863

110 Sigbjørn Obstfelder. Relieff. 1895. Gips. 44 × 41 × 27 cm. Nasjonalgalleriet, in. 501. Foto Væring

111 Mann kneler foran stående kvinne. 1898. Penn. 22 × 14 cm. in. CMK 237

112 Mann og kvinne. 1901. Penn og lavering. 19,8 × 15,5 cm. in. CMK 451

113 Mann og kvinne. 1898. Bronse. 51 × 37 × 29 cm. in. 843. Foto Teigen

114 Eros. 1901. Penn og lavering. 19,6 × 14,4 cm. in. DB 237

115 Else Vigeland. 1899. Gips. 29,5 × 24,3 × 19,8 cm. in. 741. Foto Teigen

116 Mann omslynget av grener. «Treet». 1900. Gips. 56 × 22 × 18 cm. in. 589

117 Selvportrett. 1901. Penn og lavering. 20,5 × 15 cm. in. AB 105

118 Utsikt fra hotellet, 13 Quai des Grands Augustins. 1901. Penn. 15 × 19,5 cm. in. L 16

119 Synden og døden. Notre-Dame i Paris, over hovedportalen

120 Den hellige Modesta. Katedralen i Chartres, nordportalen

121 Djevel som vannspyer. 1900. Penn og lavering. 15 × 21 cm. in. H 119

122 Fidias. Detalj fra Parthenon-frisen i British Museum

123 Nobels fredsprismedalje med portrett av Alfred Nobel. 1901. Gull. Diameter 10 cm. Myntkabinettet, Universitetet i Oslo

124 Nobels fredsprismedalje – revers

125 Kristi gravleggelse. 1900. Penn og lavering. 15 × 20,6 cm. in. DD 189

126 Job. 1901. Penn og lavering. 23 × 15 cm. in. DD 12

127 Salome. 1900. Penn, lavering og blyant. 19,7 × 15 cm. in. DD 211

128 Mannlig kentaur med kentaurbarn på ryggen. 1901. Penn 20,2 × 12,2 cm. in. DB 123

129 Deianeira og Nessus. 1900. Penn og lavering. 20,2 × 15,5 cm. in. DB 86

130 Nessus og Deianeira. 1900. Penn og lavering. 15 × 19,5 cm. in. DB 88

131 Satyrer. 1901. Penn. 20,7 × 14,8 cm. in. DB 104

132 Kvinne og døden. 1901. Penn. 16,5 × 20, 4 cm. in. DE 80

133 Satyrlek. 1901. Penn. 20 × 12,5 cm. in. DB 103

134 Mann og døden. 1901. Penn. 20,3 × 16 cm. in. DE 78

135 Liggende løve. 1901. Penn. 12,6 × 20,2 cm. in. IA 64

136 Kamel. 1901. Penn. 21 × 12,5 cm. in. IA 100

137 Kvinne og barn. «Lille Tilde». 1900. Penn og lavering. 21 × 14,7 cm. in. CKB 24

138 Mann og barn. «Lille Tilde». 1900. Penn. 19 × 15 cm. in. CMB 27

139 Mann og kvinne sitter med barn mellom seg. 1900. Penn. 21,9 × 13,4 cm. in. CMKB 22

140 Gående mann og kvinne med barn mellom seg. «Barnet». 1901. Penn og lavering. 21,2 × 15,3 cm. in. CMKB 29

141 Mann, kvinne og barn. «Morgenen». 1900. Penn. 14,4 × 22 cm. in. CMKB 20

142 Mann og kvinne. 1901. Penn. 20,8 × 14,5 cm. in. CMK 608

143 Mann og kvinne. 1901. Penn. 20,8 × 15,2 cm. in. CMK 610

144 Mann og kvinne. 1901. Penn og lavering. 19,8 × 15,5 cm. in. CMK 497

145 Mann og kvinne. 1901. Penn og lavering. 15,3 × 19,6 cm. in. CMK 484

146 Mann og kvinne. 1901. Penn. 20,9 × 14,9 cm. in. CMK 630

147 Mann og ung pike. 1901. Penn. 20,9 × 15,2 cm. in. CMK 611

148 Tre barn. 1901. Penn. 15,2 × 20,7 cm. in. CB 12

149 To barn. 1901. Penn 12,5 × 20,2 cm. in. CB 14

150 Gutt. 1901. Penn og lavering. 15,1 × 20,6 cm. in. CB 11

151 Kvinne løfter barn. 1900. Penn. 15,3 × 19,8 cm. in. CKB 29

152 Ung pike. 1901. Penn og lavering. 19,4 × 15 cm. in. CK 126

153 Kvinne. 1900. Penn og lavering. 19,8 × 15 cm. in. CK 63

154 Liggende kvinne. 1901. Penn. 21 × 15 cm. in. CK 149
155 Utenfor Reims. 1901. Penn. 21 × 15 cm. in L 31
156 Reims, Boulevard de la République. 1901. Penn. 15 × 20,5 cm. in. L 21
157 Utenfor Wells. 1901. Penn. 15,8 × 20,3 cm. in. L 36
158 Tegning til monument for matematikeren N.H. Abel. 1902. Penn. 19,2 × 13,3 cm. in. AA 52
159 Vigeland i atelieret, ca. 1905. På bordet ved siden av ham står en portrettbyste av Gunnar Heiberg; på nederste hylle sees fra venstre Kvinnetorso (1902) og portrettbyster av Edvard Grieg og Fridtjof Nansen (begge fra 1903)
160 Emanuel Vigeland. 1896. Bronse. 42 × 23,8 × 17 cm. Nasjonalgalleriet in. 506. Foto Væring
161 «Elias i Ponsen». 1896. Gips. 37,5 × 44 × 19,5 cm. in. 661. Foto Teigen
162 Grieg og Bjørnson. Ca. 1905. Penn. 22 × 13,8 cm. in. AA 463
163 Bjørnstjerne Bjørnson. 1901. Marmor. 55 × 56,7 × 28 cm. Nasjonalgalleriet, in. 529. Foto Væring
164 Henrik Ibsen. ca. 1903. Penn. 22 × 14 cm. in. AA 380
165 Henrik Ibsen. 1903. Gips. 48,5 × 25 × 30 cm. in. 682
166 Professor Sophus Bugge. 1902. Bronse. 50 × 35,5 × 26,8 cm. Nasjonalgalleriet, in. 529. Foto Væring
167 Knut Hamsun. 1903. Gips. 46 × 45 × 24 cm. in. 684
168 Arne Garborg. 1903. Bronse. 51 × 35 × 26 cm. Nasjonalgalleriet, in. 681. Foto Væring
169 Arne Garborg står på en haug med døde figurer. 1903. Penn. 22 × 14 cm. in. AA 735
170 Rektor Anton Ræder. 1921. Gips. 46,5 × 24 × 24 cm. in. 711. Foto Teigen
171 Edvard Grieg sitter modell i Vigelands atelier, 1903
172 Egil Skallagrimsson reiser nidstang. Vigeland i arbeid med gipsmodellen. 1923. Høyde 2,70 m. in. 6
173 Egil Skallagrimsson, detalj av statue. Gips. Foto Koremasa Nakao, Japan
174 Gunnar i ormegården. 1921. Leire. 18 × 25,5 × 10 cm. in. 430
175 Spilleren. Utkast til monument for R. Nordraak. 1902. Gips. 34 × 29 × 20 cm. Nasjonalgalleriet, in. 531. Foto Væring
176 Tegning til monument for R. Nordraak. 1902. Penn. 22 × 14 cm. in. AA 797
177 Tegning til gitter og drager i smijern foran Nordraak-monumentet. Udatert. Penn. 14 × 22 cm. in. OA 168
178 Drage i smijern foran Nordraak-monumentet, detalj. 1910
179 Rikard Nordraak. Monumentet, hugget i kleberstein, ble reist 1911 i Wergelandsveien, Oslo. Statuen er modellert i 1905. Høyde 1,85 m
180 N. H. Abel. 19. desember 1900. Penn. 17,5 × 15 cm. in. AA 3
181 N. H. Abel. 29. desember 1900. Penn. 20 × 15 cm. in. AA 4
182 H. Wergeland. ca. 1897. Penn. 21 × 17 cm. in. AA 207
183 H. Wergeland. 12. desember 1900. Penn. 21 × 15 cm. in. AA 159
184 N. H. Abel. 23. januar 1901. Penn. 14,5 × 19 cm. in. AA 6
185 Utkast til monument for N. H. Abel. Utført fra 11. august til 15. september 1902. Bronse. 147 × 67 × 51 cm. in. 1860
186 F. Duret: St. Michel dreper dragen. Fontene på Place St. Michel i Paris, reist 1860. Bronse. Høyde 5,5 m
187 På et postkort har Vigeland tegnet Abel-monumentet over statuen av A. M. Schweigaard, som tidligere stod midt på Universitetsplassen i Oslo. in. AA 142b
188 Monumentet for N. H. Abel. 1905, reist i Slottsparken 1908. Total høyde 12,10 m. Gruppens høyde 4,10 m. Foto Koremasa Nakao, Japan
189 Vigeland i arbeid med Abel-monumentet, 24. januar 1905
190 Monument for N. H. Abel, detalj av hovedfiguren. in. 1861.

Foto Bjørn Winsnes
191 Monument for N. H. Abel i Slottsparken, Oslo. Foto Koremasa Nakao, Japan
192 Henrik Wergeland, statue i Kristiansand. 1907, reist 1908. Bronse. Høyde 2,15 m. Foto J. G. Gullvåg
193 Henrik Wergeland, detalj av statue. 1907. Gips.
194 Wergeland i en krans av genier. 1903. Penn. 22 × 17 cm. in. AA 198
195 Wergeland i et tre. 1901. Penn 20 × 15 cm. in. AA 180
196 Wergeland med genier. 1905. Bronse. 50 × 21,5 × 17 cm. in. 559
197 Nil-guden. Vatikan-museet. Foto Else Wiker Gullvåg
198 Ludwig van Beethoven. 1906. Bronse. 153 × 80 × 50 cm. in. 833. Foto Koremasa Nakao, Japan
199 Ludwig van Beethoven. Detalj av statue. 1906, in. 833. Foto Bruno Jarret, Paris
200 Tegning til Beethoven-monumentet. Penn. 22,5 × 14 cm. in. AA 914
201 Camilla Collett 73 år gammel
202 Camilla Collett. Utkast til monument. 1906. Leire. 71 × 19, 3 × 23,6 cm. in. 560
203 Camilla Collett. Utkast til monument. 1906. Gips. 72,5 × 30,5 × 28 cm. in. 561. Foto Paul Brand
204 Camilla Collett. 1909. Bronse. Høyde 1,9 m. Statuen ble reist i Slottsparken, Oslo i 1911. Foto Koremasa Nakao, Japan
205 Camilla Collett. Detalj av statue, 1909. Gips. in. 1865. Foto Ragnar Utne
206 Camilla Collett. 1902. Penn. 22 × 14 cm. in. AA 531
207 Petter Dass. Utkast til monument. 1906. Bronse. 68,5 × 18 × 19 cm. in. 564. Foto Kojan/Krogvold, Statens filmsentral
208 Reformasjonspresten Peder Claussøn Friis kaster helgenskulptur. 1937. Bronse, reist i Sør-Audnedal 1938. Høyde 2,78 m. Detalj, hele statuen ill. 212. Foto J. G. Gullvåg
209 Aasta Hansteen med paraply. 1905. Bronse. 47 × 21 × 16 cm. in. 605. Foto Paul Brand
210 Aasta Hansteen. 1903. Bronse, Vår Frelsers gravlund. 36 × 42 × 25 cm. Foto J. G. Gullvåg
211 Bjørnstjerne Bjørnson. Statue i bronse foran Den Nationale Scene i Bergen. 1915, reist 1917
212 Peder Claussøn Friis kaster helgenskulptur. 1937. Gips. Reist i bronse i Sør-Audnedal 1938. Høyde 2,78 meter. in. 1730
213 Peter Wessel Tordenskiold. 1906. Bronse. 42 × 15 × 9 cm. in. 1712
214 Statsminister Christian Michelsen. 1936. Reist i bronse i Bergen 1938. Statuen er 3,65 m høy; total høyde 18,55 m. Foto Normann
215 Snorre Sturlasson. 1938. Reist i bronse på Reykholt, Island i 1947 og i Bergen 1948 (foto). Høyde 2,54 m. Foto Væring
216 Edvard Grieg. 1907. Bronse. 26,5 × 11 × 8 cm. in. 578. Foto Morten Krogvold
217 Vigeland i lånt samarie poserer som Petter Dass
218 Gravmonument for Henrik Ibsen. Udatert. Penn. 22 × 14 cm. in. AA 437
219 Henrik Ibsen på sarkofag. Utkast til gravmonument. 1906. Gips. 82 × 59 × 25 cm. in. 557
220 Petter Dass. Utkast til monument, detalj. 1906. Bronse. jfr. ill. 207
221 President Theodore Roosevelt. Utkast til ryttermonument. 1908. Bronse. 62 × 68 × 17 cm. in. 569
222 Tegning til ryttermonument. Penn og lavering. 22 × 14 cm. in. AA 1176
223 Hellig Olav til hest. Ca. 1910. Leire. 57 × 35,7 × 15,5 cm. in. 567

224 Eidsvollsmonument. Ca. 1909. Penn. 22 × 14 cm. in. AC 46

225 Eidsvollsmonument. Ca. 1909. Penn. 22 × 14 cm. in. AC

226 Eidsvollsmonument. Ca. 1920. Blyant. 14 × 22 cm. in. AC 133

227 Fire kvinner i krets rundt en klode. 1922. Gips. Høyde 19 cm. in. 458

228 Kvinne og barn. Farveblyant. 14 × 21,8 cm. in. CKB 141

229 Mann og kvinne. 1901. Penn. 20,3 × 13 cm. in. CMK 502

230 Mann og kvinne. Ca. 1903. Penn. 21 × 15,9 cm. Påskrevet: «Motto: Den hvem Kjærlighedens Orm engang har bidt, heles aldrig.» in. CMK 1127

231 Mann og kvinne. Ca. 1906. Penn. 21,8 × 13,6 cm. in. CMK 1143

232 Knelende mann omfavner stående kvinne. 1908. Gips. 168 × 76 × 70 cm. in. 1759

233 Stående kvinne. «Søvngjengersken». 1909. Teaktre. 172 × 41 × 40,5 cm. Nasjonalgalleriet, in. 541. Foto Ragnar Utne

234 Gustav Vigeland, 6. august 1917. Foto Inga Syvertsen

235 Gustav Vigeland syk julen 1902. Foto Inga Syvertsen

236 Mor og barn. 1907. Bronse. 137 × 81,5 × 70 cm. Thielska Galleriet, Stockholm og Nasjonalgalleriet, Oslo

237 Mor og barn. 1909. Marmor. 137 × 73 × 63 cm. in. 1867. Foto Mittet

238 Maridalsveien 17 hvor Vigeland bodde i 2. etasje fra 1906 til 1924. A-foto

239 Fredensborgveien 1, nå Schandorffs gate 4. Det åpne hjørnevinduet og de tre nærmeste til høyre tilhørte leiligheten hvor Vigeland bodde fra 1902 til 1906. I forgrunnen Krist kirkegård. A-Foto

240 Vigeland i arbeid med en av steingruppene i «mellomstørrelse», ca. 1914

241 Fire piker i stjerneform. 1912–14. Bronse. Relieff på fontenen i Vigelandsparken. 56 × 60 cm

242 Kvinne dier enhjørning. 1913. Grå sandstein (cotta). 66 × 21 × 47 cm. in. 888

243 Mann og kvinne sitter med pannene mot hverandre. 1916. Granitt. 1,60 × 1,40 × 1,05 m. Foto Koremasa Nakao, Japan

244 Julius Vigeland hugger på Binne og unge, ca. 1915. Rød granitt, reist som fonteneskulptur i Kragerø 1917

245 Henri Matisse: To negresser. Ca. 1908. Foto fra Vigelands arkiv

246 To kvinner danser. 1917. Bronse. Relieff tenkt til fontenen, men ikke anvendt. 50 × 60 cm. in. 223

247 Figurer i bevegelse. 1918. Tresnitt. 33 × 19,5 cm. in. T 43

248 Liggende løve. Tresnitt. 10,5 × 19,5 cm. Jfr. tegning ill. 135. in. T 34C

249 Tre leende piker. Tresnitt. 30 × 19,5 cm. in. T 21

250 Munk kjemper med øgle. Tresnitt. 35,4 × 21,2 cm. in. T 12

251 Kamp. Tresnitt. 47 × 23 cm. in. T 299

252 Gutt vokter sauer. Tresnitt. 16,4 × 31,2 cm. in. T 306

253 Gammel kvinne jager ulv. Tresnitt. 16 × 32,2 cm. in T 280

254 Kvinne foran jordgamme. Tresnitt. 16 × 31,8 cm. in. T 320

255 Pike plukker blomster. Tresnitt. 31,7 × 16 cm. in. T 396

256 Pike i forblåst gammel furu. Tresnitt. 32 × 16 cm. in. T 395

257 Mann og kvinne. Aften. Tresnitt. 15,8 × 29 cm. in. T 160

258 Bølger slår mot klipper. Tresnitt. 19 × 37 cm. in. T 140

259 Ridende kvinne og to menn. Tresnitt. 17,3 × 33,5 cm. in. T 269

260 To gutter bærer fisk. Tresnitt. 17,3 × 33,3 cm. in. T 184

261 Tre løpende hester. Tresnitt. 16,6 × 31,5 cm. in. T 296

262 Henrik Ibsen. Tresnitt. 15,2 × 16,5 cm. in. T 127

263 Skjelett sjonglerer med genier. Tresnitt. 25 × 12,5 cm. in. T 107

264 Seks menn rundt en kvinne. Tresnitt. Diameter 12,5 cm. in. T 403

265 Sinnssyk kvinne på skjær. Tresnitt. 16 × 31,2 cm. in. T 325

266 Mennesker går. Tresnitt. 11,5 × 15 cm. in. T 166

267 Inga Syvertsen. 1907. Gips. 40,5 × 35 × 22 cm. in. Foto Paul Brand

268 Inga i atelierdøren på Hammersborg, ca. 1904. Foto G. Vigeland

269 Inga sitter modell. 1902. Blyant. 22,3 × 13,5 cm. in. Jk 25

270 Vigeland og Inga Syvertsen, 25. mai 1902. Fotografert under besøk på Tivoli

271 Inga leser avisen. Penn. 21,7 × 14 cm. in. JAK 46

272 Mann og kvinne går forbi hverandre. Leire. 21,5 × 14 × 11 cm. in. 1650

273 Tre kjempende menn. 1922. Leire. 22,2 × 15 × 12 cm. in. 71

274 Ingerid Vigeland. Ca. 1922

275 Ingerid Vigeland. 1921. Gips. 41 × 39 × 26,8 cm. in. 713. Foto Teigen

276 Vigelands sommerhus, bygd 1928, Breime, Sør-Audnedal

277 Gustav og Ingerid Vigeland. Breime

278 Breime, utsikt mot havet

279 Gustav Vigeland med «feriebarnet» Kari

280 Vigeland ved siden av selvportrett fra 1904. Portrettet ble revet ned igjen

281 Vigeland i Telemark sommeren 1917. Foto Inga Syvertsen (Irene Olstad)

282 Vigeland 1903. På veggen sees en skisse til Abel-monumentet

283 Vigeland på besøk hos Johan Anker på Vollen i Asker, våren 1916

284 Vigeland utenfor Akershus festning, mars 1926

285 Selvportrett, statue. 1942. Gips. 186 × 60 × 60 cm. in. 1838. Foto Koremasa Nakao, Japan

286 Kvinne sitter på et dyrelignende tre. 1905. 21,5 × 14,5 cm. in BBB 83

287 Fontene. 1901. Penn. 13,5 × 23,5 cm. in. BBE 2

288 Modell til fontene. 1905–06. Gips. Bredde 4 meter. in. 846. Foto Ragnar Utne

289 Fontene. 1897. Blyant. 21,5 × 17 cm. in. BBA 1

290 Urne til fontenen. 1901. Penn. 15,5 × 20 cm. in. BBB 16

291 Pan. 1901. Penn og lavering. 20 × 15,5 cm. in. BBB 35

292 Barn sitter i et tre. 1903. Penn. 22 × 14 cm. in. BBB 51

293 Skisse til tregruppe på fontenen. 1905. Bronse. Høyde 48 cm. in. 796

294 Yggdrasils ask. 1897. 14 × 22 cm. in. F 10

295 Notis i Morgenbladet 23. november 1906

296 Olaf Gulbransson: Karikaturtegning av Vigelands fontene på Eidsvolls plass. 1901. «Fluesoppen», 1901, s. 12–13

297 Kentaur med barn på ryggen. 1904. Gips. 62 × 53 × 26 cm. Relieff til fontenen, ikke benyttet. in. 196

298 Modell til fonteneanlegget på Abelhaugen 1916–17. Bastionene, gjerdet og portene var ikke med på den offentliggjorte planen i 1916. Gips. 108 × 77 cm. in. 1877

299 Modell av Vigelands atelier/museum med skulpturanlegget i forgrunnen. Ca. 1922. Gips. 108 × 93 cm

300 Kø utenfor Vigelands atelier på Hammersborg i april 1916

301 Slekten, detalj

302 Slekten. 1936. Gips. 3,33 × 5,30 × 1,80 m. in. 1656

303 Slekten, detalj

304 Vigelandsparken. Husmo-foto

305 Geniesverm. Ca. 1905. Penn. 21,8 × 14 cm. Påskrevet: «Som en Bisværm-klump skal de hænge». in. BBB 104

306 Fontenen, Vigelandsparken. Foto Mittet

307 Pike svever ned mellom grener. Detalj av tregruppe på fontenen. Foto Mark Sadan

263

379 Mann vipper kvinne over hodet. Broen. 1926–33. Bronse. Høyde 2,12 m. Foto H. Medbøe

380 Løpende mann. Broen. 1926–33. Bronse. Høyde 1,97 m. Foto Knut Bry

381 Dansende kvinne. Penn. 22 × 14 cm. in. CK 282

382 Dansende kvinne. Broen. 1926–33. Bronse. Høyde 2 m

383 Mann inne i en ring. Broen. 1930–31. Bronse. Høyde 2,42 m

384 Mann og kvinne inne i en ring. Broen. 1930–31. Bronse. Høyde 2,42 m. Foto H. Medbøe

385 Engel kjemper med drage. 1898. Penn. 16,5 × 21 cm. Påskrevet: «Trondhjem Domkirke». in. H 61

386 Øgle omfavner kvinne. Broen. 1918. Granitt. Høyde 2,3 m

387 Pike og øgle. Vigelandsparken. 1938. Bronse. 1,56 × 1 × 1 m. Foto R. Utne

388 Inngangsportalen til Vigelandsparken. Smijern og granitt. 1926–34, reist i 1941. Største høyde 9,8 m. Foto J. G. Gullvåg

389 To fisker biter hverandre i halen. Detalj fra en av smijernsportene ved hovedinngangen til Vigelandsparken

390 Kvinne. Detalj av smijernsport på Monolittplatået. 1933–37

391 Gutt brekker grener, og piker leker med sommerfugler. Smijernsport, Monolittplatået. 1933–37. Høyde 2,45 m

392 Kvinne med ranker og mann med tau. Smijernsport, Monolittplatået. 1933–37. Høyde 2,45 m. Foto H. Medbøe

393 Sirkeltrappen med granittgrupper og Monolitten en vinterdag. Foto Kim Hart

394 17. mai-tog på Broen i Vigelandsparken

395 Barnemusikkorps i Vigelandsparken

396 Monolitt-rennet. Foto Kim Hart

397 Soluret og Livshjulet. Relieffer med zodiakens tegn er hugget inn i granittsokkelen til Soluret. Ca. 1930. Diameter 42 cm. Livshjulet er utført i 1934. Bronse. Diameter 3 m. Foto J. G. Gullvåg

398 Øgler og mennesker. Seks relieffer på bronsedør til en av portstuene ved hovedinngangen til Vigelandsparken. 1942. 2 × 0,95 m

399 Orfeus. 1900. Penn. 20 × 15 cm. in. DB 268

400 Vigeland juli 1903. Foto Inga Syvertsen

401 Engel slår to menn med vingene. 1922. Leire. 25 × 22,5 × 10 cm. in. 441

402 Gammel mann og ung pike. Leire. 15 × 19 × 10 cm. in. 1705

403 Liggende kvinne med barn over seg. 1939. Leire. 15 × 34 × 14 cm. in. 1768

404 Mann med barn på armen griper kvinne i strupen. 1922. Leire. 22,7 × 15 × 11 cm. in. 437

405 Kvinne og tiger. Leire. 20,3 × 14,5 × 8,5 cm. in. 483

406 Kvinne og enhjørning. Leire 25,5 × 20 × 9 cm. in. 484

407 Kvinne, hund og satyr. Leire. 22 × 35 × 16 cm. in. 1461

408 Europa og tyren. 1919. Leire. 19 × 22,5 × 11 cm. in. 485

409 Nidstang som skildret i Vatnsdølasaga. 1923. Leire. 25,8 × 15 × 15 cm. in. 9

410 Mann og kvinne. 1923. Leire. 21,5 × 10 × 9 cm. in. 51

411 «Mor Andersen» ligger med krampe i benet. Ca. 1919. Leire. 17,5 × 14 × 10,5 cm. in. 282

412 Mannlig torso. Leire. Høyde 34,3 cm. in. 1420

413 Prest og djevel danser. 1922. Leire. 22,5 × 12 × 12,5 cm. in. 444

414 Engel og djevel kjemper om ét menneskes sjel i ung kvinnes skikkelse. 1922. Leire. 27 × 15,5 × 10 cm. in. 442

415 Prest preker for to smådjevler. Leire. Høyde 34,5 cm. in. 516

416 Kvinnelig torso, barn på armen. Studie til Monolitten. 1925. Leire. 31,6 × 9,5 × 10 cm. in. 92

417 Liten gutt omfavner pike bakfra. 1922. Leire. 25 × 8 × 8 cm. in. 423

418 Barn og hund. 1922. Leire. 21,4 × 12 × 8 cm. in. 29

419–20 Sittende mann omfavner stående kvinne. 1923. Bronse. 25,6 × 10,5 × 9,5 cm. in. 57

421 Tre gamle kvinner under modellering i 1918

422 Tre gamle kvinner: Gipsmodellen til venstre og den delvis huggede gruppen til høyre. I bakgrunnen sees et punkteringsapparat (måleinstrument for steinhuggerne).

423 Tre gamle kvinner. Vigelandsparken. Granitt. 1918. 1,35 × 1,40 × 1,05 m

424 Gammel kvinne. Leire. 12,5 × 11 × 10 cm. in. 403

425 Vigelands assistenter. Fra venstre: Nils Jønson, steinhugger; Roald Kluge, gipsstøper; Harald Laland, smed; Vilhelm Broe, steinhugger; Harald Hansen, smed; Karl Emil Rasmussen, steinhugger; Alfred Mikkelsen, smedmester; Finn Ø. Bentzen, smed; Christian Engh, vaktmester; Karl S. Kjær, steinhugger; Gustav A. Mod, steinhugger; Ivar Broe, steinhugger. De tre sist nevnte steinhuggerne arbeidet med huggingen av Monolitten. Foto tatt ca. 1940 (etter 1936).

426 To arbeidere bryter ned pilar. 1937. Leire. 71 × 13 × 13 cm. in. 1697

427 Kvinne. Modellstudie med mål. Blyant. 28,5 × 22 cm. in. J. B. 83

428 Kvinner. Modellstudier. Kull. 61 × 45 cm. in. Z 26

429 Mannlig modell og skjelett. Foto fra Vigelands atelier

430 Foto av midtgruppen til fontenen i Vigelandsparken under modellering, påtegnet med penn. 1909

431 Den indiske dikter Tagore på besøk i Vigelands atelier, august 1926

432 Pilestredet 8 hvor Vigeland hadde atelier i 4. etasje fra midten av 1890-årene til sommeren 1902. A-Foto

433 Mor og barn, grovhugget i marmor i Carrara

434 Det gamle atelieret på Hammersborg. Foto Riksantikvaren

435 Vigeland utenfor det nye atelieret på Hammersborg, bygget 1908. Foto ca. 1920

436 Granittblokk fraktes til Vigelands atelier på Hammersborg

437 Pike sitter i reinsdyrs horn. 1920. Bronse. 2,08 × 1,83 × 1 m. I haven utenfor Vigelands atelier på Hammersborg. Gruppen står nå i parken til Fritzøehus, Larvik

438 Reinsdyr i atelierhaven på Hammersborg, 1920

439 Vigeland-museet. Vigelands atelier og bolig fra 1923/24. Arkitekt: Lorentz Ree. Fasaden måler 70 meter. Vindusrekken over inngangspartiet tilhører Vigelands leilighet. Hans gravplass er i et rom i tårnet. – Museum fra 1947

440 Vestibylen i Vigeland-museet

441 Vigeland i en av salene i den nye atelier/museumsbygningen den 24. november 1923

442 Pike og øgle under modellering i 1934, den lille skissen til høyre. I bakgrunnen tre av gruppene til Broen i Vigelandsparken

443 Salen med gipsmodellene til fontenen, Vigeland-museet

444 Interiør fra Vigeland-museet

445 Vigelands verktøy

446 En av stuene i Vigelands leilighet. Møbler, smijernsgjenstander og tekstiler er utført etter Vigelands tegninger, og på veggene henger hans egne spesielt utførte pasteller

447 Vigelands bibliotek

448 Vigelands gravkammer i tårnet på Vigeland-museet. Foto J. G. Gullvåg

449 Den 12. mars 1943 døde Vigeland på Lovisenberg sykehus

450 Vigeland ved havet på Breime

Captions

All works are made by Gustav Vigeland unless otherwise stated. Dates of sculptures are referring to the original model in clay or plaster.

The measurements are given in the following order: height × width × depth.

For placement, inventory number (in) and photo, see the Norwegian version, page 259.

1 The Monolith – upper section. Granite
2 Windblown pine. Woodcut. 19,5 × 38,5 cm
3 Circular stairs, Vigeland Park
4 Three strolling women. Detail of wrought-iron gate. Vigeland Park
5 Self-portrait. 1922. Bronze. 45 × 18 × 20.5 cm
6 Sphere of human figures. 1922. Plaster. H. 28 cm
7 Knife handle with animal head. c. 1887. Wood
8 Knife handle with human head. c. 1887. Wood
9 Torso. 1909. Marble. 113 × 72 × 59 cm. Background, the wrought-iron gate of the genii. c. 1941. 360 × 360 cm
10 Young man and woman. 1906. Marble. 191 × 58 × 52 cm
11 Man cradling a woman in his arms. 1905. Bronze. 132 × 81 × 78 cm
12 Man cradling a woman in his arms. 1915. Granite. 102 × 101 × 99 cm
13 Kneeling man embracing standing woman. 1908. Bronze. 168 × 76 × 70 cm
14 Woman leaping up on a man. c. 1930. Bronze. The bridge, Vigeland Park. H. 1.95 m
15 Young girl. Detail of the group «Frightened». c. 1914. White limestone. 67 × 58 × 36 cm
16 Children. Undated. Pen and pencil. 13.9 × 27.7 cm
17 Gustav Vigeland, c. two years old
18 Vigeland's mother, Anna. Painted by Emanuel Vigeland
19 Vigeland's parents with the eldest brother Theodor and Gustav in the centre
20 Childhood home in Mandal
21 Mjunebrokka, the original house on the Vigeland farm, Sør-Audnedal, before being rebuilt in 1912
22 Old man and boy. 1901. Pen. 20.8 × 15.3 cm
23 The church in Mandal
24 Christ preaching to the doomed. Undated. Pen. 15 × 20.9 cm
25 Sjøsanden, a beach in Mandal
26 Pine tree on the hill behind the house in Mandal
27 Boy sitting in a tree. One of the groups around the fountain in Vigeland Park. 1913. Bronze. H. 2 m
28 Mandal c. 1840. Lithograph from a drawing by Samuel Andersen. 40 × 64 cm
29 Self-portrait from Vigeland's boyhood
30 «Fear». 1895. Pen. 10.5 × 17.5 cm
31 Boy supporting drunken man. 1895. Pencil. 12.5 × 7.5 cm
32 Bed post with dragon head from the Gokstad viking ship find
33 The Sculpture Museum. 1881. Xylograph from a drawing by Adolf Schirmer. Now the central section of the National Gallery
34 Old man. 1893. Clay. 23.4 × 24.2 × 16.4 cm
35 Study of hands 1890. Pencil. 12 × 19 cm
36 Root cellar. 1890. Pencil. 12 × 19 cm
37 «In Search of Happiness». 1890. Pen. 12 × 19 cm
38 «Orpheus». c. 1894. Pen. 17 × 21 cm
39 Job. 1889. Pen. 23 × 15 cm
40 The cellar in Osterhausgate 26, where Vigeland shared a room with two carpenter friends
41 Brynjulf Bergslien, the sculptor
42 Bergslien's studio
43 Patroclus draws the arrow from Eurypylus' thigh. Relief. 1889. Plaster. 43 × 57 cm
44 Prof. Lorentz Dietrichson. 1904. Bronze. 44 × 35.5. × 22 cm
45 David. 1890. Plaster. 84 × 35 × 29.5 cm
46 Hagar and Ishmael. 1889. Plaster. H. 77 cm
47 Putti and shield. Façade sculpture, Riddervoldsgate 2, Oslo. 1890

48 A ghost. Relief. 1889. Plaster. 48.5 × 34 cm
49 Gustav Vigeland, c. 1890
50 Sodom. Relief. 1890. Plaster. 40 × 44.7 cm
51 Gustav Vigeland. Portrait bust by Ludvig Brandstrup. 1891. Bronze. 44 × 30 × 14 cm
52 Accursed. 1891. Plaster. 174 × 127 × 98 cm
53 Sleeping woman. 1892. Plaster. 28.5 × 37 × 17.7 cm
54 Young girl. 1892. Plaster. H. 162 cm
55 «Fear». 1892. Bronze. 29.5 × 10 × 9.7 cm
56 God creating the animals. Relief. 1893. Bronze. 50.7 × 59 cm
57 Hel's Steed. Relief. 1893. Bronze. 19 × 43.5 cm
58 Death and life. 1893. Burnt clay. 41 × 35.3 × 23 cm
59 Old woman sees her husband dying. 1893. Bronze. 24,5 × 59,6 × 22,7 cm
60 Dance. 1893. Bronze. 32.5 × 30 × 17.8 cm
61 Consolation. Relief. 1893. Bronze. 25.5 × 36 × 19 cm
62 Woman praying for the drunkards. Relief. 1893. Bronze. 24.2 × 38 cm
63 Auguste Rodin: The Kiss. 1886. Marble
64 Man and Woman. 1893. Clay. 27.4 × 10 × 11.8 cm
65 Day of Judgement. Relief. 1894. Bronze. 122.3 × 52.5 cm
66 Hell. 1893–94. Pen. 21.3 × 34 cm
67 Doubting man. 1894. Bronze. 25.8 × 38.2 × 23.3 cm
68 Hell II. Relief. 1897. Bronze. 171 × 380 cm
69 Detail from Auguste Rodin's Gates of Hell
70 Plunging figures 1895. Pen and wash. 16.1 × 21 cm
71 Female centaur. 1900. Pen and wash. 19.3 × 15.5 cm
72 Stanislaw Przybyszewski. Mask. 1894. Bronze. 21 × 15 × 10 cm
73 Love and Death. 1895. Pen. 21 × 16.5 cm
74 The Prostrate Couple II. 1898. Bronze. 26.7 × 54 × 33
75 Dancing woman and men. 1895. Pen. 17 × 21.4 cm
76 Palazzo Vecchio, Florence
77 Michelangelo: Victory
78 Elin Danielson: self-portrait
79 Gustav Vigeland in uniform
80 Drawing taken from Donatello's statue of Jeremiah, on the Campanile in Florence. Pencil. 12 × 19 cm
81 Fresco, Villa of the Mysteries in Pompeii
82 Man and woman. 1896. Pen and wash. 15.5 × 21 cm
83 Emanuel Vigeland. 1895. Plaster. 67 × 26 × 25 cm
84 Female statuette from Egypt. Photo from Vigeland's archives
85 Woman and men. 1896. Pen. 15.3 × 21 cm
86 The Beggars. 1908. Plaster. H. 1.97 m
87 The Worker. 1893. Bronze. 35.9 × 17.2 × 15.3 cm
88 The Beggars. 1899. Bronze. 71.3 × 41.5 × 46 cm
89 The Crucifixion, the Virgin Mary and John the Baptist. 1899–1902. Plaster. The figures were later carved in wood, painted and placed in the choir screen-wall of Trondheim Cathedral in 1910
90 Vigeland among friends, Trondheim, c. 1899. On the left Jens Thiis, art historian, at the time curator of the Nordenfjeldske Museum of Applied Art. On the right the architect Gabriel Kielland
91 An Angel. 1902. Plaster model for the screen-wall in Trondheim Cathedral
92 Angel choking a basilisk. 1898. Plaster model for a cornice group for Trondheim Cathedral
93 Noah's Ark. 1902. Plaster model for baptismal font relief, Trondheim Cathedral
94 The Hermit. 1898. Bronze. 66 × 21 × 21 cm
95 Boy. Fountain sculpture, Hamar. 1899. Bronze
96 Georges Minne: Kneeling youth. c. 1896

265

the foreground. c. 1930. Granite. H. 2.54 m

359 Unborn child. Children's playground. 1923. Bronze. H. 41.5 cm
360 Infant. Children's playground. 1940. Bronze. 44 × 77 × 37 cm
361 Small child. Children's playground. 1940. Bronze. 46 × 37 × 37 cm
362 Infant. Children's playground. 1940. Bronze. 44 × 77 × 37 cm
363 Angry small boy «Sinnataggen». 1901. Pen. 20.4 × 16 cm
364 Angry small boy «Sinnataggen». On the Bridge. 1926–33. Bronze. 100 × 30 × 30 cm
365 Running woman carrying girl in her arms. On the Bridge. 1926–33. Bronze. H. 2 m
366 Small girl laughing. On the Bridge. Bronze. H. 1 m
367 Running woman carrying child in outstretched arms. On the Bridge. 1926–33. Bronze. H. 2 m
368 Man lifting small girl. On the Bridge. 1926–33. Bronze. H. 2.10 m
369 Man juggling with four genii. On the Bridge. 1926–33. Bronze. H. 2.10 m
370 Running man with boy on his back. On the Bridge. 1926–33. Bronze. H. 1.96 m
371 Running woman carrying girl in her arms. Detail of a Bridge group. See ill. 365
372 Woman enfolding small girl. Detail
373 Woman enfolding small girl. On the Bridge. 1926–33. Bronze. H. 1.86 m
374 The Bridge on a winter day
375 Old man with small boy on his back. Detail of a Bridge group
376 Old man hitting young boy. On the Bridge. 1926–33. Bronze. H. 2 m
377 Running man carrying a woman in his arms. On the Bridge. 1926–33. Bronze. H. 2 m
378 Man and woman. 1901. Pen. 16 × 20.7 cm
379 Man tilting a woman over his head. On the Bridge. 1926–33. Bronze. H. 2.12 m
380 Running man. On the Bridge. 1926–33. Bronze. H. 1.97 m
381 Dancing woman. Pen. 22 × 14 cm
382 Dancing woman. On the Bridge. 1926–33. Bronze. H. 2 m
383 Man inside a ring. On the Bridge. 1930–31. Bronze. H. 2.42 m
384 Man and woman inside a ring. On the Bridge. 1930–31. Bronze. H. 2.42 m
385 Angel struggling with dragon. 1898. Pen. 16.5 × 21 cm. Inscribed «Trondhjem Domkirke» (Trondheim Cathedral)
386 Lizard embracing woman. On the Bridge. 1918. Granite. H. 2.3 m
387 Girl and lizard. Vigeland Park. 1938. Bronze. 1.56 × 1 × 1 m
388 Entrance gates to Vigeland Park. Wrought-iron and granite. 1926–34. Erected in 1941. Greatest H. 9.8 m
389 Two fish biting each other's tails. Detail from one of the wrought-iron gates at the entrance to Vigeland Park
390 Woman. Detail of wrought-iron gate on the Monolith plateau. 1933–37
391 Boys breaking off branches and girls playing with butterflies. Wrought-iron gate, Monolith plateau. 1933–37. H. 2.45 m
392 Woman with vine tendrils and man with rope. Wrought-iron gate, Monolith plateau. 1933–37. H. 2.45 m
393 The circular stairs with granite groups and the Monolith on a winter day
394 May 17 (Independence Day) parade crossing the Bridge in Vigeland Park
395 School children's band playing in Vigeland Park
396 The Monolith ski competition

397 The Sun Dial and the Wheel of Life. The signs of the zodiac are carved in relief on the plinth of the Sun Dial. c. 1930. Diameter 42 cm. The Wheel of Life was executed in 1934. Bronze. Diameter 3 m
398 Lizards and human figures. Six reliefs on bronze door to one of gate-houses at the main entrance to Vigeland Park. 1942. 2 × 0.95 m
399 Orpheus. 1900. Pen. 20 × 15 cm
400 Vigeland. July 1903
401 Angel striking two men with his wings. 1922. Clay. 25 × 22.5 × 10 cm
402 Old man and young girl. 1922. Clay. 22.7 × 15 × 11 cm
403 Reclining woman with child hugging her. 1939. Clay. 15 × 34 × 14 cm
404 Man holding child in one arm and clutching woman's neck with the other. 1922. Clay. 15 × 19 × 10 cm
405 Woman and tiger. Clay. 20.3 × 14.5 × 8.5 cm
406 Woman and unicorn. Clay. 25.5 × 20 × 9 cm
407 Woman, dog and satyr. Clay. 22 × 35 × 16 cm
408 Europa and the bull. 1919. Clay. 19 × 22.5 × 11 cm
409 The horse with its head on a pole, as described in Vatnsdølasaga (saga of Vatnsdøla). 1923. Clay. 25.8 × 15 × 15 cm
410 Man and woman. 1923. Clay. 21.5 × 10 × 9 cm
411 «Mother Andersen» with a cramp in her leg. c. 1919. Clay. 17.5 × 14 × 10.5 cm
412 Male torso. Clay. H. 34.3 cm
413 Clergyman and the devil dancing. 1922. Clay. 22.5 × 12 × 12.5 cm
414 The devil and an angel struggle over a human soul, here in the form of a young woman. 1922. Clay. 27 × 15.5 × 10 cm
415 Clergyman preaching to two small devils. Clay. H. 34.5 cm
416 Female torso holding child. Study for the Monolith. 1925. Clay. 31.6 × 9.5 × 10 cm
417 Small boy hugging girl, grasping her from behind. 1922. Clay. 25 × 8 × 8 cm
418 Child and dog. 1922. Clay. 21.4 × 12 × 8 cm
419–20 Seated man embraces standing woman. 1923. Bronze. 25.6 × 10.5 × 9.5 cm
421 Three old women. Clay. Unfinished. 1918
422 Three old women. Plaster model to the left and partly carved group to the right. In the background a pointing machine (measuring instrument for stone carvers)
423 Three old women. Vigeland Park. Granite. 1918. 1.35 × 1.40 × 1.05 m
424 Old woman. Clay. 12.5 × 11 × 10 cm
425 Vigeland's assistants. From the left: Nils Jønson, stonecutter; Roald Kluge, plaster caster; Harald Laland, smith; Vilhelm Broe, stonecutter; Harald Hansen, smith; Karl Emil Rasmussen; Alfred Mikkelsen, master smith; Finn. Ø. Bentzen, smith; Christian Engh; Karl S. Kjær, stonecutter; Gustav A. Mod, stonecutter; Ivar Broe, stonecutter. The last three stonecutters worked on the carving of the Monolith.
426 Two workers breaking down the pillar on which they stand. 1937. Clay. 71 × 13 × 13 cm
427 Woman. Study of a model with measurements. Pencil. 28.5 × 22 cm
428 Women. Studies of models. Charcoal. 61 × 45 cm
429 Male model and skeleton. Photograph from Vigeland's studio
430 Photograph of the central group supporting the Fountain in Vigeland Park taken during the modeling – corrections in pen. 1909

2 menneskeringer med foster i midten. Relieff. 1939. Leire. 20 × 20 cm

Bildtexte

Alle Arbeiten sind von Gustav Vigeland ausgeführt, wenn nichts anderes erwähnt ist. Die Daten der Skulpturen beziehen sich auf die Originale in Ton oder Gips.
Die Masse geben an: Höhe × Breite × Tiefe.
Wenn nichts anderes erwähnt ist, sind Gegenstände und Photos im Besitz des Vigeland-Museums. Betreffend Plassierung, Inventarnummer (in) und Name des Photographen, vgl. die norwegische Version seite 259.

1 Monolith – oberster Teil. Granit
2 Durchwehte Kiefer. Holzschnitt. 19,5 × 38,5 cm
3 Zirkeltreppe, Vigelandspark
4 Drei gehende Frauen. Detail aus der Schmiedeeisenpforte. Vigelandspark
5 Selbstportrait. 1922. Bronze. 45 × 18 × 20,5 cm
6 Kugel mit Menschen. 1922. Gips. Höhe 28 cm
7 Messergriff mit Tierkopf. Ca. 1887. Holz
8 Messergriff mit Menschenantlitz. Ca. 1887. Holz
9 Torso. 1909. Marmor. 113 × 72 × 59 cm. Im Hintergrund: Geniepforte aus Schmiedeeisen. Ca. 1941. 360 × 360 cm
10 Junger Mann und Frau. 1906. Marmor. 191 × 58 × 52 cm
11 Mann mit Frau im Schoss. 1905. Bronze. 132 × 81 × 78 cm
12 Mann mit Frau im Schoss. 1915. Granit. 102 × 101 × 99 cm
13 Kniender Mann umarmt stehende Frau. 1908. Bronze. 168 × 76 × 70 cm
14 Frau springt auf Mann hinauf. Ca. 1939. Bronze. Brücke, Vigelandspark. Höhe 1,95 Meter
15 Junges Mädchen. Detail aus der Gruppe «Erschreckt». Ca. 1914. Weisser Kalkstein. 67 × 58 × 36 cm
16 Kinder. Feder und Bleistift. 13,9 × 27,7 cm
17 Gustav Vigeland, ca. 2 Jahre
18 Vigelands Mutter Anna, gemalt von Emanuel Vigeland
19 Die Eltern mit dem ältesten Bruder Theodor, und Gustav in der Mitte
20 Das Elternhaus in Mandal
21 Mjunebrokka, Hof des Grossvaters mütterlicherseits auf Vigeland in Sør-Audnedal; das ursprüngliche Haus vor dem Umbau 1912
22 Alter Mann und Knabe. 1901. Feder. 20,8 × 15,3 cm
23 Die Kirche in Mandal
24 Christus predigt den Verdammten. Undatiert. Feder 15 × 20,9 cm
25 Der Seesand in Mandal
26 Kiefer auf der Felskuppe hinter dem Haus in Mandal
27 Knabe sitzt im Baum. Gruppe auf der Fontäne im Vigelandspark. 1913. Bronze. Höhe 2 Meter
28 Mandal, ca. 1840. Lithographischer Druck nach Zeichnung von Samuel Andersen. 40 × 64 cm
29 Selbstportrait aus den Knabenjahren
30 «Angst». 1895. Feder 10,5 × 17,5 cm
31 Knabe stösst betrunkenen Mann. 1895. Bleistift. 12,5 × 7,5 cm
32 Drachenkopf auf dem Bettpfosten aus dem Gokstad-Fund
33 Das Skulpturmuseum. 1881. Xylographie nach Zeichnung von Adolf Schirmer. Jetzt Mittelflügel der Nationalgallerie
34 Alter Mann. 1893. Ton. 23,4 × 24,2 × 16,4 cm
35 Studienzeichnung von Händen. 1890. Bleistift. 12 × 19 cm
36 Kartoffelkeller. 1890. Bleistift. 12 × 19 cm
37 «Auf der Jagd nach dem Glück». 1890. Feder. 12 × 19 cm
38 «Orpheus». Ca. 1894. Feder. 17 × 21 cm
39 Job. 1889. Feder. 23 × 15 cm
40 Der Keller in Osterhausgate 26, wo Vigeland in einem Zimmer wohnte, das er mit zwei Tischlergesellen teilte
41 Der Bildhauer Brynjulf Bergslien
42 Aus Bergsliens Atelier
43 Patroklos zieht den Pfeil aus dem Schenkel von Eurypylos. Relief. 1889. Gips. 43 × 57 cm
44 Professor Lorentz Dietrichson. 1904. Bronze. 44 × 35,5 × 22 cm
45 David. 1890. Gips. 84 × 35 × 29,5 cm
46 Hagar und Ismael. 1889. Gips. Höhe 77 cm
47 Engel und Schild. Fassadeskulptur, Riddervoldsgate 2, Oslo
48 Gespenst. Relief. 1889. Gips 48,5 × 34 cm
49 Gustav Vigeland, ca. 1890
50 Sodoma. Relief. 1890. Gips. 40 × 44,7 cm
51 Gustav Vigeland. Potraitbüste, ausgefürt von Ludvig Brandstrup. 1891. Bronze. 44 × 30 × 14 cm
52 Verflucht. 1891. Gips. 174 × 127 × 98 cm
53 Schlafende Frau. 1892. Gips. 28,5 × 37 × 17,7 cm
54 Junges Mädchen. 1892. Gips. Höhe 162 cm
55 «Angst», 1892. Bronze. 29,5 × 10 × 9,7 cm
56 Gott erschafft die Tiere. Relief. 1893. Bronze. 50,7 × 59 cm
57 Das Höllenpferd. Relief. 1893. Bronze. 19 × 43,5 cm
58 Tod und Leben. 1893. Gebrannter Ton. 41 × 35,3 × 23 cm
59 Alte Frau sieht ihren Mann sterben. 1893. Bronze. 24,5 × 59,6 × 22,7 cm
60 Tanz. 1893. Bronze. 32,5 × 30 × 17,8 cm
61 Trost. Relief. 1893. Bronze. 25,5 × 36 × 19 cm
62 Frau bittet für die Trinker. Relief. 1893. Bronze. 24,2 × 38 cm
63 Auguste Rodin: Der Kuss. 1886. Marmor
64 Mann und Frau. 1893. Ton. 27,4 × 10 × 11,8 cm
65 Das jüngste Gericht. Relief. 1894. Bronze. 122,3 × 52,5 cm
66 Die Hölle. 1893–94. Feder. 21,3 × 34 cm
67 Ein Zweifler. 1894. Bronze. 25,8 × 38,2 × 23,3 cm
68 Die Hölle II. Relief. 1897. Bronze. 171 × 380 cm
69 Auguste Rodin: Die Höllenpforte, Detail
70 Stürzende Figuren. 1895. Feder und Lavierung. 16,1 × 21 cm
71 Weiblicher Zentaur. 1900. Feder und Lavierung. 19,3 × 15,5 cm
72 Stanislaw Przybyszewski. Maske. 1894. Bronze. 21 × 15 × 10 cm
73 Liebe und Tod. 1895. Feder. 21 × 16,5 cm
74 Die Gebeugten II. 1898. Bronze. 26,7 × 54 × 33 cm
75 Tanzende Frau und Männer. 1895. Feder. 17 × 21,4 cm
76 Palazzo Vecchio, Florenz
77 Michelangelo: Der Sieg
78 Elin Danielson: Selbstportrait
79 Gustav Vigeland in Uniform
80 Zeichnung nach Donatellos Statue des Jeremias auf dem Campanile in Florenz. Bleistift. 12 × 19 cm
81 Wandgemälde, die Mysterienvilla (Villa dei Misteri) in Pumpeji
82 Mann und Frau. 1896. Feder und Lavierung. 15,5 × 21 cm
83 Emanuel Vigeland. 1895. Gips 67 × 26 × 25 cm
84 Frauenstatue aus Ägypten. Photo aus Vigelands Archiv
85 Frau und Männer. 1896. Feder. 15,3 × 21 cm
86 Die Bettler. 1908. Gips. Höhe 1,97 Meter
87 Der Arbeiter. 1893. Bronze. 35,9 × 17,2 × 15,3 cm
88 Die Bettler. 1899. Bronze. 71,3 × 41,5 × 46 cm
89 Christus am Kreuze, Jungfrau Maria und Johannes. 1899–1902. Gips. Die Figuren wurden später in Holz geschnitst und bemalt und 1910 auf dem Chorbogen der Domkirche in Trondheim placiert
90 Vigeland unter Freunden in Trondheim. ca. 1899: Kunsthistoriker Jens Thiis – der zu dieser Zeit Konservator am Nordenfjelske Kunstindustrimuseum war – links, und Architekt Gabriel Kielland
91 Engel. 1902. Gipsmodell zum Chorbogen, Domkirche in Trondheim
92 Engel erwürgt Basilisk. 1898. Gipsmodell für die Gesimsgruppe an der Domkirche in Trondheim
93 Noas Arche. 1902. Gipsmodell für ein Relief an der Tauffontäne in der Domkirche, Trondheim

Gesamthöhe 12,10 Meter. Höhe der Gruppe 4,10 Meter

189 Vigeland bei der Arbeit mit dem Abel-Monument
190 Monument für N. H. Abel, Detail von der Hauptfigur
191 Monument für N. H. Abel
192 Henrik Wergeland, Statue in Kristiansand. 1907, errichtet 1908. Bronze. Höhe 2,15 Meter
193 Henrik Wergeland, Detail der Statue. 1907. Gips
194 Wergeland in einem Kranz von Genien. 1903. Feder 22 × 17 cm
195 Wergeland in einem Baum. 1901. Feder. 20 × 15 cm
196 Wergeland mit Genien. 1905. Bronze. 50 × 21,5 × 17 cm
197 Der Nil-Gott. Vatikan-Museum
198 Ludwig van Beethoven. 1906. Bronze. 153 × 80 × 50 cm
199 Ludwig van Beethoven. Detail. 1905. Bronze. 59 × 41 × 25 cm
200 Zeichnung zum Beethoven-Monument. Feder. 22,5 × 14 cm
201 Camilla Collett 73 Jahre alt
202 Camilla Collett. Entwurf zum Monument. 1906. Ton. 71 × 19,3 × 23,6 cm
203 Camilla Collett. Entwurf zum Monument. 1906. Gips. 72,5 × 30,5 × 28 cm
204 Camilla Collett. 1909. Bronze. Höhe 1,9 Meter. Die Statue wurde im Schlosspark, Oslo, 1911 errichtet
205 Camilla Collett. Detail der Statue, 1909. Gips
206 Camilla Collett. 1902. Feder. 22 × 14 cm
207 Petter Dass. Entwurf zum Monument. 1906. Bronze. 68,5 × 18 × 19 cm
208 Der Reformationsprediger Peder Claussön Friis wirft Heiligenskulptur. 1937. Bronze, errichtet in Sør-Audnedal 1938. Höhe 2,78 Meter. Detail, ganze Statue Ill. 212
209 Aasta Hansteen mit Regenschirm. 1905. Bronze. 47 × 21 × 16 cm
210 Aasta Hansteen. 1903. Bronze. Vår Frelsers Gravlund, Oslo. 36 × 42 × 25 cm
211 Björnstjerne Björnson. Statue in Bronze vor Den Nationale Scene in Bergen. 1915, errichtet 1917
212 Peder Claussön Friis wirft Heiligenskulptur. 1937. Gips. Errichtet in Bronze in Sør-Audnedal 1938. Höhe 2,78 Meter
213 Peter Wessel Tordenskiold. 1906. Bronze. 42 × 15 × 9 cm
214 Staatsminister Christian Michelsen. 1936. Errichtet in Bronze in Bergen 1938. Die Statue ist 3,65 Meter hoch; Gesamthöhe 18,55 Meter
215 Snorre Sturlason. 1938. Errichtet in Bronze auf Reykholt, Island, 1947 und in Bergen 1948 (Photo). Höhe 2,54 Meter
216 Edvard Grieg. 1907. Bronze. 26,5 × 11 × 8 cm
217 Vigeland in geliehenem Pfarrock posiert als Petter Dass
218 Grabmonument für Henrik Ibsen. Feder. 22 × 14 cm
219 Henrik Ibsen auf Sarkophag. Entwurf zum Grabmonument. 1906. Gips. 82 × 59 × 25 cm
220 Petter Dass. Entwurf zum Monument, Detail. 1906. Bronze. Vgl. Ill. 207
221 Präsident Theodore Roosevelt. Entwurf zum Reitermonument. 1908. Bronze. 62 × 68 × 17 cm
222 Zeichnung zum Reitermonument. Feder und Lavierung. 22 × 14 cm
223 Heiliger Olav zu Pferde. Ca. 1910. Ton. 57 × 35, 7 × 15,5 cm
224 Eidsvollsmonument. Ca. 1909. Feder. 22 × 14 cm
225 Eidsvollsmonument. Ca. 1909. Feder. 22 × 14 cm
226 Eidsvollsmonument. Ca. 1920. Bleistift. 14 × 22 cm
227 Vier Frauen im Kreis um eine Weltkugel. 1922. Gips. Höhe 19 cm
228 Frau und Kind. Farbstift. 14 × 21,8 cm
229 Mann und Frau. 1901. Feder. 20,3 × 13 cm

230 Mann und Frau. Ca. 1903. Feder. 21 × 15,9 cm. Aufschrift: «Motto: Wen der Wurm der Liebe einmal gebissen hat, wird nie geheilt.»
231 Mann und Frau. Ca. 1906. Feder. 21,8 × 13,6 cm
232 Kniender Mann umarmt stehende Frau. 1908. Gips. 168 × 76 × 70 cm
233 Stehende Frau. «Schlafwandlerin». 1909. Teakholz. 172 × 41 × 40,5 cm
234 Gustav Vigeland, 6. August 1917
235 Gustav Vigeland krank Weihnachten 1902
236 Mutter und Kind. 1907. Bronze. 137 × 81,5 × 70 cm
237 Mutter und Kind. 1909. Marmor. 137 × 73 × 63 cm
238 Maridalsveien 17, wo Vigeland in der 1. Etage von 1906 bis 1924 wohnte
239 Fredensborgveien 1, jetzt Schandorffs gate 4. Das offene Eckfenster und die drei nächsten rechts gehören zu der Wohnung, wo Vigeland von 1902 bis 1906 wohnte. Im Vordergrund Krist Kirkegård
240 Vigeland bei der Arbeit an einer der Steingruppen der «Mittelgrösse», ca. 1914
241 Vier Mädchen in Sternenform. 1912–14. Bronze. Relief an der Fontäne im Vigelandspark. 56 × 60 cm
242 Frau ammt Einhorn. 1913. Grauer Sandstein (cotta). 66 × 21 × 47 cm
243 Mann und Frau sitzen mit den Stirnen zueinander. 1916. Granit. 1,60 × 1,40 × 1,06 Meter
244 Julius Vigeland arbeitet an BÄRIN UND JUNGES. Ca. 1915. Roter Granit, errichtet als Fontäneskulptur in Kragerö 1917
245 Henri Matisse: Zwei Negerfrauen. Ca. 1908
246 Zwei Frauen tanzen. 1917. Bronze. Relief, für die Fontäne gedacht, doch nicht angewandt. 50 × 60 cm
247 Figuren in Bewegung. 1918. Holzschnitt. 33 × 19,5 cm
248 Liegender Löwe. Holzschnitt. 10,5 × 19,5 cm. Vgl. Zeichnung Ill. 135
249 Drei lachende Mädchen. Holzschnitt. 30 × 19,5 cm
250 Mönch kämpft mit Echse Holzschnitt. 35,4 × 21,2 cm
251 Kampf. Holzschnitt. 47 × 23 cm
252 Knabe hütet Schafe. Holzschnitt. 16,4 × 31,2 cm
253 Alte Frau jagt Wolf. Holzschnitt. 16 × 32,2 cm
254 Frau vor Erdhütte. Holzschnitt. 16 × 31,8 cm
255 Mädchen pflückt Blumen. Holzschnitt. 31,7 × 16 cm
256 Mädchen in durchwehter alter Fichte. Holzschnitt. 32 × 15 cm
257 Mann und Frau. Abend. Holzschnitt. 15,8 × 29 cm
258 Wellen schlagen an die Klippen. Holzschnitt. 19 × 37 cm
259 Reitende Frau und zwei Männer. Holzschnitt. 17,3 × 33,5 cm
260 Zwei Knaben tragen Fische. Holzschnitt. 17,3 × 33,3 cm
261 Drei laufende Pferde. Holzschnitt. 16,6 × 31,5 cm
262 Henrik Ibsen. Holzschnitt. 15,2 × 16,5 cm
263 Skelett jongliert mit Genien. Holzschnitt. 25 × 12,5 cm
264 Sechs Männer um ein Frau herum. Holzschnitt. Durchmesser 12,5 cm
265 Geisteskranke Frau auf Klippe. Holzschnitt. 16 × 31,2 cm
266 Menschen gehen. Holzschnitt. 11,5 × 15 cm
267 Inga Syvertsen. 1907. Gips. 40,5 × 35 × 22 cm
268 Inga in der Ateliertüre auf Hammersborg, ca. 1904
269 Inga sitzt Modell. 1902. Bleistift. 22,3 × 13,5 cm
270 Vigeland und Inga Syvertsen, 25. Mai 1902
271 Inga liest die Zeitung. Feder. 21,7 × 14 cm
272 Mann und Frau gehen aneinander vorbei. Ton. 21,5 × 14 × 11 cm
273 Drei kämpfende Männer. 1922. Ton. 22,2 × 15 × 12 cm

metz; Gustav A. Mod, Steinmetz; Ivar Broe, Steinmetz. Die drei zuletzt genannten Steinmetze arbeiteten mit dem Behauen des Monolith. Photo aufgenommen ca. 1940 (nach 1936)

426 Zwei Arbeiter reissen einen Pfeiler herunter. 1937. Tor 71 × 13 × 13 cm

427 Frau. Modellstudie mit Massen. Bleistift. 28,5 × 22 cm

428 Frauen. Modellstudien. Kohle. 61 × 45 cm

429 Männliches Modell und Skelett. Photo aus Vigelands Atelier

430 Photo aus der Mittelgruppe der Fontäne im Vigelandspark während der Modellierung, mit der Feder darüber gezeichnet. 1909

431 Der indische Dichter Tagore auf Besuch in Vigelands Atelier, August 1926

432 Pilestredet 8, wo Vigeland ab Mitte der 1890-er Jahre bis Sommer 1902 in der 4. Etage ein Atelier hatte

433 Mutter und Kind, grob in Marmor gehauen in Carrara

434 Das alte Atelier auf Hammersborg

435 Vigeland vor dem neuen Atelier auf Hammersborg, erbaut 1908. Photo ca. 1920

436 Granitblock wird zu Vigelands Atelier auf Hammersborg befördert

437 Mädchen sitzt in Renntiergeweih. 1920. Bronze. 2,08 × 1,83 × 1 Meter. Die Gruppe steht im Park von Fritzöehus, Larvik

438 Renntiere im Ateliergarten auf Hammersborg, 1920

439 Vigeland-Museum. Vigelands Atelier und Wohnung von 1923–24. Architekt Lorentz Ree. Fassade misst 70 Meter. Die Fensterreihe über der Eingangspartie gehört zu Vigelands Wohnung. Sein Grabplatz ist in einem Raum im Turm. – Museum von 1947

440 Vestibül im Vigeland-Museum

441 Vigeland in einem der Sääle in dem neuen Atelier/Museumsgebäude am 24. November 1923

442 Mädchen und Schlange während des Modellierens 1934, die kleine Skizze rechts. Im Hintergrund drei von den Gruppen zur Brücke im Vigelandspark

443 Saal mit Fontänemodellen. Vigeland-Museum

444 Interieur vom Vigeland-Museum

445 Vigelands Werkzeug

446 Einer der Wohnräume in Vigelands Wohnung. Möbel, schmiedeeiserne Gegenstände und Textilien ausgeführt nach Vigelands Zeichnungen, und an den Wänden seine eigenen, speziell ausgeführten Pastelle

447 Vigelands Bibliothek

448 Vigelands Grabkammer

449 Am 12. März 1943 starb Vigeland im Lovisenberg-Krankenhaus

450 Vigeland am Meer auf Breime

«Kule» med
mennesker.
Relieff. 1939.
Leire. 20 × 20 cm

Vigeland fra år til år

1869 Født i Halse sogn, nå innlemmet i Mandal by, den 11. april. Foreldrene var Elisæus Thorsen (15.5.1835–11.6.1886) og Anna Aanensdatter (7.12.1835–10.4.1907). Ved dåpen i Mandal kirke den 16. mai fikk han navnet Adolf Gustav Thorsen, men ble bare kalt Gustav. Han var den nest eldste av 5 brødre, hvorav den tredje døde bare 1½ år gammel. Faren var en velaktet og relativt velstående møbelsnekker, som drev sitt eget verksted med flere svenner og læregutter; han tegnet og gjorde selv utskjæringen på møblene. I 1870-årene tilhørte han den pietistiske vekkelsesbevegelse, og barna fikk en streng og religiøs oppdragelse. Omkring 1880–82 gjennomgikk han trolig en personlig og religiøs krise, begynte å misbruke alkohol og lot verkstedet etterhvert forfalle.

1875–82 Etter å ha gått de første årene på Frøylandsmoen folkeskole, begynte han høsten 1877 i forberedelsesklassen på Middelskolen. (De som ikke fortsatte folkeskolen, gikk to år i forberedelsesklasser og deretter 6 år på Middelskolen, som hadde en høyere sosial status enn folkeskolen.) Ble utskrevet fra skolen i desember 1877 pga. sykdom, og begynte igjen først i april 1878; om vinteren bodde han hos morfaren på familiens gård på Vigeland utenfor Mandal og gikk noen tid i treskjærerlære hos bygdekunstneren Tarald Lauen. Ble høsten 1879 opptatt i 1. middelskoleklasse. Sluttet for godt i 3. klasse før jul 1882, da han flyttet med moren og den yngste broren Emanuel til Vigeland; den eldste broren Theodor og den nest yngste Julius ble tilbake hos faren i Mandal og fortsatte begge på Middelskolen, men bare Theodor fullførte. Gustav fikk beste karakterer i tegning og skrivning, forøvrig ujevne karakterer, men stort sett noe over middels gode.

1883 Gikk første halvår på Nyplass skole i Sør-Audnedal. Konfirmert i Valle kirke 30.9. og deretter kort tid på amtskole i bygden, hans siste skolegang.

1884–85 I treskjærerlære hos Torkel Kristensen Fladmoe i Kristiania. Tok et kveldskurs i tegning på Den kgl. Tegneskole med landskapsmaler I. Ph. Barlag som lærer. Besøkte Skulpturmuseet med avstøpninger av antikke skulpturer.

1886–87 Tilbake til Mandal våren 1886, etter at Fladmoe døde. I juni døde faren av tuberkulose. Familien flyttet for godt fra Mandal til gården på Vigeland. Hjalp til med gårdsarbeidet, drev med treskjæring for salg og tegnet meget med henblikk på skulptur. Leste atskillig, særlig antikkens litteratur.

1888 Tilbake til Kristiania i oktober. Fikk arbeide på et treskjærerverksted, men ble sagt opp julaften pga. manglende bestillinger.

1889 I februar viste han sine tegninger til billedhugger Brynjulf Bergslien, som sørget for en mindre understøttelse fra enkelte private. Han lot ham få en plass i sitt atelier hvor han kunne stå og arbeide; utførte her gruppen HAGAR OG ISMAEL, som ble antatt til Statens Kunstutstilling om høsten.

Bergslien ble hans første veileder i modellering, gipsstøpning og marmorhugging. Fulgte dessuten undervisningen på Tegneskolen i modellering og akttegning; utførte relieffet EN GJENGANGER og et par relieffer med homerisk motiv.

1890 Foruten å være billedhugger Mathias Skeibroks elev på Tegneskolen, begynte han, etter Bergsliens råd, å arbeide i Skeibroks atelier. Statuettfiguren DAVID ble innkjøpt av Kunstforeningen og utstilt samme sted. Utførte to fasadeskulpturer etter bestilling. Mottok stipend fra Mandal håndverkerforening og Mandal Sparebank.

1891 Reiste i januar til København. Fikk atelierplass hos billedhugger og professor Vilhelm Bissen (1836–1913); modellerte her sin første gruppe med figurer i naturlig målestokk FORBANNET. Om våren tildelt Statens stipendium som gjorde det mulig for ham å bli boende i København resten av året.

Trine Louen. 1892.
Bronse. H: 33,1 cm.
Nasjonalgalleriet.
Foto: Væring

1892 Tilbake til Kristiania i februar. Leide et værelse i Pilestredet 8, 4. etg. hvor han modellerte statuen UNG PIKE; de første portretter – bl.a. professor Lorentz Dietrichson og maleren Harald Sohlberg. FORBANNET utstilt på den offisielle danske vårutstilling på Charlottenborg i København og i Norge på Statens høstutstilling. Tildelt Statens stipendium for annen gang. Reiste først til København, hvor han tok timer i fransk.

1893 Reiste til Paris i begynnelsen av januar. Leide eget atelier i Boulevard Gouvion St. Cyr 23, og utførte en rekke mindre skulpturer. Gikk på kunstutstillinger, og studerte på egen hånd i museene. Besøkte flere ganger Auguste Rodins atelier. Tilbake i Norge 2. juni. De første tegninger og skisse til relieffet HELVEDE.

1894 Relieffet HELVEDE (første versjon). Portretter av Jens Thiis og Stanislaw Przybyszewski. Mottok for første gang stipend fra Houens legat. Militærtjeneste (rekruttskole) fra 8.5. til 18.6. på Gimlemoen ved Kristiansand. Første separatutstilling i Kunstforeningen i Kristiania fra 20.10. til 4.11. med 51 arbeider.

1895 Ankom Berlin i begynnelsen av februar på vei til Firenze; ble i Berlin i 3 måneder. Bodde på samme hotel som Edvard Munch i Mittelstrasse 47 og sluttet seg til en internasjonal gruppe av kunstnere og litterater som møttes på vinstuen «Zum schwarzen Ferkel». Studerte i museene, utførte og ødela flere skulpturer, bl.a. portretter av E. Munch og Dagny Juel Przybyszewska; forøvrig MANN MED KVINNE I FANGET og DE NEDBØYDE. Reiste videre til Firenze 30. april, opphold ca. 1 måned. Militærtjeneste fra 10.6 til 9.7. Mottok for annen gang stipend fra Houens legat. Portrettrelieff av forfatteren Sigbjørn Obstfelder

1896 I begynnelsen av februar direkte til Firenze, ankomst 10.2. Studerte i museene, var spesielt opptatt av kunsten fra renessansen og antikken, særlig den egyptiske og den klassiske greske. 3 ukers reise i mai til Roma, Napoli, Pompeii, Herculaneum og til Orvieto for å se Signorellis fresker. Forlot Firenze 21. august. 3 ukers opphold hjemme på Vigeland hvor han modellerte portretter av broren Emanuel og en gammel mann fra bygden. Tilbake i Kristiania 24. september. Begynte å modellere HELVEDE på nytt. Portretter av Oscar Nissen m.fl.

1897 Vinteren i Trondheim, utførte skulpturer i gotisk stil for den gjenreiste domkirken. Tilbake til Kristiania 27.3. I juni militærtjeneste ved Stavanger linjebataljon, 1. komp. HELVEDE II fullført i september, innkjøpt av Skulpturmuseet i 1898, bronsestøpning finansiert ved subskripsjon. Den første monografi om Vigeland utgitt i Berlin, Stanislaw Przybyszewski: «Auf den Wegen der Seele». MANN OG KVINNE-grupper i statuettformat.

Eros og Psyche. 1898. Gips. H: 58 cm

278

1898 Bosatt i Kristiania utførte han 16 vannspyere til hovedtårnet på domkirken i Trondheim. En rekke skulpturer i statuettformat, bl.a. EREMITTEN, KYSSET, NATTEN, AMOR OG PSYCHE. Militærtjeneste 6.–26.6. Enkelte vaser og lysestaker i leire. Diverse tegninger til fonter.

1899 Skulpturer til domkirken i Trondheim: Moses, Esaias, Elias og Maria til korbuen, 8 gesimsfigurer til tårnene på nordre tverrskip, St. Olav-statuett til nisje i korets eksteriør. Bestilling på kolossalbyste av stortingsmann J. J. Schwartz, Drammen (ferdig 1900). Byste av Hakon Storm. Annen separatutstilling hos Wang, Kristiania i desember med 42 skulpturer. Bestilling på STÄENDE GUTT til fontene i Hamar. Flere MANN OG KVINNE-grupper, bl.a. ORFEUS OG EURIDICHE, KNELENDE MANN OG KVINNE. Påbegynte gravmonumentet GRAVENGEL for familien Fabritius (ferdig 1900, hugget i marmor jan.–aug. 1902, oppsatt Vår Frelsers gravlund, Oslo).
Datteren Else født 21.6.

1900 «Pro-forma» ekteskap inngått med Laura Mathilde Andersen 23.7. i Larvik. Relieffet OPPSTANDELSEN Statuen ARBEIDEREN. Skisse til fontene med 6 menn som bærer et fat. 3. gangs stipend fra Houens legat samt et mindre stipend fra domkirken i Trondheim for å studere gotisk kunst i Frankrike og England. Ankomst Paris 5. november.

1901 21.1. utnevnt av kong Oscar II til ridder av St. Olav. I løpet av januar studerte han gotisk skulptur i Notre Dame, St. Chapelle og i Trocadero i Paris. 1.–9. febr. i Chartres. Serie med tegninger til en stor fontene med urner på karmen, dessuten til monumenter, grupper og figurer. Byster av Bjørnstjerne Bjørnson (ferdig i mars) og av Gunnar Heiberg (ferdig i april). Nobels fredsprismedalje i april. I mai og begynnelsen av juni reiser til Rheims, Amiens og Laôn. I London fra 14.6.–28.7. hvor særlig Parthenonskulpturene av Fidias i British Museum gjorde et dypt inntrykk. Brev hjem vitner om interesse også for assyrisk og egyptisk kunst; av engelske malere nevnes særlig Constable og G. F. Watts. Beså katedralene i Salisbury, Wells, Somerset, Gloucester, Oxford, Ely, Lincoln, York, Selby, Howden og Beverley fra begynnelsen av august til ca. 20. oktober. Sønnen Gustav født 27.3. Skilsmissekontrakt undertegnet 29.8. Hjem i slutten av oktober. Byster av Henrik Ibsen og Erik Werenskiold. Til Trondheim 29.12.

1902 I Trondheim til 17.2.: Kristus på korset, David, Johannes og en engel til korbuen. 4 relieffer til vestskipet, 4 relieffer til døpefonten. Tilbake i Kristiania modellerte han to store urnegrupper til den påtenkte store fontenen; begge senere ødelagt. Portrettbyste av Sophus Bugge. Serier av tegninger og utkast til monumenter for Rikard Nordraak, Camilla Collett, Johan Sebastian Welhaven og Niels Henrik Abel. Deltok i konkurransen om Abel-monumentet med et utkast som falt utenfor

Kvinne sitter over liggende mann. 1903. Gips. H: 61 cm

konkurransebestemmelsene og fikk derfor ingen premie. Mottok i juli bestilling på Nordraak-monumentet. Fikk overlatt av kommunen et eldre atelier på Hammersborg hvor han begynte å arbeide 8.8.

1903 13 portrettbyster: 3 av Henrik Ibsen, kolossalbyste av Alfred Nobel, forøvrig Edvard Grieg, Arne Garborg, Vilhelm Krag, Knut Hamsun, Aasta Hansteen, Kong Oscar II, Fridtjof Nansen, Johanne Dybwad, statsråd Wilhelm A. Wexelsen. Arbeidet med Nordraak-monumentet. Begynte i april på utførelsen i full målestokk av Abelmonumentet uten at bestilling forelå. I april oppnevnt som medlem av Nasjonalgalleriets og Skulpturmuseets direksjon. (Direksjonens arbeid opphørte i 1906.)

1904 Arbeidet med Abel-monumentet fortsatte. Mottok finansiell hjelp fra den svenske finansmann og mecen Ernest Thiel. Portrettbyster av professor Lorentz Dietrichson, forfatterne Gunnar Heiberg, Sigurd Bødtker, Carl Nærup og Jonas Lie, statsminister Johannes Steen. Utkast til Beethoven-monument. 2 relieffer til den påtenkte fontenen, ingen av dem med i det endelige utvalg.

1905 Abel- og Nordraak-monumentene ferdig modellert. Komitéen for reisningen av Abel-monumentet bestemte seg for å erhverve skulpturen. 20 utkast av mennesker og trær som karmgrupper til en fontene. MANN MED KVINNE I FANGET i naturlig målestokk. Portrett av maleren Amaldus Nielsen. Statuetter av Aasta Hansteen og Tordenskiold. I juli fottur i Rondane og Jotunheimen. I august reise til Paris sammen med Inga Syvertsen.

1906 Grupper i naturlig målestokk: UNG MANN OG KVINNE, GAMMEL MANN OG UNG PIKE. 2 utkast til Camilla Collett etter oppfordring fra monumentkomitéen. Utkast til gravmonument for Henrik Ibsen. Beethoven-monument (for egen regning). Fontene-modell i 1/5 størrelse ferdig og utstilt i Kunstindustrimuseet fra 14.10.– 25.11. som vekket stor entusiasme. Utførte den første av de 20 tregruppene til fontenen i endelig målestokk og flere relieffer. Ekteskapet med Laura Mathilde offisielt oppløst 7.4. Broren Theodor død 20.6. Flyttet 10.4. til leilighet i Maridalsveien 17 sammen med Inga Syvertsen; begge på fottur i Jotunheimen om sommeren.

1907 Den første «Vigeland-komité» begynte innsamling til reisning av fontenen; bidragene ble gitt til kommunen som i november vedtok å bestille fontenen til Eidsvolls plass. Monument for Henrik Wergeland etter bestilling fra Kristiansand. Statuett av Edvard Grieg. 3 utkast til Eidsvollsmonument, alle ødelagt. Flere utkast til et monument for Theodore Roosevelt etter henstilling fra norskamerikanere. Portretter av Inga Syvertsen og Ernest Thiel. Grupper i naturlig målestokk: MOR OG BARN, KNELENDE MANN OMFAVNER STÅENDE KVINNE. Moren død 10.4. Hjalp broren Julius økonomisk slik at han kunne overta familiegården på Vigeland. Et kort opphold i Paris i august.

1908 Gruppen TIGGERNE. Utkast til ryttermonument for Theodore Roosevelt med travende hest; den forespeilede bestilling uteble. 2 tregrupper og 5 relieffer til fontenen. Begynte på Camilla Collett-monumentet etter mottatt bestilling. Henrik Wergeland-statuen reist i Kristiansand og Fargo, Nord Dakota 17.6. Nytt atelier bygget på Hammersborg ved siden av det gamle; tatt i bruk 14.4. Kort reise til Paris om våren. Abel-monumentet avduket i Slottsparken 17.10. Reise til London og København i oktober.

1909 Camilla Collett-statuen fullført i februar. Utførte de 6 gigantene som bærer fonteneskålen fra mai til oktober. MOR OG BARN II. KVINNETORSO. KVINNE MED BENA I KORS. Deltok i utstilling på Charlottenberg i november med 4 skulpturer. Kort tur til København i november. Interessert i forskjellige stensorter og fikk prøver tilsendt fra København.

1910 Giktanfall og tørr plevritt i januar-februar. Plaget av gikt i ca. 2 år, periodevis arbeidsufør. Lot TORSO og UNG MANN OG KVINNE (1906) hugge i marmor i Carrara, utførte finhuggingen selv. Flere portretter i klebersten. TIGGERNE på internasjonal utstilling i Bruxelles. Reiser til København i juli og om høsten. Tegnet smijernsgitter og lenkede drager til Nordraak-monumentet og gitter til Camilla Collett-monumentet.

1911 TIGGERNE med på internasjonal utstilling i Roma. 1 tregruppe til fontenen. I slutten av juli kort tur til Stockholm, og deretter til København sammen med

Inga; besøkte kirker og slott flere steder i Danmark. Nordraak-monumentet i kleberstein avduket i Wergelandsveien 17.5. og Camilla Collett i Slottsparken 31.5.

1912 3 tregrupper til fontenen. Behandlet for gikt ved Larvik bad fra 17.–30.7. Fottur i Jotunheimen i august.
1912–13: 34 relieffer til fontenen, hvorav 15 benyttet i det endelige utvalg. Bestilte 2 kalkstensblokker fra København, mottatt i desember.

1913 Modellerte 4 grupper i «mellomstørrelse» beregnet for sten; 2 av dem ble hugget samme år av Julius Vigeland, de 2 andre punktert i København.
1913–14 (eller senest juli 1915): til sammen 33 grupper i «mellomstørrelse», hvorav 14 hugget i sten. En plan om å sende gruppene på utstillinger i utlandet ble ikke realisert, trolig på grunn av verdenskrigens utbrudd. Flere av motivene ble senere benyttet i serien med større granittgrupper. BINNE MED UNGE hugget i rød granitt av Julius Vigeland 1913–14. 5 tregrupper til fontenen, flere relieffer. Ønsket å flytte fontenen fra Eidsvolds plass til Abelhaugen i Slottsparken, og fikk Fontenekomitéens tilslutning. I mai kort tur til Paris for å se en kinesisk utstilling.

1914 De første to modeller i full størrelse til serien med granittgrupper. De 4 siste av 20 tregrupper til fontenen ferdig modellert. Første tegninger til en stenlagt labyrintplass rundt fontenen. Statue av Edvard Grieg, senere ødelagt. Statue av Bjørnstjerne Bjørnson til oppsetning i Bergen, bestilt av Conrad Mohr.
28.7. til Malmø for å se en baltisk utstilling.

1915 De første tresnitt. Planen om plassering av fontenen på Abelhaugen offentliggjort i april. 3 store modeller til granittgrupper. Hugging av granittgruppene påbegynt. Besøk hos Julius Vigeland på Vigeland 7.–28.8. Byste av grosserer Hans Mustad.
5.–13.12. i Bergen, modellerte byster av Conrad Mohr og Christian Michelsen.

1916 Offentliggjorde planen om et trappeanlegg med granittgrupper i tilknytning til fontenen på Abelhaugen og utstilte modellen sammen med enkelte av gruppene i atelieret på Hammersborg i april. En ny Vigelandkomité opprettet for å finansiere granittgruppene. 5 store modeller til granittgrupper. Stor modell til fontene med 4 vannspyende øgler i granitt (reist i Borggården i Vigeland-museet). 23 relieffer til fontenen, de fleste i oktober–november; 14 av disse ble anvendt. Opphold på Lillehammer i august.

1917 Utstilling av 53 tresnitt i Kunstnerforbundet 14.–13.4. Hermeportrett av Sigbjørn Obstfelder i sort granitt, avduket på hans grav, Fredriksberg kirkegård i København 12.9., og i fødebyen Stavanger 18.9.1918. Portretter av dr. Edvard Bull og Johan Anker. 7 store modeller til granittgrupper. Planla utvidelser av Abelanlegget. Fonteneskulpturen BINNE MED UNGE (1913–15) reist i Kragerø 12.7. Reise med Inga i Telemark 29.7.–8.8.

1918 10 store modeller til granittgrupper.
26.6.–21.8. i Varteig, Østfold; skrev sine erindringer fra barn- og ungdomsårene.

1919 Fra januar til april influensa og bronkitt. 4 store modeller til granittgrupper. Første skisse til Menneskesøyle – Monolitten. Forhandlinger med Oslo kommune om nytt atelierbygg.

1920 7 store modeller til granittgrupper.
KVINNE I REINSDYRS HORN.

1921 Kontrakt med Oslo kommune undertegnet 15.2.: kommunen ble eier av originalmodellene til tidligere og fremtidige skulpturer mot å bygge et atelier og fremtidig museum; tilleggsoverenskomst i april vedrørende tresnittene, fotoarkiv og treskjærerarbeider. Arkitekt Lorenz Ree engasjert. Foreslo Monolitten inkorporert i fonteneanlegget og ny plan om plassering foran den kommende atelier/museumsbygning på Frogner.
2 store modeller til granittgrupper. KYSSET, KVINNE RIDER PÅ BJØRN. Brudd med Inga Syvertsen.

1922 Inngikk ekteskap med Ingerid Vilberg, f. 24.5.1902, den 28.1. Selvportrett. Portretter av Harald Aars og Anton Ræder. 2 store modeller til granittgrupper. Ferierte ca. 3 måneder på Sørlandet (Svinør) fra 19.6. og kort tur til Danmark fra 6.–13.9. Vedtak i Bystyret 21.9. om å anmode Vigeland å foreslå annen plassering for fonteneanlegget enn foran atelier/museumsbygningen. Ny modell for plassering vest for dammene i Frognerparken utarbeidet; en nærmere 2 års debatt begynte.

Erik Lodbroks død. 1922. Leire. H: 23,5 cm

1922–23: Statue av Egil Skallagrimson.
Innvalgt som medlem av Kungl. Academien för de Fria Konsterna 25.3. Besøkte Jubileumsutstillingen i Göteborg.

1923 1 stor modell til granittgruppe. 12 relieffer til fontenen, hvorav 5 ble anvendt. Utnevnt til æresprofessor ved Kunstakademiet i Carrara. Begynte å arbeide i atelieret på Frogner tidlig i oktober.

1924 Flyttet fra Maridalsveien 17 til ny bolig i atelierbygningen månedsskiftet august/september. 1924–26: Tegnet lamper, lysestaker m.m. for smijern, div. møbler og tekstiler. Modellen til Monolitten i endelig størrelse utført 1924–25, til sammen $11\frac{1}{2}$ måned. 27.11. godkjente bystyret fontenens og granittgruppenes plassering som på Vigelands plan fra 1922.

1925 Planer om utvidelse av skulpturparken til å omfatte utsmykning av broen over Frognerdammene og inngangsportal til parken mot Kirkeveien. 3 store modeller til granittgrupper.
1925–26: 2 store modeller til granittgrupper.
1925–33: 58 modeller til figurer og grupper i bronse til oppstilling på broen i Frognerparken.

1927 Tegninger til skulpturparkens hovedinngang og enkelte ferdig smidde detaljer til portene utstilt i Kunstindustrimuseet; bystyret godkjente planene og mottok midler fra Oslo sparebank til formålet i 1928.

1928 Bygget sommerhus, Breime, ved kysten i nærheten av Vigeland. Smie satt opp utenfor atelieret og smeder ansatt. Monolittblokken reist 15.5.

1929 Huggingen av Monolitten påbegynt 29.7 (avsluttet i juli 1942). Utnevnt til Storkors av St. Olavs orden på 60-års dagen.

1930 Offentlig utstilling i atelieret 2.–29.6.:modell av broen i Frognerparken med 62 skulpturer, en del av dem ferdig i full størrelse og planer for utvidelse av parkarealene. Atelierets sydfløy ferdig bygget i juli. Portrett av Hans Aall (Folkemuseet, Bygdøy).

1931 Etter nok en Vigeland-debatt, godkjente bystyret utvidelsene av skulpturparken 9.7. De første terrengarbeider igangsatt.

1932 Utstilling av 131 tresnitt i atelieret i oktober.

1933 3 store modeller til granittgrupper. De første tegninger til figurporter i smijern.

1934 LIVSHJULET. Toppstykkene til smijernsportene ved Kirkeveien påbegynt – ferdig smidd 1938 og montert 1941–42.

1935 4 relieffer til fontenen.

1936 Kolossalstatue av Christian Michelsen, reist i Bergen 1938. SLEKTEN, modellert for støpning i bronse og plassering i skulpturparken. 1 stor modell til granittgruppe.

1937 Statue av reformasjonspresten Peder Claussön Friis, reist ved Valle kirke, Sør-Audnedal 1938.

1938 Statue av Snorre Sturlasson; reist på Reykholt, Island 1947 og i Bergen 1948. PIKE OG ØGLE, reist i Vigelands-

To kvinner og en mann. 1938. Gips. H: 2,75 m

parken 1959. TO KVINNER OG EN MANN modellert for støpning i bronse og planlagt oppsatt i skulpturparken.

1939 Gravmonumentet DEN GODE HYRDE, Vestre Aker kirke, Oslo. Utnevnt til æresmedlem av Kunstforeningen 26.5.
1939–40: Broskulpturene montert i skulpturparken.
1939–40: MANN OG TO KVINNER I TREKANT, modellert for støpning i bronse og tenkt som bekroning av smijernsport i skulpturparken.

1940 8 barnefigurer til Barneplassen i skulpturparken. Separert fra Ingerid Vigeland.

1941 DEN DØDE MOR og 3 andre grupper tiltenkt rekkverkene på to mindre broer i skulpturparken.

1942 12 små relieffer av øgler og mennesker til dørene på portstuene ved hovedinngangen til skulpturparken. Selvportrett, statue. Om høsten veggrelieffer til sitt eget gravkammer.

1943 Hjerteinfeksjon i januar, innlagt på Lovisenberg sykehus. Døde 12. mars.

1947 Vigeland-museet åpnet for publikum. Fontenen ferdig montert i skulpturparken.

A Biographical Survey

1869 Born April 11 in the parish of Halse, now part of the city of Mandal. His parents were Elisæus Thorsen (15.5.1835–11.6.1886) and Anna Aanensdatter (7.12.1835–10.4.1907). He was christened Adolf Gustav Thorsen on May 16 in Mandal Church but only called Gustav. He was the next eldest of five brothers the third of whom died when only 18 months old. His father was a respected and relatively well-to-do master carpenter with his own workshop and several journeymen and apprentices. The father himself designed and carried out the woodcarving on the furniture. During the 1870's he belonged to the pietistic revival movement and the children's upbringing was strict and religious. About 1880–82 he seems to have experienced a personal and religious crisis. He began to drink heavily and allowed the workshop to fall into disrepair.

1875–82 After his first few years at Frøylandsmoen elementary school he began in the autumn of 1877 in the preparatory class at secondary school. (Pupils not continuing at elementary school attended two years of preparatory classes followed by six years at secondary school, which had a higher social status then elementary school.) Sickness forced him to leave school in December 1877 and it was not until April 1878 that he returned. During the winter he lived with his maternal grandfather on the family farm at Vigeland outside Mandal and for a while received training in woodcarving by a district artist. Autumn 1879 he was admitted to the first class at secondary school. Before Christmas 1882, while in third class, he left for good when he moved to Vigeland with his mother and youngest brother Emanuel. The oldest brother Theodor and the next youngest Julius remained with their father in Mandal. Both continued secondary school but only Theodor finished. Gustav received his best grades in drawing and writing. In other subjects his grades were uneven but generally somewhat above average.

1883 Attended Nyplass School in Sør-Audnedal for the first half of the year. Was confirmed in Valle Church September 30 and subsequently attended the district county school for a short while. This was the end of his formal education.

1884–85 Trained as a woodcarver under Torkel Kristensen Fladmoe in Kristiania (Oslo after 1924). Attended evening classes in drawing at the Royal School of Design with the landscape painter I. Ph. Barlag as his instructor. Visited the Sculpture Museum with its plaster casts of sculptures from Antiquity.

1886–87 Returned to Mandal spring 1886 after the death of Fladmoe. His father died of tuberculosis in June. The family moved for good from Mandal to the farm at Vigeland. He helped with the farm work, did some woodcarving to sell and drew a great deal with a view to sculpture. Read extensively, particularly literature from Antiquity.

1888 Returned to Kristiania in October. Found work in a woodcarving workshop, but because of lack of orders was given notice Christmas Eve.

1889 A period of severe poverty and hunger ensued. In February he showed his drawings to the sculptor Brynjulf Bergslien who arranged some modest financial assistance through private sources. He also found space for him in his studio with enough room to stand and work. Executed here the group HAGAR AND ISMAEL which was accepted by the autumn State Art Exhibition. Bergslien was his first instructor in modeling, plaster casting and carving in marble. He also attended classes in modeling and drawing from life at the Royal School of Design. Carried out the relief A GHOST and a couple of reliefs with Homeric motifs.

1890 As well as being Mathias Skeibrok's pupil at the School of Design he began, on the advice of Bergslien, to work in Skeibrok's studio. His statuette DAVID was purchased by the Art Society and exhibited there. Carried out two orders for facade sculptures. Received a grant from Mandal Handcraft Association and Mandal Savings Bank.

1891 To Copenhagen in January where he was accepted into the studio of the sculptor, Prof. Vilhelm Bissen (1836–1913). Here he modeled ACCURSED, his first

Dans/Dance. 1893. H: 32,5 cm

282

Domkirken i Trondheim/The Cathedral in Trondheim
Korbuen med skulptur av Vigeland/The choir screen-wall with sculptures by Vigeland.
1898–1902.

group of life-size figures. In the spring he was awarded a State grant which made it possible for him to remain in Copenhagen for the rest of the year.

1892 Returned to Kristiania in February and rented a fourth floor room in Pilestredet 8. While here he modeled the statue YOUNG GIRL and the first portraits, among them Prof. Lorentz Dietrichson and the painter Harald Sohlberg. ACCURSED was shown at the official Danish Spring Exhibition at Charlottenborg in Copenhagen and at the State Autumn Exhibition in Norway. He received a State grant for the second time. Went first to Copenhagen where he took lessons in French.

1893 Continued on to Paris in the beginning of January. Rented his own studio in Boulevard Gouvion St. Cyr 23 where he did a number of smaller sculptures. He did not attend art schools but visited exhibitions and studied on his own in the museums. Made several visits to the studio of Auguste Rodin. Returned to Norway June 2. Made the first designs for the relief HELL.

1894 The relief HELL (first version). Modeled portraits of Jens Thiis and Stanislaw Przybyszewski. Received a grant from Houen's Bequest Fund for the first time. Did compulsory military duty (school for recruits) from May 8 to June 18 at Gimlemoen near Kristiansand. Held his first one-man exhibition, 51 works, in the Art Society in Kristiania from October 20 to November 4.

1895 Arrived in Berlin in the beginning of February and remained there for three months. Lived in the same hotel as Edvard Munch in Mittelstrasse 47 and became part of an international group of artists and writers whose gathering place was the wine tavern «Zum schwarzen Ferkel». Studied in the museums and did several sculptures which he destroyed, among them portraits of Edvard Munch and Dagny Juel Przybys-zewska. Also modeled MAN CRADLING A WOMAN IN HIS ARMS and THE PROSTRATE COUPLE. On to Florence where he stayed about a month. Did further military duty in Norway from June 10 to July 9. Received a grant from Houen's Bequest Fund for the second time. Did a portrait in relief of the poet Sigbjørn Obstfelder.

1896 Travelled direct to Florence in the beginning of February, arriving on the 10th. Studied in the museums and was particularly interested in art from the Renaissance and Antiquity and most particularly from Egypt and classical Greece. Made a three week visit in May to Rome, Naples, Pompeii, Herculaneum and to Orvieto to see Signorelli's frescoes. Left Florence August 21. Spent three weeks home at Vigeland where he modeled portraits of his brother Emanuel and an old man from the district. Back in Kristiania September 24. Began to model HELL once again, also portraits of Oscar Nissen and others.

1897 Spent the winter in Trondheim where he carried out sculptures in Gothic style for the restored cathedral. Back to Kristiania March 27. Military duty in June. HELL II was completed in September and bought by the Sculpture Museum in 1898, the bronze casting being financed by subscription. The first monograph of Vigeland was published in Berlin, Stanislaw Przybyszewski's «Auf den Wegen der Seele». Mode-led MAN AND WOMAN groups in statuette size.

1898 While living in Kristiania he did 16 gargoyles for the main tower of the cathedral in Trondheim. Also a series of sculptures in statuette size included THE HERMIT, THE KISS, NIGHT, AMOR AND PSYCHE. Military service from June 6 to 26. Did a few vases and candleholders in clay and drawings for fountains.

1899 Carried out sculptures for the cathedral in Trondheim: Moses, Isaiah, Elijah and Mary for the choir screen-wall, 8 figures for the cornice of the north transept tower, a statuette of St. Olav for a niche on the exterior of the choir. Was commissioned to do an over life-size portrait of J. J. Scwartz, M. P. Drammen (completed 1900). Made a portrait of Hakon Storm. Held his second one-man exhibition of 42 sculptures at Wang's Gallery in Kristiania in December. Received the commission for STANDING BOY for a fountain in Hamar. Modeled several MAN AND WOMAN groups including ORPHEUS AND EURYDICE and KNEELING MAN AND WO- MAN. Began the funerary monument THE ANGEL for the Fabritius family (completed 1900, carved in marble from January to August 1902, erected in Our Saviour's Cemetary, Oslo).

His daughter Else was born June 21.

1900 A pro forma marriage to Laura Mathilde Andersen in Larvik, July 23. Executed the relief THE RESURRECTION and the statue THE WORKER. Did a model for a fountain, a basin held aloft by six men. Received a grant from Houen's Bequest Fund for the third time as well as a smaller grant from Trondheim Cathedral for the purpose of studying Gothic art in France and England. Arrived in Paris November 5.

1901 January 21 he was made Knight of the Order of St. Olav by King Oscar II. During January studied Gothic sculpture in Notre Dame, St. Chapelle and the Troca- dero in Paris. Did a series of drawings for a large fountain with urns mounted on the surrounding balustrade as well as drawings for monuments, groups and figures. Spent February 1 to 9 in Chartres. Completed portraits of Bjørnstjerne Bjørnson in March and of Gunnar Heiberg in April. Designed the medal for the Nobel Peace Prize Award in April. To Rheims, Amiens and Laon in May and the beginning of June. In London from June 14 to July 28 where Phidias' Parthenon sculptures in the British Museum made a particularly deep impression on him. His letters home reveal interest in Assyrian and Egyptian art also. Among British painters Constable and G. F. Watts are specially mentioned. Visited the cathedrals in Salisbu- ry, Wells, Somerset, Gloucester, Oxford, Ely, Lincoln, York, Selby, Howden and Beverley from the beginning of August until about October 20.

His son Gustav was born March 27. Divorce decree signed August 29. Returned home at the end of October. Modeled portraits of Henrik Ibsen and Erik Werenskiold. To Trondheim December 29.

1902 In Trondheim until February 17. The Crucifixion, David, John and an angel for the choir screen-wall were carried out as well as four reliefs of angels for the arcades in the nave and four reliefs for the baptismal font. Back in Kristiania he modeled two large urn groups for the prospective large fountain, both subse- quently destroyed. Made a portrait of Sophus Bugge and a series of drawings and models for monuments to Rikard Nordraak, Camilla Collett, Johan Sebastian

Welhaven and Niels Henrik Abel. He submitted an entry to the Abel monument competition but in not meeting the competition requirements it was not awarded a prize. In July commissioned to do the Nordraak Monument. In August an old studio on Hammersborg, a height in Kristiania, was put at his disposal by the municipality.

1903 Thirteen portrait busts: Edvard Grieg, Arne Garborg, Vilhelm Krag, Knut Hamsun, Aasta Hansteen, King Oscar II, Fridtjof Nansen, Johanne Dybwad and Wilhelm A. Wexelsen M. P. as well as three of Henrik Ibsen and an over life-size portrait of Alfred Nobel. Worked on the Nordraak monument. In April he began a full-scale group for the Abel monument although it was not commissioned. In the same month he was made a member of the board of directors of the National Gallery and the Sculpture Museum (until 1906).

1904 Continued work on the Abel monument. Received financial help from the Swedish businessman and patron of the arts, Ernest Thiel. Modeled portraits of Prof. Lorentz Dietrichsen, the writers Gunnar Heiberg, Sigurd Bødtker, Carl Nærup, Jonas Lie and the prime minister Johannes Steen. Did a model for a Beethoven monument. Two reliefs for the prospective fountain, neither included in the final selection.

1905 Completed modeling of the Abel and Nordraak monu- ments. The committee for the erection of the Abel monument decided to acquire the sculpture. Did twenty models of groups consisting of human figures and trees to be placed on the balustrade surrounding a fountain. Modeled a life-size MAN CRADLING A WOMAN IN HIS ARMS. Portrait of the painter Amaldus Nielsen. Statuettes of Aasta Hansteen and Tordenskiold. In July he hiked in the mountain districts of Rondane and Jotunheimen. In August made a trip to Paris with Inga Syvertsen.

1906 Carried out the life-size groups YOUNG MAN AND WOMAN and OLD MAN AND YOUNG GIRL. Two models for the Camilla Collett monument were made at the request of the committee. Did a model for a Henrik Ibsen funerary monument and a statue of Beethoven, the latter cast in bronze at his own expense. The fountain, 1/5 projected size was completed and exhi- bited in the Museum of Applied Art from October 14 to November 25. It attracted great enthusiasm. He made the first of twenty tree groups for the fountain in the projected scale, also several reliefs. His divorce from Laura Mathilde became final on April 7. June 20 his brother Theodor died from tuberculosis. April 10 he moved into an apartment with Inga Syvertsen. To- gether they hiked in Jotunheimen during the summer.

1907 The first «Vigeland Committee» began to raise funds for the erection of the fountain. The contributions were turned over to the municipality which passed a resolution in November commissioning the fountain for the square in front of the Parliament (Eidsvolls plass). The monument of Henrik Wergeland was commissioned by the city of Kristiansand. Carried out the following: a statuette of Edvard Grieg, three models for an Eidsvoll monument (all destroyed), several models for a monument to Theodore Roosevelt as requested by Norwegian Americans, portraits of Inga Syvertsen and Ernest Thiel, the life-size groups MOTHER AND CHILD, KNEELING MAN EMBRACES STANDING WOMAN. His mother died April 10. Helped his brother Julius financially so that he could take over the family farm at Vigeland. A short stay in Paris in August.

1908 Modeled the group THE BEGGARS. Did the model for an equestrian statue of Theodore Roosevelt riding at a trot (the expected commission never materialized), two tree groups and five reliefs for the fountain. Began the Camilla Collett monument after receiving the commission. The Henrik Wergeland statue was unveiled in Kristiansand and Fargo, North Dakota, on June 17. A new studio on Hammersborg was built beside the old one. Made a short trip to Paris in the spring. The Abel monument was unveiled in the Palace Park October 17. Visited London and Copenhagen in October.

1909 Camilla Collett statue completed in February. From May to October he modeled the six giants who support the basin of the fountain. Did life-size groups of MOTHER AND CHILD II, TORSO OF A WOMAN, WOMAN WITH LEGS CROSSED. Took part in Charlottenborg exhibition in November with four sculptures. Short trip to Copenhagen in November. Interested himself in different kinds of stone and had samples sent from Copenhagen.

1910 Rheumatic attack and pleurisy in January/February. Suffered from rheumatism for about two years and was periodically unable to work. Had the rough chiselling in marble of TORSO AND YOUNG MAN AND WOMAN (1906) done in Carrara and did the final carving himself. Did several portraits in soapstone. THE BEGGARS shown at an international exhibition in Brussels. Trips to Copenhagen in July and in the autumn. Made designs for the wrought-iron railing and linked dragons for the Nordraak monument and the railing for the Camilla Collett monument.

1911 THE BEGGARS included in an international exhibition in Rome. Modeled one tree group for the fountain. Made a short trip to Stockholm at the end of July followed by a trip to Denmark with Inga where they visited Copenhagen and other cities and places of interest. The Nordraak monument in soapstone was unveiled in Wergelandsveien May 17 and Camilla Collett in the Palace Park on May 31.

1912 Finished three groups for the fountain. Underwent treatment for rheumatism at Larvik Spa from July 17 to 30. Hiked in Jotunheimen in August. Ordered two blocks of limestone from Copenhagen which he received in December. From 1912–14 he made 34 reliefs for the fountain, 15 used in the final version.

1913 Modeled four groups in «medium size» intended for stone. Two of them were carved by Julius Vigeland the same year and the rough chiselling of the other two done in Copenhagen.
1913–14 (or at the latest July 1915) carried out altogether 33 «medium size» groups of which 14 were carved in stone. Nothing came of a plan to send the groups to exhibitions abroad, probably due to the outbreak of World War I. Several of the motifs were later used in the series of large granite groups. BEAR WITH HER CUB was carved in red granite by Julius Vigeland 1913–14 (erected in Kragerø 1917). Modeled five tree groups for the fountain and several reliefs. Wished to move the fountain from Parliament Square (Eidsvolls plass) to the top of a hill in the Palace Park (Abelhaugen) to which the Fountain Committee agreed. Made a short trip to Paris in May to see a Chinese exhibition.

1914 Did the first two full scale models for the series of granite groups. Finished modeling the last four of the 20 tree groups for the fountain. Made the first drawings for a mosaic labyrinth pavement in stone to surround the fountain. Modeled a statue of Edvard Grieg (later destroyed) and a statue of Bjørnstjerne Bjørnson commissioned by Conrad Mohr to be erected in Bergen. Visited Malmö, Sweden, on July 28 to see a Baltic exhibition.

1915 Began making woodcuts. In April the plan to place the fountain on Abelhaugen was made public. Finished three large models for the granite groups. Carving of the granite groups was begun. Visited Julius Vigeland at Vigeland from August 7 to 28. Made a portrait of the merchant Hans Mustad. Spent December 5 to 13 in Bergen where portraits of Conrad Mohr and Christian Michelsen were modeled.

1916 Made public his plan for a stair construction on which granite groups were to be mounted and which was to be connected with the fountain on Abelhaugen. The model and some of the groups were exhibited in the studio at Hammersborg in April. A new Vigeland committee was established to finance the granite groups. Made five full size models for the granite groups and a full size model for a fountain with four lizards in granite spouting water (now in the courtyard of the Vigeland Museum). Did 23 reliefs for the fountain, most of these in October/November. Of these 14 were used.

1917 Exhibited 53 woodcuts at the Artists' Association April 14 to 30. His portrait herm of Sigbjørn Obstfelder was placed on the poet's grave in Fredriksberg Cemetary in Copenhagen and in his birthplace Stavanger, Norway in 1918. Modeled portraits of Dr. Edvard Bull and

Mustads barn/Mustad's children. 1917. Gips/Plaster. H: 80 cm.

Johan Anker as well as seven full-size models for the granite groups. Planned extensions of the fountain project on Abelhaugen. Travelled about in Telemark with Inga from July 29 to August 8.

1918 Finished ten full-size models for the granite groups. In Varteig, Østfold, June 26 to August 21. Wrote his memoirs from his childhood and youth.

1919 January to April suffered from influenza and bronchitis. Made four full-size models for the granite groups and the first plastic sketch for the HUMAN CULUMN – the MONOLITH. Negotiations with municipal authorities about a new studio building.

1920 Made seven full-size models for the granite groups. Modeled WOMAN IN THE ANTLERS OF A REINDEER.

1921 Contract with the municipality signed February 15. The municipality took over the ownership of the originals of all previous and future sculptures and in return agreed to build a studio and future museum. An additional agreement was made in April concerning the woodcuts, photo archives and woodcarvings. The architect, Lorenz Ree was engaged. Vigeland suggested that the Monolith be incorporated into the fountain project and presented a new plan for placing the whole in front of the future studio/museum building at Frogner.

Made two full-size models for the granite groups, also THE KISS and WOMAN RIDING ON A BEAR. Broke off his relationship with Inga Syvertsen.

1922 January 28 married Ingerid Vilberg, born 24.5.1902. Modeled a self-portrait, portraits of Harald Aars and Anton Ræder and two full-size models for the granite groups. Spent a three month vacation by the sea in the southern part of Norway from June 19 and made a short trip to Denmark from September 6 to 13. On September 21 the City Council passed a resolution requesting Vigeland to suggest a site other than the one in front of the studio/museum building for the fountain project. A new model was made placing it west of the ponds in Frogner Park. A debate lasting nearly two years began. Statue of Egil Skallagrimsson modeled 1922–23. Appointed member of the Royal Swedish Academy of Fine Arts March 25. Visited the Jubilee exhibition in Göteborg.

1923 Finished one full-size model for a granite group and also twelve reliefs for the fountain, of which five were used. Made honorary professor of the Art Academy in Carrara. Began to work in the studio at Frogner early in October.

1924 Moved from Maridalsveien 17 into new living quarters in the studio building about the end of August. From 1924 to 1926, for his new home, he made designs for wrought-iron lamps, candleholders and other items as well as for various pieces of furniture and textiles. The full-scale model for the Monolith was carried out over a period of eleven and a half months in 1924–25. November 27 the City Council approved the site for the fountain and the granite groups according to Vigeland's 1922 plan.

1925 Made plans for the extension of the sculpture park to include statues for the bridge over the Frogner ponds and wrought-iron entrance gates to the park. Carried out three full-size models for the granite groups.
1925–26: 2 full-size models for the granite groups.
1925–33: 58 full-size models for figures and groups in bronze to be placed on the bridge in Frogner Park.

1927 Drawings for the sculpture park's main entrance and some already forged details of the gates were exhibited in the Museum of Applied Art. The City Council approved the plans and in 1928 received a gift from Oslo Savings Bank for the purpose.

1928 Built a summer house, Breime, on the coast close to Vigeland. Had a smithy built outside the studio and employed ornamental iron-workers. The Monolith block in place and raised May 15.

1929 The carving of the Monolith was begun July 29 (completed July 1942). He was presented with the Grand Cross of the Order of St. Olav on his 60th birthday.

1930 A model of the Frogner Park bridge with 62 sculptures, some already completed in full-scale, and plans for the extension of the park area were exhibited to the public in the studio from June 2 to 29. The south wing of the studio was finished in July. Modeled a portrait of Hans Aall (Norwegian Folk Museum, Bygdøy).

1931 After yet another «Vigeland debate» the City Council approved the extensions of the sculpture park July 9. The first clearing and landscape work was begun.

1932 An exhibition of 131 woodcuts was held in the studio in October.

1933 Finished three full-size models for the granite groups and did the first drawings for the wrought-iron gates with human figures.

1934 Modeled THE WHEEL OF LIFE. The upper parts of the wrought-iron main entrance gates (Kirkeveien) were begun. They were forged and ready in 1938 and mounted 1941–42.

1935 Made four reliefs for the fountain.

1936 Did an over life-size statue of the former prime minister, Christian Michelsen, erected in Bergen 1938. THE CLAN modeled to be cast in bronze and placed in the sculpture park (still not erected) and one full-size model for the granite groups.

1937 Modeled a statue of the Reformation clergyman, Peder Claussøn Friis, raised close by Valle Church, Sør-Audnedal 1938.

1938 Modeled a statue of Snorre Sturlasson, erected at Reykholt, Iceland in 1947 and in Bergen 1948. Carried out GIRL AND LIZARD, mounted in Vigeland park 1959. TWO WOMEN AND ONE MAN was modeled for casting in bronze and meant to be placed in the sculpture park.

1939 Executed a funerary monument THE GOOD SHEPHERD, Vestre Aker Church, Oslo. Made an honorary member of the Art Society May 26.
1939–40: the bridge sculptures were mounted in the sculpture park.
1939–40: MAN AND TWO WOMEN IN A TRIANGLE modeled to be cast in bronze and to surmount one of the projected wrought-iron gates in the sculpture park.

1940 Modeled eight figures of children for the Children's Playground in the sculpture park.
Separation from Ingerid Vigeland.

1941 Modeled THE DEAD MOTHER and three other groups intended for the railings of two smaller bridges in the sculpture park.

1942 Carried out twelve small reliefs of lizards and human figures for the doors of the gate-houses at the main entrance to the sculpture park. Modeled a self-portrait statue and during the autumn wall reliefs for his own mausoleum in the studio/museum building.

1943 Suffered from heart disease in January, admitted to Lovisenberg Hospital where he died March 12.

1947 Vigeland Museum was opened to the public. Installation of the fountain in the sculpture park was completed.

Kvinne og slange/Woman and snake. 1939. Gips/Plaster. H: 25,5 cm